KB184846

상도

상도 2

1판   1쇄 발행 | 2000년 11월   1일
1판 117쇄 발행 | 2009년   6월 24일
2판   6쇄 발행 | 2013년   2월 14일
3판   3쇄 발행 | 2015년 10월 10일
4판   1쇄 발행 | 2020년 11월 22일

지은이 | 최인호
펴낸이 | 정태욱
책임편집 | 강은영
디자인 | 신유민, 안승철
펴낸곳 | 여백출판사

등 록 | 2019년 11월 25일 제 2019-000265호
주 소 | 서울시 성동구 한림말길 53, 4층 [04735]
전 화 | 02-798-2368
팩 스 | 02-6442-2296
E-mail | yeobaek19@naver.com

ⓒ 최인호 2009. Printed in Korea
ISBN 979-11-90946-01-8 04810
ISBN 979-11-968880-8-4 (전3권)

상도

최인호 장편소설

❷ 계영배(戒盈杯)

여백

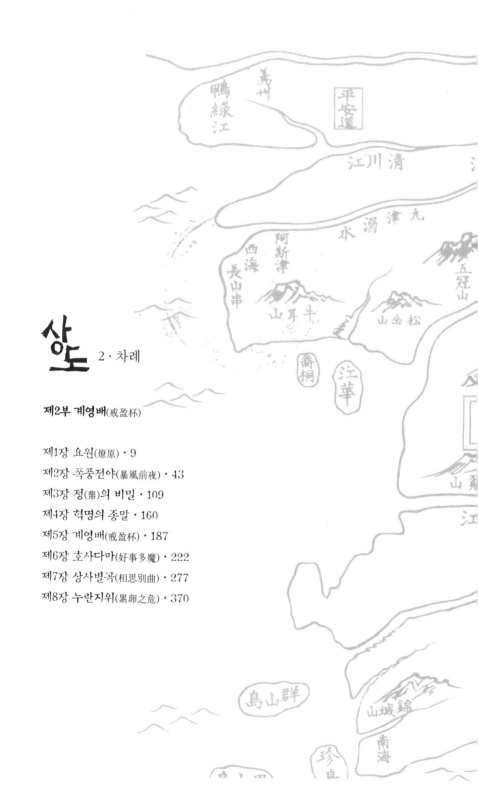

상도 2 · 차례

제2부
계영배

석숭 스님이 임상옥의 미래에 닥칠 세 번의 위기를 짐지하고, 그 위기를 벗어나는 비기(秘器)로 전해준 바로 그 잔.
계영배(戒盈杯).
임상옥은 이 잔의 이름을 스스로 계영배라 작명하고 평생 이 잔을 소중하게 가지고 다녔다. 그리하여 마침내 이 계영배야말로 임상옥이 고백한 바로 그 '하나의 잔(一杯)'이었던 것이다.

제1장 요원(燎原)

1

1811년. 순조 11년. 신미년.

그해 춘삼월.

백마산성 서쪽 삼봉산 밑에 있던 임상옥의 집에 낯선 나그네 한 사람이 찾아왔다. 먼 길을 걸어온 사람인 듯 몹시 지쳐 보였다.

"이리 오너라. 이리 오너라―."

임상옥의 집은 항상 열려 있었다. 양객(養客)이라 하여서 시도 때도 없이 수많은 식객들이 드나들고 있었기 때문이다.

바둑을 잘 두는 사람이거나 싯줄이나 읊을 줄 아는 선비들, 지나는 가객(歌客)이나 입담 좋은 풍객(風客)들 누구나 사랑방에 머무르면서 주인의 말벗이나 되고 바둑도 함께 두면서 후한 대접을 받고는 노자나 옷가지를 얻어서 또 다른 마을로 떠나는 나그네들을 대접하는 풍습이 있었던 것이다.

그런데 그 나그네는 다른 객들과는 달랐다. 활짝 열린 문 앞에서 대문이 무너질 듯 집 주인을 부르며 외치고 있는 것이다.

"이리 오너라. 이리 오너라―."

하인 하나가 영문을 모르고 뛰어나가 보았지만 행색이 갓 쓴 양반이 아닌 중인이었으므로 괘씸한 마음이 들어 물어 말하였다.

"도대체 누굴 찾아오셨소."

"여기가 임 대인 댁이 아니더냐."

"그렇소."

하인이 못마땅한 얼굴로 눈을 흘기며 대답하였다. 그러자 나그네가 다시 소리쳐 말하였다.

"가산에 사는 이 대인께서 서찰을 보내셨다고 여쭤라."

무식한 하인이었으므로 가산에 사는 이 대인이 누구를 말하는지 알 수 없었다. 그러나 하인은 비록 나그네의 행색이 남루하였지만 하룻밤을 묵고 가기 위해서 찾아온 떠돌이 식객이 아님을 본능적으로 알아차렸다. 하인은 그 사람을 일단 사랑방으로 안내하여 여장을 풀도록 하였다.

기골이 장대한 나그네가 가산에 사는 이 대인, 즉 이희저의 편지를 갖고 임상옥을 찾아온 바로 그 무렵의 시대상은 한마디로 난세였다.

11세의 어린 나이로 즉위한 순조의 권위는 유명무실할 뿐 실제로는 안동김씨의 세도정치로 조정은 정치적 혼란에 빠져 있었으며,

이러한 혼란을 틈타 부정부패가 만연하였다. 탐관오리들은 국가의 행정이나 조세를 통해 썩어가고 있었고, 이에 따라 민생은 완전히 도탄에 빠지고, 뜻하지 않은 화재, 전염병, 대기근과 같은 천재지변이 연이어 일어났다.

탐관오리들의 부정부패와 더불어 일련의 천재지변들은 절망한 민중 사이에서 들불처럼 타오르는 저항의 불길을 불러일으켰다.

이 무렵.

아이들 간에 이상한 노래가 유행하기 시작하였다. 전국을 떠돌던 그 노래의 가사는 다음과 같았다.

"이씨 나무 무너지고 정씨도령 찾아온다."

원래 이 노래는 《정감록(鄭鑑錄)》에서 비롯된 것이다. 조선시대 이래 민간에 널리 유포되어온 대표적인 예언서인 《정감록》은 이씨 성을 가진 왕조가 망하면 그 뒤를 이어 정(鄭)씨 성을 가진 '진인(眞人)'이 새로운 세계를 연다는 내용을 담고 있는데 이 신앙은 그 무렵의 난세를 틈타 널리 퍼져나가고 있었다.

아이들이 불렀던 동요와는 달리 어른들간에는 다음과 같은 참언도 유행하고 있었다.

"목자망 존읍홍(木子亡 尊邑興)."

이처럼 아이들이 부르는 노래나, 어른들 간에 유행하는 참언들 모두 조선왕조가 무너지고 정씨 성을 가진 도령의 새 세상이 찾아온다는 불길한 예언을 하고 있었으므로 조정에서는 이러한 유언비어가 어디에서 비롯되는가를 면밀히 탐색해보기 시작하였다.

그리하여 마침내.

조정에서는 1804년 황해도 안악(安岳)에 사는 이달우(李達宇)가 이상한 노래를 만들어 아이들에게 유행시키는 한편 장연(長淵) 백성 장의망(張義網)과 어울려 무기 및 군량을 준비하여 황해도와 평안도의 백성들을 모아 반란을 일으키려 한다는 사실을 밝혀냈다.

그해 9월.

반당의 괴수 이달우는 마침내 관군에게 체포되고 그 길로 압송되어 능지처참되는 것으로써 난은 진정되었지만 어쨌든 이 무렵의 온 나라는 뒤숭숭하고 어지러운 난세 중의 난세였던 것이다.

그런데 또 하나의 이상한 참언이 유행하기 시작하였다. 이 노래는 주로 평안도를 비롯한 관서지방에서 유행하였다.

"이씨 나무 쓰러지고 수(水)씨 강이 흘러든다."

몇 년 전 아이들이 부르던 노래에 그대로 가사만을 바꿔서 새롭게 널리 퍼지는 불길한 동요였다.

이 동요의 유행과 더불어 보다 구체적인 비설(秘說)이 입에서 입으로 떠돌아다니고 있었다. 그 내용은 '난세와 혼란을 구할 큰 영웅이 바로 서북지방에서 출현할 것이다' 라는 것이었다.

그 큰 영웅이 바로 수씨의 성을 가진 평한이라는 것이다.

평한(平漢).

예로부터 평안도 사람들은 스스로를 멸시해서 그렇게 부르곤 했었다. 평한이라 하면 '평안도 놈' 을 가리키는 한자였으며 바꿔서 서한(西漢)이라 부르기도 했었다. 순수한 우리말로는 '평치' 나 '도치' 라 부르기도 했는데 둘 다 '평안도 놈' 을 가리키는 일종의 비어였다.

그 '평안도 놈'의 평한 중에서 난세를 구할 물 수(水)의 성을 가진 영웅이 태어난다는 참언이 유행하고 있었던 것이다.

이 정체불명의 참언이 해가 바뀌어 신미년에 접어들자 그해 봄부터 보다 구체적인 내용으로 떠돌기 시작하였다.

즉, 그 영웅이 이미 태어나 있다는 비설이었다. 그 영웅은 30년 전에 태어나 이 세상에 와 있는데 그는 선천군(宣川郡) 검산(劍山) 속 일출봉(日出峰) 밑 군왕포(君王浦)에서 태어난 진인이라는 것이다.

바로 그 무렵.

가산에 사는 이희저로부터 보내온 서찰을 가진 심부름꾼 하나가 임상옥의 집을 찾아온 것이다. 하인으로부터 전갈을 받은 임상옥은 따로 술상을 차려놓고 그 심부름꾼을 불러들였다.

사사로이 주고받는 서찰들을 전해주는 사람을 봉인(封人)이라 하였는데 이는 하인 중에서도 신임이 두텁고 입이 무거운 선택된 사람이었다.

봉인은 임상옥 앞에서 큰절을 올려 예를 표한 후 무릎을 꿇고 앉았다. 임상옥은 몸을 편히 하라 이르고는 술잔에 가득 술을 따라주며 말하였다.

"이 대인께오서는 안녕하시더냐."

"평안하시나이다."

몸을 편히 가지라 하였으나 사내는 여전히 무릎을 꿇고 앉은 자세로 대답하였다.

"이 대인께오서 내게 서찰을 보내오셨다고."

"그렇습니다, 대인어른. 이 대인께오서 서찰을 전해드리라 분부

하셨나이다."

사내는 두 손으로 서찰을 받들어 올렸다. 임상옥은 피봉을 뜯고 내용물을 읽어보았다. 낯익은 이희저의 글씨였다. 서찰 끝부분에는 이희저 특유의 수결(手決)이 그려져 있었다. 수결이라 함은 자기 본명이나 직함 아래 도장 대신 쓰던 일정한 자형(字形)이었다. 이 서명을 통해 편지가 틀림없이 이희저로부터 온 것임을 알 수 있었다.

처음에는 의례적인 문안인사로부터 시작되었으며 본론은 좀 특이하였다. 즉, 이 서찰을 보내는 사람을 수하에 두고 서기(書記)로 써달라는 일종의 추천장 형식을 취하고 있었던 것이다. 보내는 사람은 총기가 있고 정직할 뿐 아니라 수리에 밝아 계산 능력도 뛰어나니 한번쯤 데리고 있어볼 만하다는 내용이었다.

편지를 읽어본 임상옥은 당황하였다. 이런 식의 편지를 이희저로부터 받아본 적이 한 번도 없었기 때문이었다.

수리에 밝아 계산 능력이 뛰어나고 총기가 있고 정직하다면 어째서 자신에게도 필요할 터인데 군이 사람을 보내서 내게 천거해오는 것일까. 장사꾼끼리는 원래 돈을 빌리고 꿔주는 일은 있어도 사람을 추천하거나 보증해주는 일은 금기시되고 있었다. 왜냐하면 돈은 돈으로 그치지만 사람은 결국 믿는 도끼에 발등 찍히는 결과를 초래하여 상대방을 원수가 되게 하는 원인이 될 가능성이 높으므로.

임상옥은 편지를 내려놓고 물끄러미 이희저가 추천한 사내의 모습을 쳐다보았다.

임상옥은 사람을 꿰뚫어 보는 데 남다른 안목이 있었다. 사내의 모습을 본 순간 임상옥은 생각하였다.

'이 사람은 조가(朝家)에나 있을 사람이지 상가(商家)에 있을 사람은 아니다.'

사내의 몸은 비록 작았지만 뼈가 굵고 강골이었다. 그러나 전체적으로는 자세가 단정하고 기품이 있어 비록 행색이 남루하였지만 귀한 상이었다.

이 사람을 서기로 두고 데리고 있어보라는 이희저의 편지 내용을 읽은 순간 임상옥은 문득 중국의 상인들을 떠올렸다.

이 무렵 임상옥은 중국 상인들의 독특한 화계제도에 대해 깊은 관심을 갖고 있었던 참이었다. 중국의 화계제도는 마침내 우리나라에도 들어와 '회계(會計)'라는 이름으로 바뀌게 되었으며 이들이 주로 하는 일은 나가고 들어오는 돈의 흐름을 따지고 셈하여 재산과 수입 및 지출의 관리와 운용을 계산하는 것이었다. 그렇지 않아도 임상옥은 중국의 화계제도를 본받아 수리에 밝고, 신용이 두터운 서기 한 사람을 두려던 참이었다.

임상옥은 사내의 모습을 정면으로 다시 쳐다보았다. 사내의 모습은 분명 조가, 즉 조정에서나 어울릴 상이었지 이처럼 상가에서는 어울리지 않는 단아하고 품위있는 모습을 하고 있었다. 그러나 눈빛은 달랐다. 전체적으로 단아한 모습이었지만 눈빛만은 사람을 꿰뚫어 보듯이 형형하였다. 예의가 발랐지만 비굴한 곳이 없이 당당하고 거침이 없었다.

나이를 물어보니 임상옥보다 한 살이 어렸다. 고향은 평안도의 용강 출신이라 하였다.

용강이라면 일찍이 의주의 상계에서 추방당하고 입산하기 전 봇

짐장수로 장터를 떠돌아다닐 무렵 가보았던 곳이라 임상옥은 사내에게 다시 물어보았다.

"용강 어디인고."

그러자 사내는 대답하였다.

"쇤네의 고향은 용강군 다미면(多美面) 세동(細洞) 꽃장골(花庄谷)이라 하나이다."

"성은."

"성은 홍(洪)가라 하나이다."

"홍가라면 본관은 어디인고."

"본관은 남양(南陽)이나이다."

"이름은 무엇인고."

"쇤네의 이름은 경래(景來)라 하나이다."

성이 홍씨에 이름은 경래. 홍경래의 이름을 가진 사내의 태도는 당당하고 거침이 없었다.

"문자는 알고 있는가."

"웬만한 문장은 읽고 또한 쓸 줄 알고 있나이다."

이왕 이희저로부터 추천을 받았으니 이참에 평소 생각하였던 대로 이 봉인을 중국의 상인들처럼 화계로 삼아야겠다고 생각한 임상옥은 꼬치꼬치 까다롭게 따져묻고 있었다. 당대 제일의 거부였던 임상옥의 재산을 관리하기 위해서는 무엇보다도 문자에 정통하고 수리 능력이 뛰어날 필요가 있기 때문이었다.

"문장은 어디에서 배웠는가."

"어렸을 때 외숙으로부터 배웠나이다."

"과거는 본 적이 있었던가."

순간 홍경래는 굳게 입을 다물었다. 그는 침묵 끝에 대답하였다.

"열아홉 나이 때 한 번은 본 적이 있었습니다만 부끄럽게도 낙방하고 말았나이다. 하오나 감히 말씀드리지만 그것은 제 실력이 모자라 낙방한 것이 아니옵고 서북 출신의 임용을 제한하는 조정의 정책과 모략·중상·아첨의 횡행, 문벌과 당파싸움 때문에 떨어지고 말았나이다."

술을 마시던 임상옥은 사내의 눈빛에서 분노의 불꽃이 번득이는 것을 보았다. 처음 본 사람 앞에서 감히 자신의 흉금을 털어놓는 사내의 기백이 용기가 있는 것인가, 아니면 무모한 것인가. 임상옥은 잠시 헤아려보았다.

"그 이후에는."

"단 한 번으로 족하였나이다."

홍경래는 대답하였다.

"그 이후로는 과거를 보지 않기로 작정하였나이다."

"허어, 그러한가."

홍경래의 말을 들은 순간 임상옥은 그가 마음에 들었다. 자작으로 이미 거나하게 술에 취한 임상옥이 등뒤의 병풍을 바라보며 말하였다.

"읽고 쓰는 법을 알고 있고, 열아홉 나이 때 과거를 본 적이 있다하니 문장을 지을 수도 있겠구먼. 그러하면 이 자리에서 문장 하나를 지어보시게."

임상옥은 등뒤에 쳐진 바람막이 병풍을 바라보았다. 그 병풍에는

가을날의 추경이 그려져 있고 그 위에는 원감(圓鑑)의 선시 한 수가
씌어 있었다. 원감은 고려 때의 스님으로 어릴 때부터 글을 배워 문
장을 잘 지었으며 19세 때 문과에 장원하였던 당대의 문장가였지만
뜻한 바가 있어 출가하여 원나라의 세조로부터 북경으로 초대받아
빈주(賓主)의 예를 받고, 금란가사와 백불자(白拂子)를 선물받았던
당대의 고승이었다.

　병풍에는 가을 풍경이 그려져 있고 원감의 '가을날에(秋日偶書)'
란 선시가 씌어 있었다.

　　추녀를 둘러싼 대밭에 가득한 빗소리 귀에 익고
　　골짜기에 가득 무리진 단풍 앞에는 가을빛이 맑구나
　　아리따운 노란 꽃은 새벽이슬에 우는데
　　쓸쓸한 빨간 잎은 뜨락 나무에서 떨어진다
　　繞檐竹密雨聲慣(요첨죽밀우성관)
　　滿洞楓殷秋色多(만동풍은추색다)
　　艶艶黃花啼曉露(염염황화제효로)
　　蕭蕭赤葉下庭柯(숙숙적엽하정가)

　임상옥은 그 시의 제목을 손가락으로 가리키면서 말하였다.
　"이 시의 제목이 '추일우서'이네. 그러하면 그 표제의 첫 번째 자
인 가을 추(秋)'와 날 일(日)'의 두 자를 넣어서 짧은 2행시를 한번
지어보시게나."
　"여기 이 자리에서 말입니까."

홍경래가 굵은 눈썹을 오므리며 임상옥을 쳐다본 후 물어 말하였다.

"물론이지."

임상옥은 웃으며 대답하였다.

"바로 여기 이 자리에서 말일세."

"좋습니다."

선선히 홍경래가 대답하여 말하였다.

"붓과 종이를 주십시오."

방 한구석에 비치되어 있던 벼루에 연적을 기울여 먹을 부은 후 붓에 듬뿍 먹물을 묻혀 세워들었다. 펼쳐진 종이 위에 전혀 망설임 없이 단숨에 2행시를 써내렸다.

일필휘지하는 거침없는 붓글씨에 놀라면서 임상옥은 그가 쓴 문장을 읽어보았다.

秋風易水壯士拳(추풍역수장사권)

白日咸陽天子頭(백일함양천자두)

임상옥은 다시 크게 놀랐다. 처음에는 거침없는 붓솜씨에 놀랐고, 두 번째는 그가 쓴 2행시의 내용에 놀랐다. 그 내용은 다음과 같았다.

"가을바람 불 때 역수의 장사는 주먹으로

대낮에 함양 천자의 머리를 노린다."

홍경래가 쓴 시의 내용을 이해하기 위해서는 고사를 알아야만 한다. 시에 나오는 '역수의 장사(易水壯士)'는 바로 중국 춘추전국시대의 '형가(刑軻)'를 말함이었다.

형가는 사마천이 쓴 《사기》에 나오는 자객으로 위나라 출신이었다. 독서와 칼쓰기를 좋아했던 문무를 두루 갖춘 인물이었다. 당시 연나라의 태자 단(丹)은 후에 진시황제가 된 진나라의 태자 정(政)과 소꿉친구로 절친한 사이였는데 정이 진나라의 왕으로 즉위하자 옛 우정을 배신하고 연나라의 국토를 잠식해 들어오고 있었다.

이에 단은 맹세한다.

"의리를 배반하는 자는 금수와 같다. 내 그대를 전에 홀대한 일이 없거늘 연나라가 작고 힘이 없다 하여 이토록 구박하고 위협하려 하는가. 어디 두고 보자. 이 원수를 반드시 갚으리라."

원수를 갚기 위해서 태자 단이 선택한 자객이 바로 형가였다. 때마침 진나라의 장수 번어기(樊於期)가 진왕에게 죄를 짓고 연나라로 도망쳐 왔으므로 형가는 이렇게 말하였다.

"진왕의 마음에 들기 위해서는 번어기의 모가지와 연나라의 옥토인 독항(督亢)의 지도가 필요합니다. 이 둘을 모두 주십시오."

마침내 번어기의 목을 얻은 형가는 목이 썩지 않도록 상자에 넣어 밀봉을 한 후 천하에서 가장 날카롭다는 도장(刀匠) 서부인(徐夫人)이 만든 비수를 구해 칼날에 미리 독약을 묻힌 후 독항의 지도를 갖고 진나라의 왕 정을 죽이기 위해 장도에 오른다. 이 장면을 사마천은 《사기》에서 다음과 같이 표현하고 있다.

"…드디어 형가 일행은 장도에 올랐다. 그들의 장렬한 의거를 짐작하고 있던 빈객들은 흰 옷을 입고 흰 관을 쓴 상복 차림으로 그들을 전송하였다. 마침내 역수(易水) 가까이에 이른 형가 일행은 행인을 보호하는 신인 도조신(道祖神)에게 제사지내었다. 형가의 친구인 개백정 고점리(高漸離)가 축(筑)을 타면서 반주하자 형가는 화답하여 노래를 불렀다. 바람소리 쓸쓸하고 역수는 차가워라, 장사 한 번 가면 다시 돌아오지 못하리.' 형가 일행은 수레를 타고 떠났고, 그는 끝까지 뒤를 돌아보지 않았다…."

형가는 예측하였던 대로 번어기의 목과 독항의 지도를 미끼로 진시황을 알현하는 데까지는 성공하였지만 지도 속에 숨겨두었던 비수로 황제를 죽이는 데는 실패, 마침내 비참하게 죽음을 당한 비극적인 인물이었다.

그 고사를 빗대어서 홍경래는 2행의 즉흥시를 지었던 것이다.

물론 고사를 인용하여 지은 즉흥시이긴 했지만 그 내용은 불손하기 이를 데가 없었다.

'역수의 장사'가 홍경래를 말함이라면, '천자의 머리(天子頭)'는 무엇을 말함인가. 임상옥은 섬뜩한 느낌을 받았지만 이를 결코 드러내 보이지 않았다. 대신 너털웃음을 웃으면서 잔에 술을 가득 따라 홍경래에게 내주며 말하였을 뿐이다.

"이제 보니 대단한 문재를 가졌구먼. 내 미처 알아보지 못하여 미안하였네. 그 대신 술 석 잔을 내릴 터이니 단숨에 들이켜시게."

이로써 홍경래는 마침내 임상옥의 재산을 관리하는 회계, 즉 서기로 발탁되어 임상옥의 문하에 들어가게 된다.

이는 홍경래의 주도면밀한 계획이 대성공을 거두게 된 결과였다.

시대의 반항아, 썩은 '천자의 머리', 즉 조선의 왕조를 뒤집어엎고 새 시대의 혁명을 꿈꾸었던 풍운아, 홍경래. 그는 어째서 거사를 앞둔 일년 전 임상옥의 상가에 서기로 취직하여 들어갔던 것일까.

2

홍경래는 임상옥에게 고백하였던 대로 용강군 다미면 세동 꽃장골에서 태어났다.

정조 4년, 1780년의 일이었다.

홍경래가 태어난 꽃장골은 이름 그대로 아름다운 고장으로 특히 봄이면 진달래꽃이 엉켜서 꽃장막을 이룬다 해서 꽃장골로 불렸다. 홍경래는 어렸을 때부터 키가 작아 땅딸보라는 별명으로 불렸지만 그 누구에게도 지지 않는 꼬마대장이었다.

그는 꼬마장군으로 전쟁놀이뿐 아니라 글공부에도 천재적이었다고 알려져 있다. 지금도 남아 있는 어린 홍경래의 일화 중에 유명한 이야기가 있다. 홍경래의 남다른 담력을 말해주는 이 일화는 그의 나이 일곱 살 때의 일로서 특히 평안도 지방에서는 설화처럼 내려오고 있다.

어느 날 밤.

글방 선생님은 홍경래가 머리도 좋거니와 생김생김이 범상치 않아서 한번은 이런 시험을 내렸다고 한다.

즉, 아랫마을 비석거리 옆에 큰 고목나무가 있고 그 고목나무에는 큰 구멍이 뚫려 있는데 그 구멍 속에 무엇이 있으니 가서 꺼내 오라는 당부였다.

어린 홍경래는 그 즉시 고목나무를 향해 달려가기 시작하였다. 공동묘지를 지나고 사람이라고는 없는 호젓하고 무서운 밤길을 달려 아랫마을로 가니 과연 썩어가는 큰 고목이 버티고 서 있었다. 홍경래는 짚신을 벗고 맨발로 나뭇등걸을 올라타 구멍 속에 손을 집어넣었다. 이 구멍 속에 무엇이 있어 훈장님이 가서 꺼내 오라고 이르셨을까. 손을 넣어 휘젓는데 무엇인가 구멍 속에서 어린 홍경래의 손을 꽉 잡았다.

"누구요. 이 손을 놔요."

홍경래가 소리를 지르자 구멍 속에서 소리 하나가 들려왔다.

"이놈아, 어디라고 손을 넣어. 나는 귀신이다. 너를 잡아먹는 귀신이다."

보통 아이 같으면 이미 혼절이라도 했을 터지만 어린 홍경래는 이렇게 말하였다고 전해진다.

"귀신이라구요. 그런데 귀신의 손이 차갑지 않고 왜 이리 따스해요. 귀신이 아닌가 본데 당신은 누구요."

미리 달려와 귀신 행세를 하고 있던 글방 선생님은 하는 수 없이 정체를 나타내어 항복하였다는 이 일화는 어린 날의 홍경래를 잘 말해주고 있다.

땅딸보 꼬마장군 홍경래는 그후 곧 고향을 떠났다. 본격적인 공부를 위해서 중화에 있는 외숙의 집으로 떠난 것이다. 홍경래의 외삼촌은 류학권(柳學權)이란 사람으로 그 일대에서는 모르는 사람이 없을 만큼 유명한 학자였다. 그러나 그도 평안도에서 태어난 평치

중의 한 사람이었으므로 과거도 못 보고 시골에서 서당 선생님으로만 겨우 만족하고 있었다.

외삼촌이 있던 중화는 홍경래의 고향 꽃장골에서 칠십 리 길. 홍경래로서는 첫 번째의 이향(離鄕)이었다.

류학권은 어린 홍경래가 영특하여 하나를 가르치면 열을 아는 그 비상한 머리에 감탄하였고 또한 가르치는 보람에 마음이 기뻤다. 그러나 이 기쁨과 함께 어린 홍경래를 두려워하게 되었다. 그것은 홍경래에게 어린애답지 않은 엉뚱한 무엇이 있기 때문이었다. 사실 류학권은 학자요, 선비이지 그 이상도 이하도 아니었다. 그는 학문이 높고 문장이 훌륭하면서도 한촌의 일개 훈장으로 만족하고 있던 서민에 지나지 않았다. 그러나 홍경래는 달랐다.

불과 여덟, 아홉 살의 어린 소년이었지만 가슴속에는 엉뚱한 야망을 갖고 있던 것이다. 류학권이 이를 눈치챘던 것은 홍경래가 여덟 살이었을 무렵, 무심코 간단한 글을 지어보라고 말하였을 때 다음과 같은 문장을 지었던 이후부터였다.

여덟 살의 나이 때 어린 홍경래가 지었던 시 한 수는 아직까지 남아서 전해져 내려오고 있다. 그 시의 내용은 다음과 같다.

해압산에 걸터앉아서
포강에 발과 허리를 씻는다
踞坐海鴨山(거좌해압산)
洗足腰浦江(세족요포강)

여덟 살의 홍경래가 '걸터앉는다'는 해압산은 중화에 있는 해발 332미터의 산으로 주위에서는 가장 높은 산이다. 또한 홍경래가 발과 허리를 씻는다는 포강의 원 이름은 문포천으로 곤양강과 함께 평야지대를 흐르며 비옥한 토지를 발달시킨 후 대동강으로 유입되는 샛강이다.

꼬마소년이 바로 그 해압산에 걸터앉아서 포강에 발과 허리를 씻는다'는 시를 쓰자 류학권은 자신의 뜻을 서슴지 않고 써내린 당돌함에 아연하지 않을 수 없었던 것이다.

중화에는 예로부터 고구려의 시조인 동명성왕의 묘로 알려진 분영(墳塋)이 있었다.

홍경래는 이 왕릉에서 놀기를 좋아하였다. 이 왕릉을 현지에서는 진주묘라고 부르고 있는데 거기에는 유래가 있다.

고구려의 시조인 동명성왕은 항상 기린마(麒麟馬)를 타고 하늘에 올라가 자신의 일을 아뢰곤 했었다. 그러나 나이 40에 이르러 결국 승천하여 돌아오지 않자, 하는 수 없이 태자는 부왕이 남긴 옥채찍〔玉鞭〕을 용산에 묻고 이를 동명성왕묘라 이름지었다.

동명성왕묘에는 고구려의 건국시조인 고주몽의 시신은 없고 그 대신 기린마를 부리던 옥채찍이 묻혀 있다는 것이다.

고려의 문신 이승휴(李承休, 1224~1300)는 이 동명성왕묘에서 노래하였다.

"승천한 구름수레〔雲軒〕 다시 돌아오지 않아,

남긴 옥채찍을 묻어 분영을 이루었구나."

홍경래가 열 살쯤 되었을 무렵 류학권은 홍경래에게 물어보았다.

"장래, 너의 길은 무엇이냐."

류학권은 똑똑한 홍경래가 글공부에 더 많은 노력을 기울여서 과거에 급제하여 벼슬길에 올라 자신을 대신하여 뜻을 펴주기를 간절히 바라고 있었다.

홍경래를 데리고 있은 지 3년. 그동안에 벌써 홍경래의 실력은 더 이상 가르칠 것이 없을 만큼 일취월장하고 있었다. 그러나 홍경래의 대답은 전혀 뜻밖이었다.

"옥채찍을 구하는 것이 저의 꿈이나이다."

난데없이 옥채찍이라니. 어리둥절해진 류학권이 다시 물어 말하였다.

"옥채찍이라면, 도대체 무슨 말을 하는 것이냐."

그러자 홍경래는 이렇게 대답하였다.

"고려의 문신 휴휴(休休:이승휴의 자)는 옥채찍을 묻어 동명성왕의 무덤을 만들었다고 노래하였나이다."

"그러하면."

"동명성왕묘의 무덤을 파헤쳐 묻힌 옥채찍을 구해내겠나이다."

"옥채찍을 구해 무엇에 쓰겠는가."

섬뜩해진 류학권의 질문에 홍경래는 거침없이 대답하였다.

"옥채찍이 있어야만 하늘로 올라가 기린마를 타고 부릴 수 있지 않겠습니까."

"그러하면, 또 무엇이냐."

"구름수레를 타고 하늘로 올라가 기린마를 타고 옥채찍을 휘둘러 다시 돌아오는 것이 저의 꿈이나이다."

예로부터 평안도 사람들은 자신들의 뿌리를 고구려에 두고 있었다. 특히 조선왕조가 건국되어 평안도 사람들이 이유없이 홀대받고, 벼슬길에서도 소외되어 천대를 받는 동안 언젠가는 고구려의 왕조가 부활하여 새 세상이 열린다는 막연한 기대감을 갖고 있었다. 홍경래가 동명왕묘에 파묻힌 옥채찍을 구해내어 하늘로 올라가 기린마를 타고 돌아오겠다고 장래의 욕망을 말한 것은 여러 가지로 큰 의미를 갖고 있었다.

옥채찍은 평안도에 살고 있는 민중을 비유하고 있음이었다. 무덤처럼 죽어 있는 평안도의 민중 속에 들어 있는 분노의 불꽃을 옥채찍처럼 파내어서 그것으로 썩은 왕조를 뒤집어엎고, 구름수레를 타고 하늘로 올라가 고구려의 시조 동명성왕이 타던 기린마를 타고 내려옴으로 말미암아 죽었던 고구려를 부활하여 천지개벽의 새 왕조를 열겠다는 반역의 포부가 아닐 것인가.

이 말을 들은 류학권은 더 이상 홍경래를 두고 가르칠 수 없다고 생각하였다.

"너는 이제 공부도 웬만하니 집으로 돌아가 혼자서 공부를 계속하도록 하여라."

류학권은 넌지시 귀향을 분부하고는 자신의 매부인 홍경래의 아버지에게 따로 은밀히 편지를 썼다.

류학권이 쓴 편지의 내용은 다음과 같다.

"홍경래의 문재는 비범하다. 그러나 그 뜻은 순(順)이 아니라 역(逆)으로 보이니 각별한 주의를 요한다."

홍경래는 3년 만에 자신의 고향으로 돌아오게 되었다. 이곳에서 그는 10년간 독학으로 공부를 계속한다. 그는 믿을 것이라곤 자기 자신밖에 없다는 사실을 절실히 깨달았다. 자신만이 자기의 스승이었다. 홍경래는 자습으로 모든 경서를 통달했고 특히 모든 병서를 탐독하였다.

그리고 아침저녁으로 도약과 검술을 연마하였다. 그는 특히 도약에 뛰어났는데 전해 내려오는 이야기에 의하면 고향으로 돌아온 즉시 마당 개울가에 버드나무를 한 그루 심었다고 한다. 그는 버드나무를 심고 그 나무 위를 아침저녁 뛰어넘었다고 한다. 사람들이 괴이하게 여겨 그 이유를 묻자 홍경래는 대답하였다.

"지금은 버드나무가 이렇게 작지마는 해마다 자랄 것이다. 이렇게 매일같이 버드나무를 뛰어넘다 보면 나중에는 버드나무가 산처럼 높이 자라도 쉽게 뛰어넘을 수 있게 될 것이다."

버드나무는 3년이 지나자 지붕을 넘을 만큼 키가 자랐다. 자연 홍경래의 도약은 지붕을 손쉽게 뛰어넘을 만큼 놀라운 것이 되었다. 버드나무는 해를 거듭할수록 키가 자랐는데 그때마다 홍경래는 땅을 한 번 구르고는 하늘로 솟구쳐 버드나무를 거뜬히 뛰어넘곤 했다. 사람들은 홍경래를 일러 홍길동이라 부르곤 했다. 주력에도 일가견이 있어 하루에 이, 삼백 리는 거뜬히 달릴 수가 있었다.

"문사에 있는 자일수록 반드시 무비(武備)가 있어야 한다."

홍경래가 말하는 대장부가 갖춰야 할 필수의 조건, 그것이 바로 문무겸비(文武兼備)였다.

그리하여 머리맡에는 항상 책이 산적해 있었으며 안두(案頭)에는 언제나 삼 척의 장검을 세워놓고 출입할 때는 언제나 이를 차고 다넜다고 한다. 그러나 홍경래의 마음속에 들어 있던 단 한 가지의 생각은 전혀 변하지 않고 있었다. 그것은 《사략(史略)》에 나오는 다음과 같은 구절이었다.

'왕후장상(王侯將相)의 씨가 어찌 따로 있을까 보냐. 대장부 죽지 않으면 능히 뜻을 이룰 것이고 만일 죽더라도 큰 이름을 후세에 남겨야 한다.'

정조 22년. 1798년.

19세의 청년 홍경래는 3년에 한 차례씩 정규적으로 열리는 사마시(司馬試)를 보기 위해 한양으로 출발하였다. 그러나 평생 동안 단 한 번 과거를 보았던 그는 그 기회를 통해 쓰라린 상처를 입게 된다.

당시 조정을 쥐고 흔드는 세도정치의 중추였던 안동김씨들의 횡포, 이에 따라 문벌과 당파를 가리고 뇌물의 많고 적음에만 혈안이 된 관리들은 실력이 있고 없음에는 전혀 관심이 없었다. 더욱이 기호(畿湖)의 양반 자제들이라야 명함이라도 내밀어보지, 홍경래와 같은 평안도 출신은 아무리 성적이 좋아도 어림없는 일이었다.

과거에서 낙방을 하고 고향으로 돌아온 홍경래는 그 즉시 모든 경서를 불태우고 붓을 꺾었다. 그리고 나서 말하였다.

"이제 다시는 책을 읽지도 않을 것이며 붓을 들어 문자를 쓰지 않을 것이다."

바로 그 무렵.

홍경래의 아버지가 숨을 거두었다. 홍경래는 아버지의 시신을 선산에 모시고 나서 선언을 하였다.

"이곳은 무등대지(無等大地)의 땅이다. 곧 커다란 음조(陰助)가 있을 것이다."

아버지의 상을 치른 홍경래는 그 길로 고향을 떠났다. 그의 나이 스물한 살 때의 일이었다. 그는 삿갓을 쓴 도인이나 술사(術士)의 행색을 하고 평안도의 방방곡곡을 샅샅이 돌아다녔다. 지향 없는 나그네의 길이었지만 그에게는 두 가지의 목적이 있었다. 하나는 평안도의 지형과 지리를 조사하는 일이었고 또 하나는 뜻있는 동지들을 만나서 사귀고 규합하는 일이었다.

그는 또한 비언을 퍼뜨리면서 행각을 계속하였는데 그의 비언은 계속되는 흉년과 가렴주구에 시달리는 백성들에게 곧 천지가 개벽되어 새 세상이 열리는 변괴가 찾아올 것이라는 내용이었다.

홍경래는 가산군에 있는 청룡사란 절에 머물면서 세월을 보내고 있었는데 바로 그곳에서 그의 운명을 결정하는 평생의 우인을 만나게 된다.

홍경래는 잠시 청룡사에 기탁하여 절밥을 먹고 있었으므로 한가한 시간을 틈타 도끼로 장작을 패며 절의 살림을 도와주고 있었다. 산에서 베어 온 통나무를 도끼로 일일이 찍어 장작을 만들고 있는 동안 누군가 옆에서 자신을 오랫동안 지켜보고 있는 듯한 낌새가 느껴졌다. 장작을 패다 말고 홍경래는 자신을 쳐다보고 있는 그 사람을 마주보았다. 그곳에는 머리를 풀어헤친 키 작은 사람이 서 있었다. 그는 혼잣말로 중얼거려 말하였다.

"아까운 도낏자루가 썩고 있구나."

그날 밤. 홍경래는 요사채로 그 사람을 만나러 갔다. 그는 떠돌아다니면서 부잣집 묏자리나 봐주고, 그 대가로 푼돈을 쥐면 주막에 가서 실컷 술이나 퍼마시는 풍수복설가(風水卜說家)였다.

홍경래는 대뜸 물어 말하였다.

"도낏자루가 썩고 있다니요."

홍경래가 묻자 그는 긴 수염을 쓰다듬으면서 대답하였다.

"죽은 나무를 팰 사람이 아닌 사람이 죽은 나무를 패고 있으니 도낏자루가 썩을밖에."

"그러하면."

홍경래가 물어 말하였다.

"도낏자루가 썩지 않으려면 무슨 나무를 패야 합니까."

"죽은 나무를 패지 말고 산 나무를 패야 하지. 그렇지 않은가."

"어떤 나무가 죽은 나무고, 어떤 나무가 살아 있는 나무입니까."

홍경래가 묻자 사내는 껄껄 웃으면서 말하였다.

"내가 뭘 알겠는가. 묏자리나 봐주는 한갓 지사(地師)가 사람의 일을 어찌 알겠는가. 다만 자두를 따려면 자두나무를 베어야지 엉뚱한 소나무를 베어 어찌 가경자(嘉慶子)를 얻을 수 있겠는가 말일세."

홍경래는 그 사내의 말을 이해할 수 없었다. 그러나 하룻밤을 꼬박 새운 끝에야 사내의 말을 깨달을 수 있었다.

가경자라 하면 자두(紫桃)를 말함이었다. 자두나무를 순우리말로 하면 오얏나무. 오얏나무는 바로 이(李)씨 왕조를 일컫는 말이다. 왜냐하면 이씨의 성을 흔히 '오얏나무의 이' 씨로 훈독하고 있으니 그 사내의 말은 홍경래가 베어야 할 나무는 죽은 소나무가 아니라, 살아 있는 이씨 나무, 즉 조선왕조임을 넌지시 암시해 보인 것이다.

한눈에 장작을 패는 홍경래의 모습에서 조선왕조를 무너뜨릴 수 있는 혁명아의 면모를 꿰뚫어 본 풍수복설가. 그의 이름은 우군칙(禹君則)이었다. 나이는 홍경래보다 네 살이나 많았으며 훗날 홍경래가 일으킨 난(亂)의 주동자가 되었다.

그는 홍경래 난의 모사(謀士)로서 모든 난을 기획하고, 책동하였다. 후일 《관서평란록(關西平亂錄)》은 그의 인물 됨됨이를 이렇게 기록하고 있다.

'홍경래가 괴수가 되고 우풍수(禹風水)가 모사가 되었다. 우군칙은 지혜가 제갈량을 앞서고, 홍경래는 용감하기가 조자룡보다 나았다.'

원래 우군칙은 평안도의 태천(泰川) 출신. 그는 명문가의 자제였으나 첩의 아들인 서자였다.

서자 신분으로 극심한 차별대우를 받고 있던 우군칙은 집을 버리고 떠돌이 지관이 되어 남의 집터나 묏자리를 잡아주면서 지내고 있었던 것이다.

두 사람은 만난 즉시 의기투합하였다.

서로의 눈빛에 의해서 뜻은 통하였지만 상황이 상황인지라 흉금을 털어놓고 속마음을 나누진 않았다.

그 두 사람이 서로의 마음을 털어놓고 본격적으로 반역을 모의했던 것은 그로부터 일년 뒤였다.

두 사람은 또다시 청룡사에서 만나게 되었는데 다시 만나게 되기까지의 일년 동안 홍경래는 강계와 연려 등 압록강의 상류지방을 두루 다니면서 널리 인재들과 교류하였으며 강을 건너 중국 마적단과도 친교를 맺었다.

일년 뒤에 또다시 만난 홍경래와 우군칙은 예전의 그들이 아니었다. 이들은 만나자마자 서로의 눈빛에서 변함없는 뜻을 확인하였다.

단도직입으로 홍경래가 말하였다.

"썩은 나무만 벨 것이 아니라 오얏나무를 베기로 하였소. 그러니 내게 그 나무를 베는 법을 가르쳐주시오."

우군칙은 홍경래의 제안을 받아들여 '오얏나무를 베는 법'을 가르쳐주기 시작하였는데 그 첫 번째는 자금이었다. 무릇 혁명을 하기 위해서는 막대한 자금이 필요하였는데 그 대상자가 바로 이희저였다.

이희저를 동지로 끌어들이기 위해 우군칙은 한 가지 꾀를 내었다. 우선 자신의 아내를 떠돌이 점쟁이로 꾸며 이희저의 집으로 보내기로 하였다. 평소 점이나 복술 같은 데 많은 흥미를 갖고 있었던 이희저라 서슴지 않고 떠돌이 점쟁이 행세를 하고 있는 우군칙의 아내에게 점을 보았다. 그 여인은 점을 보고 나서 이렇게 말하였다.

"이삼 년 이내에 반드시 대운이 터지겠소이다."

"대운이라니."

이희저가 묻자 여인은 대답하였다.

"이미 푸른 용 한 마리가 다복동으로 찾아들었나이다."

다복동이라면 이희저가 살고 있는 대령강변의 깊은 골짜기. 훗날 홍경래 반란군의 총본영이 되었던 바로 그곳이었다.

"따라서 용이 승천할 때가 무르익었으니 곧 대인께오서 관운에 올라 귀인이 되실 것이 분명하나이다."

당대의 거부라 하더라도 어디까지나 자신은 미천한 역노(驛奴) 출신이 아닌가. 그런 노예의 신분에게 관운이 있어 귀인이 되다니. 어쨌든 기분이 좋은 이희저에게 점쟁이 여인은 한마디 덧붙이는 것을 잊지 않았다.

"하오나 푸른 용이 승천하려면 물이 있어야 하니 반드시 수성(水姓)을 가진 사람을 가까이 하십시오."

그 무렵.

우군칙이 다시 가산에 나타나 이희저의 집을 찾아왔다. 평소에 둘은 안면이 있던 사이였다. 이희저는 아버지의 묏자리를 찾고 있던 터라 우군칙에게 명당자리 하나를 구해달라고 청하였다. 우군칙은 묏자리를 하나 구해 놓고는 말하였다.

"제가 지관이 되어 전국의 방방곡곡을 돌아다니지 않은 곳이 없으나 이런 명당자리는 일찍이 본 적이 없나이다. 이곳에 묘지를 쓰면 반드시 발복(發福)이 있을 것입니다."

이희저는 기뻐서 우군칙이 점찍어놓은 명당자리로 가보았다. 그러나 그곳에 가서 묏자리를 본 순간 이희저는 기가 막혀 말이 나오지 않았다.

그곳은 이미 남의 묏자리가 있는 곳이었다. 묏자리가 있었던 곳일 뿐 아니라 그 터가 흉지라 하여 전에 장사지냈던 사람이 이장해 놓은 곳이었다.

"이곳이 천하 명당이라고."

이희저가 화가 나서 물어 말하였다.

"자네가 날 놀리는 것이 아닌가."

그러자 우군칙이 말하였다.

"아닙니다, 대인어른. 이곳이야말로 명당 중의 명당이나이다. 옛 사람 곽박(郭璞)은 《장경(葬經)》에서 다음과 같이 말하였나이다. '사람이 죽어서 장사를 지내는 곳에는 반드시 생기가 있어야 한다. 이 생기라는 것은 바람을 만나면 흩어지고, 물을 만나면 흐르게 되므로 생기가 흩어지고 흘러가지 못하게 머물도록 해야 한다.' 이곳이야말로 생기가 있어 음택(陰宅)을 정하면 시신이 직접 땅에서 그 생기를 얻어 영원히 살 수 있는 길지(吉地)이나이다."

"허지만."

이희저가 다시 말하였다.

"이곳은 이미 한 번 장사를 지냈던 곳이 아닌가. 더구나 장사를 지낸 후 후손들에게 재수없는 일이 일어나 흉터라 하여 파버린 흉지가 아닌가."

"아닙니다, 대인어른."

우군칙이 말을 이었다.

"예로부터 묘지를 택하는 일을 감여(堪輿)라 하였습니다. 감은 하늘이고, 여는 땅이므로 묘지를 택하는 일은 천지간의 조화를 밝혀내는 일이라 할 수 있습니다. 비록 이 묘지가 이미 한 번 장사를 지냈으며 재수없는 곳이라 파내어버리기는 하였으나, 이는 이 묏자리가 흉지라서가 아니라 아직 지운이 돌아오지 않았기 때문이며 망자에게도 이 땅이 맞지 않았기 때문이나이다."

그리고 나서 우군칙은 이렇게 말하였다.

"이곳에 부친의 묘를 쓰시면 당대에 반드시 발복이 있을 것입니다. 발복이 있어 반드시 관운에 들어 귀인이 되실 것이나이다."

우군칙의 말을 들은 순간 이희저는 잠시 잊어버렸던 떠돌이 점쟁이 여인의 말을 떠올릴 수 있었다. 그 점쟁이도 반드시 관운이 들어 귀인이 될 것이라고 말하지 않았던가.

"관운에 오르면 어디까지 오를 수 있겠는가."

농담 반 진담 반의 표정으로 이희저가 물었다.

"천하의 군사들을 다스리는 자리에까지 오를 수 있겠나이다."

"천하의 군사들을 다스리는 자리라. 그러면 병조(兵曹)에라도 오를 수 있단 말인가. 헛허허허."

이희저의 말은 농담이었다. 그러나 완전히 농담만은 아니었다. 무인으로 출세하고 싶어 일찍이 무과에까지 급제하였던 이희저가 아니었던가. 훗날 홍경래와 의기투합하면서 혁명을 모의하였을 때 홍경래는 이희저에게 혁명을 성공시켜 전권을 잡고 새 왕조를 일으키면 신왕조에서 무엇을 하고 싶으냐고 넌지시 물었다고 한다. 이 때 이희저는 다음과 같이 대답하였다고 전해오고 있다.

"병권을 잡고 싶소."

천하의 병권을 잡고, 군사를 지휘하고 싶었던 이희저. 그는 마침내 홍경래의 반란군을 총지휘하는 총병관(摠兵官)이 되어 그 야망을 이루려 하였으나 비참한 최후를 맞게 된다. 그런 이희저의 야망을 우군칙은 꿰뚫어 보고 있었다. 따라서 자신의 아내를 통해 일차로 전갈을 보낸 후 직접 나서서 묏자리를 잡아주며 그의 마음을 사로잡는 계책을 사용했던 것이다.

"하오나."

우군칙도 한마디 던지는 것을 잊지 않았다.

"이 묏자리가 명당 중의 명당이오나 한 가지 명심할 사항이 있습니다. 그것은 이곳에 물이 흐르고 있어 생기가 머물지 못하고 흘러가고 있나이다. 그러므로 그 생기가 흘러가지 못하도록 붙잡아 두어야 하나이다."

"그 생기를 붙잡기 위해서는 어떻게 해야 하겠는가."

이희저가 묻자 우군칙이 대답하였다.

"자고로 불은 불로써 막고, 물은 물로써 막는다고 하였나이다. 이제 얼마 안 있어 수성(水姓)을 가진 사람이 나타날 터이니 반드시 그를 가까이 하십시오. 그를 가까이 하시면 반드시 당대에 발복이 있어 푸른 용이 승천하여 귀인이 되실 수 있을 것이나이다."

우군칙의 말대로 그로부터 몇 달 뒤 낯선 도인 한 사람이 가산에 나타났다. 이희저는 그를 청하여 불러들이고는 물어 말하였다.

"어디서 오십니까."

"청룡사에서 옵니다."

갓을 쓴 홍경래의 입에서 그 말이 나오자 이희저는 마음속으로 쾌재를 불렀다.

떠돌이 점쟁이 여인이 '푸른 용 한 마리가 다복동으로 찾아들었나이다'라고 예언했을 뿐 아니라, 천하 명당의 묏자리를 잡아준 우군칙도 '당대에 발복이 있어 푸른 용이 승천하여 귀인이 되실 수 있을 것'이라는 참언을 하지 않았던가.

"함자는 무엇이온지."

그러자 그는 대답하였다.

"성은 홍이라 하옵고 이름은 경래라 하나이다."

사내의 말을 들은 순간 이희저는 무릎을 쳤다. 성이 홍(洪)이라면 '삼수'변을 가진 수성(水姓)이 아닐 것인가.

단순한 이희저는 즉시 홍경래의 손을 잡고 이렇게 말하였다.

"오랫동안 귀인을 기다렸습니다. 저와 함께 이곳에 오래 머물러 주십시오."

이로써 이희저와 홍경래는 단숨에 의기투합하게 되었다. 이른바 혁명 핵심의 세 사람이 결성된 것이었다. 일찍이 '천하제일의 왕'을 꿈꿈으로써 권력의 대야망을 갖고 있었던 이희저라 썩은 오얏나무를 베고 새 왕조를 일으키려는 홍경래의 역성혁명에 반대할 이유가 없었던 것이다.

마침내 1802년. 임술년 춘삼월.

홍경래와 우군칙 그리고 이희저, 이렇게 세 사람은 유비와 관우, 장비가 도원결의(桃園結義)를 맺듯 대령강 한가운데에 있는 신도(薪島)라는 섬에서 의를 맺고 의형제가 되었다.

세 사람이 모였던 대령강은 옛날에는 개사강 또는 박천강이라고 불렀는데 거기에는 다음과 같은 유래가 있다고 《동국여지승람》은 전하고 있다.

'고구려의 시조 주몽이 부여로부터 남쪽으로 도망쳐서 이곳에 오니 물고기들이 다리를 만들어 건너게 해주어 이름을 그렇게 지었던 것이다.'

일찍이 동명성왕의 무덤에서 옥채찍을 파내어 하늘로 올라가 기린마를 타고 돌아오겠다고 말함으로써 외숙인 류학권을 놀라게 했던 홍경래는 이렇듯 또다시 동명성왕이 도망쳐올 때 물고기들이 다리를 만들어 건너게 해주었다는 대령강 속의 한 섬에서 결의를 맺음으로써 자신의 혁명이 모반이 아니라 옛 고구려 왕조의 부활이며 자신은 고주몽의 현신(顯身)임을 스스로에게 나타내 보인 것이다.

홍경래와 우군칙 그리고 이희저는 이 섬에서 말을 잡았다. 홍경래가 직접 말의 목을 베고, 흘러내리는 피를 서로 함께 마시고 피를 이마에 함께 바름으로써 살아도 함께 살고 죽어도 함께 죽는 '피의 맹세'를 나누었다.

훗날 이 반란군의 총본영이 되었던 다복동 앞을 흐르는 대령강 한가운데에 있는 섬 신도는 반란군이 거병하였던 첫 장소가 되었다.

이곳에서 탄광을 경영하는 한편 청나라와의 무역을 통해 거부가 되었던 이희저의 고향 가산은 혁명의 본산으로는 최적의 장소였다.

실제로 이희저는 낮에는 금광을 열어 노동을 시키고 밤에는 노동자들에게 은밀하게 군사훈련을 시키기 시작하였다. 계속되는 흉년과 한발로 땅을 파서는 도저히 살아갈 수 없는 농민들이 하루 세 끼 끼니라도 이을 양으로 구름처럼 다복동으로 몰려들어 쉽게 반란군들을 모집하고 기를 수 있었다.

이로써 홍경래는 우군칙을 얻음으로써 지혜의 머리를, 이희저를 얻음으로써 거병의 자금을 확보할 수 있게 된 것이었다.

그러나 그것만으로는 부족하였다.

홍경래가 거사를 앞두고 스스로 의주까지 임상옥을 찾아와 상가의 서기로 들어간 것은 홍경래의 마지막 선택이었다. 홍경래는 그만큼 임상옥을 중요한 인물로 점찍어 두고 있었던 것이다.

임상옥은 관서지방 제일의 거부였으며 조선 최대의 무역왕이었다. 그는 전국 최고의 갑부였을 뿐 아니라 당대 제일의 권력가였던 박종경을 자신의 배후 인물로 삼고 있던 막후 실력자이기도 하였다. 또한 청나라의 상계와도 긴밀한 관계를 맺고 있던 뛰어난 외교가이기도 했었다.

만약 임상옥을 혁명으로 끌어들일 수만 있다면.

홍경래는 오래전부터 임상옥을 점찍어 두고 있었으며 그를 끌어들일 방법을 찾아 헤매고 있었던 것이다.

그렇게 되면 혁명은 손쉽게 성공할 수 있게 될 것이다.

임상옥을 혁명군으로 끌어들여야 한다는 홍경래의 계획에 찬성을 보낸 사람은 우군칙이었다.

"반드시 임상옥을 끌어들여야 합니다. 임상옥은 최대의 거부일 뿐 아니라 인아족척(姻婭族戚)이 전국에 분포되어 그 영향력이 대단하나이다."

"하지만 그를 끌어들일 묘수가 없지 않은가."

홍경래의 세갈공명으로서, 평안도 제일의 선비인 김창시를 끌어들일 묘안을 가르쳐준 우군칙이었으므로 홍경래는 넌지시 그에게 그 방안을 물어보았다. 그러자 우군칙이 말하였다.

"자고로 호랑이 굴에 들어가지 않고서는 호랑이 새끼를 얻을 수 없다고 하였습니다."

"하지만."

우군칙의 말을 들은 홍경래가 다시 물어 말하였다.

"호랑이 새끼를 잡으려면 호랑이 굴에 들어가야 한다. 그러나 호랑이 굴에 들어가는 방법조차 없지 않은가."

그 묘수는 의외의 곳에서 들렸다. 이 말을 전해들은 이희저가 크게 웃으며 말하였다.

"임상옥과 저는 절친한 친구 사이나이다."

그렇게 해서 나온 방법이 이희저의 소개장을 들고 홍경래가 직접 임상옥의 집으로 찾아 들어가는 것이었다. 이희저의 서장을 읽으면 임상옥은 감히 홍경래를 물리치지는 못할 것이다. 그러면 임상옥의 상가에서 서기로 취직하여 일을 하다가 기회를 엿보아 그의 마음을 사로잡을 만남을 따로 구할 것이다. 이희저는 홍경래에게 이렇게 귀띔을 해주었다.

"임상옥도 지금은 조선 제일의 갑부가 되어 호의호식하고 있사오나 마음속으로는 현 조정에 대해 많은 불만을 갖고 있을 것이 틀림이 없나이다."

"어째서 그러하오."

홍경래가 묻자 이희저는 대답하였다.

"임상옥도 죽은 아비의 비참한 일로 조정에 대해 깊은 불평을 갖고 있음을 내가 잘 알고 있나이다."

"하오나."

우군칙이 홍경래에게 한마디 말을 덧붙였다.

"임상옥은 더 이상 바랄 것이 없는 조선 제일의 갑부이나이다. 비록 아비가 비참하게 죽었다고는 하지만 지난 과거의 일 때문에 자신의 목숨과 안위를 반역과 감히 바꾸려 하지 않을지도 모르나이다. 그렇게 되면 공연히 천기만 누설시켜 일을 그르치게 될지도 모르나이다."

홍경래를 대원수로 하는 혁명군의 거사는 임신년 정월 초하루. 바로 10개월 후의 일이다. 지난 10년간 쥐도 새도 모르게 한 치의 오차도 없이 진행되어온 혁명의 비밀이 임상옥에 의해서 누설되어 버리면 그야말로 하루아침에 허사가 되어버리는 것이다.

"만약에 임상옥이 마음을 바꾸지 아니하면 어떻게 하겠습니까."

그러자 홍경래가 입을 열어 말하였다.

"만약 임상옥의 마음을 바꿀 수가 없다면 그땐."

홍경래의 눈빛이 번득였다.

"그가 다시는 말을 하지 못하도록 그의 혀를 베어버릴 것이다."

그러자 우군칙이 말을 이었다.

"그것만으로는 충분치 않사옵니다. 혀를 베어 말을 하지 못하게 한다 하더라도 그것으로는 천기를 지킬 수가 없는 법입니다."

"그러하면."

홍경래가 우군칙을 쳐다보자 우군칙이 단숨에 대답하여 말하였다.

"만약에 임상옥의 마음을 바꿀 수가 없다면 베어야 할 것은 그의 혀가 아니라 그의 목이나이다. 목을 베어 숨통을 끊어버려야만 천기를 보존할 수 있게 되나이다. 내 말을 명심하소서."

마침내 임상옥의 마음을 바꿔 그를 혁명군에 끌어들이느냐, 아니면 우군칙의 충고대로 임상옥의 목을 베어 천기를 보존하느냐는 절체절명의 마지막 선택이 홍경래에게 맞닥뜨려진 것이다. 이 마지막 선택을 위해 혁명아 홍경래가 직접 호랑이 굴인 임상옥의 집으로 서기를 가장해 잠입해 들어갔던 것이다.

제2장 폭풍전야(暴風前夜)

1

임상옥의 상가에 서기로 들어온 홍경래는 놀라우리 만치 일을 잘 하였다.

빈틈없는 회계와 장부정리로 나가고 들어오는 자금의 흐름을 완벽하게 파악할 수 있었을 뿐 아니라 임상옥의 재산에 관한 수입과 지출이 일목요연하게 관리되고 있었다. 임상옥으로서는 일일이 자금의 흐름을 따지고 확인할 필요가 없이 다만 홍경래가 정리하여 올리는 부책을 검토하면 그만일 정도였다.

홍경래는 서기로 들어온 지 한 달 만에 임상옥의 모든 사업을 손안에 장악하고 있었다. 홍경래는 항상 남보다 일찍 일어났으며 또한 남보다 늦게 잠이 들었다. 그의 능력으로만 본다면 임상옥으로서는 보배로운 인물 하나가 제발로 걸어서 들어온 셈이었다.

그러나 홍경래의 탁월한 업무능력에도 불구하고 임상옥으로서는 그를 완전히 신뢰할 수 없었다. 그것은 상가에 있을 상이 아니라 조가(朝家)에나 있을 상을 타고난 홍경래의 인상 때문이었다.

상업의 가장 큰 밑천은 바로 사람이며, 상업에 있어서 가장 큰 투자 역시 사람이라는 철학을 갖고 있어 '상업이야말로 곧 사람(商卽人)'이라는 상도에 철저하였던 임상옥. 그는 한눈에 사람을 꿰뚫어 볼 수 있는 관상의 눈을 타고난 사람이었다.

임상옥은 홍경래가 이희저의 서간을 갖고 초라한 행색으로 찾아왔다 하더라도 그를 본 순간 한눈에 그가 이런 상가에 만족하지 않을 비범한 인물임을 꿰뚫어 보았다.

오늘날까지 전설적인 야담 하나가 전해져 내려오고 있다. 임상옥의 사람을 보는 뛰어난 눈을 가리키는 이 이야기는 '이생이사(二生二死)'란 제목으로 널리 알려져 있는데 그 내용은 다음과 같다.

하루는 임상옥의 집으로 나그네 한 사람이 찾아왔다.

그런데 그 나그네는 다른 객들과는 달랐다. 다른 객들은 바둑을 두거나, 시를 읊는 선비이거나, 가객이거나, 입담 좋은 풍류객들이었는데 이 나그네는 하루 종일 한마디의 말조차 하지 않았다. 그래서 사람들은 그가 말 못하는 벙어리인 줄만 알고 있었다. 그러나 그 말 못하던 나그네는 초면인 임상옥을 대하자 대뜸 입을 열어 말하였다. 자신은 전라감영에서 이방 노릇을 하는 최 아무개라고 소개한 다음 이방질을 하다가 공금 5만 냥을 축내어 죽게 된 목숨이니 살려주는 셈 치고 5만 냥을 꾸어달라는 내용이었다.

5만 냥이라면 어마어마하게 큰 천문학적 액수였다. 생면부지의 나그네로부터 그런 엄청난 거금을 꾸어달라는 부탁을 받은 임상옥은 낯빛 하나 바꾸지 않고 다음과 같이 물어 말하였다.

　"그런데 어째서 이렇게까지 먼 걸음을 하였소. 완산에서 의주라면 이천 리가 넘을 터인데."

　그러자 그 나그네는 대답하였다.

　"그런 큰돈을 조선 팔도 안에서 대인어른이 아니고는 누가 갖고 있겠습니까. 조선 최고의 갑부가 의주 사는 대인어른이라 하여 불원천리하고 찾아왔습니다."

　"그런가."

　임상옥은 잠시 혼잣말로 중얼거린 후 다시 머리를 끄덕이며 말하였다.

　"그렇다면 할 수 없지."

　임상옥은 그 자리에서 즉시 5만 냥의 어음을 끊어주었다. 그 어음을 한양에 가서 환전해 쓸 수 있도록 해주자 나그네는 무릎을 꿇고 말하였다.

　"차용증을 쓰겠습니다."

　임상옥은 붓과 종이를 가져오도록 한 다음 5만 냥을 약속된 기한 내에 갚는다는 증서를 쓰도록 하였다. 증서를 쓴 다음 나그네는 성급히 사라졌다. 나그네가 사라지자마자 임상옥은 남기고 간 차용증을 갈기갈기 찢어버렸다.

　옆에서 기록을 맡아 보고 있던 서사가 놀라 말하였다.

　"어째서 증서를 찢어버리십니까."

그러자 임상옥이 웃으면서 말하였다.

"이 사람아, 어차피 갚지도 않을 사람인데 증서를 보관해 두어서 무얼 하겠는가. 이건 차용증서가 아니라 한갓 휴지조각에 불과할 따름이네."

임상옥의 말을 들은 서사가 다시 얼떨떨한 표정으로 물어 말하였다.

"그렇다면 어차피 갚지도 못할 사람에게 어떻게 그 큰돈을 꾸어 주셨습니까."

5만 냥이라면 당시 시세로 치면 홍삼 2천 근에 해당하는 상상도 못할 금액이었던 것이다. 그런 거금을 어떻게 분명히 갚지도 못할 사람인 줄 알면서 꿔줄 수 있단 말인가.

그러자 임상옥은 수수께끼와 같은 대답을 했다.

"이 사람아, 내가 갚지도 못할 사람에게 그것도 홍삼 2천 근에 해당하는 5만 냥을 꾸어준 것은 이생이사 때문일세."

"이생이사라니요."

서사가 묻자 임상옥이 대답하였다.

"두 사람이 함께 살거나, 두 사람이 함께 죽는다는 말일세."

여전히 서사가 영문을 몰라 하자 껄껄 웃으면서 임상옥이 말하였다.

"이 사람아, 5만 냥이 중요한가 목숨이 중요한가."

"물론 사람의 목숨이 중요합지요. 5만 냥 아니라 5천만 냥이라 하더라도 산 목숨이 중요합지요."

"만약 내가 5만 냥을 꾸어주지 않았다면 아마도 그도 죽고 나도 죽었을 것일세. 왜냐하면 그 사람 얼굴에 살기가 있었으니까. 내가 만약 돈을 주지 않았다면 그는 나를 죽였을 것이네. 그렇게 되면 나도 죽고 또한 그 사람도 죽었을 것이네. 그러나 내가 5만 냥을 꾸어주었으므로 나도 살게 되었고 그도 공금을 갚고 다시 살아나게 된 것이지. 이 사람아, 이것이야말로 이생이사가 아니겠는가. 나도 죽고 그 사람도 죽는 것보다 나도 살고 그 사람도 함께 사는 것이 훨씬 낫지 않겠는가. 장사를 하다 보면 이익을 보는 수도 있고 손해를 보는 수도 있으니 돈은 별로 중요한 일이 아니네."

야사에 의하면 임상옥의 말을 믿을 수 없었던 서사는 그 길로 변장을 하고 그 나그네의 뒤를 밟아 완주까지 내려가 주막집에서 이틀을 함께 지내 보고는 사흘 만에 다시 돌아온 후 임상옥에게 이렇게 고백하였다고 한다.

"과연 대인어른의 말씀이 맞사옵니다. 그 사람은 이래 죽으나 저래 죽으나 죽는 것은 매일반이다 생각하고 마지막으로 가슴에 비수를 품고 대인어른을 찾아왔다 하나이다. 만약 대인어른께오서 돈을 꿔주지 않으시면 그땐 대인어른의 가슴을 찔러 죽이고 자신도 죽으려 했노라고 고백했나이다. 제 눈으로 직접 품고 있던 비수를 강물 속에 던져넣는 모습을 보았나이다."

사람을 보는 눈이 정확하였던 임상옥의 일화를 말해주는 이 야사에서부터 '이생이사'란 임상옥만의 독특한 경영철학이 완성된 것이다.

즉, 장사란 이익을 보기 위해 상대방을 죽이고 나 혼자만 살아남는 행위가 아니다. 어차피 상업이란 사람과 사람 간의 거래이므로 나도 살고 상대방도 함께 사는 길이 바로 정도이다. 그런 의미에서 죽어도 함께 죽고 살아도 함께 사는 '이생이사'의 경영철학이야말로 임상옥의 상업철학이었던 것이다.

사람을 보는 데 있어 정확한 눈을 가졌던 임상옥이었으므로 홍경래에 대한 인상 역시 남다를 수밖에 없었다.

임상옥이 홍경래가 세상 풍조에 타협하지 않고 반역의 기질을 가진 반골임을 다시 한번 확인할 수 있었던 것은 그가 서기로 들어온 지 한 달 후의 일이었다.

하루는 의주부에서 이방이 황급히 달려왔다. 청나라로 가는 사신의 옥로(玉鷺)가 갑자기 사라져버렸다는 것이다.

옥로는 갓에 매다는 입식(笠飾)의 꾸미개 중 하나로 단순한 노리개가 아니었다. 신분에 따라 대신들은 금으로, 정3품까지는 은으로, 관찰사·절도사 등은 옥으로 만들어 갓 정상에 매달았다. 고려시대 공민왕 19년(1370년) 7월부터 백관의 품위를 가리기 위해서 옥, 수정 등의 정자(頂子)를 달게 하였던 이 제도는 조선시대에도 계속 이어져 내려오고 있었다.

옥로야말로 외교 사신의 권위를 나타내는 장식품이었다.

예로부터 국경도시 의주는 청나라로 가는 외교사신들이 마지막으로 묵어가는 곳. 의주부사는 이들 사신 일행을 맞아 접대하고 환송연을 벌여주는 것이 상례로 되어 있었다. 기생들을 불러다가 걸판지게 놀고 원하면 하룻밤 수청 들여 객고까지 풀어주는 것이 연중행사였는데 연회를 끝내고 아침에 일어나고 보니 주청사의 옥로가 감쪽같이 사라져버린 것이다.

의주부가 발칵 뒤집힌 것은 당연한 일이었다.

연회장을 뒤지고 간밤에 수청 들었던 기생들의 몸까지 샅샅이 수색하였으나 끝내 옥로를 발견해낼 수 없어 다급해진 이방이 임상옥의 집으로 찾아온 것이다.

임상옥의 창고에는 없는 게 없다는 소문이 나돌고 있었기 때문이었다. 실제로 알려진 바에 의하면 해마다 음력 유월이나 섣달에 벼슬아치의 근무성적을 떼어 올리는 도목정사(都目政事)를 살피기 위해 관리 하나가 의주에 왔다가 그가 짚고 다니던 산호 지팡이가 부러진 일이 있었다. 황실의 일족이었던 종친부에서 직접 나온 사람이라 다들 눈치만을 살피고 있었는데 임상옥이 자신의 창고에서 똑같은 산호 지팡이 십여 개를 가지고 나와 마음에 드는 지팡이 하나를 골라잡고 돌아가게 함으로써 위기를 면한 이후 임상옥의 창고는 없는 게 없는 '부엉이 창고'라는 소문이 나돌고 있었던 것이다.

헐레벌떡 달려온 이방으로부터 전후사정을 들은 임상옥은 하인을 불러 다음과 같이 말하였다.

"이방어른을 창고로 모시고 가서 옥로를 모두 보여드리도록 하여라. 그중 잃어버린 옥로와 같은 물건이 있으면 갖고 가시도록 말씀드려라."

그 즉시 이방은 안내를 하는 하인을 따라 창고까지 걸어갔다. 그러나 창고는 굳게 잠겨 있었다. 창고의 열쇠는 서기인 홍경래가 직접 관리하고 있던 터였으므로 하인은 홍경래를 찾아가 자초지종을 말한 다음 창고를 열어달라고 말하였다.

그러자 홍경래는 이렇게 말하였다.

"자고로 도둑에게는 문을 열어주는 법이 없다. 갖고 가고 싶으면 훔쳐가도록 하시게."

홍경래의 말을 들은 하인은 오금이 저려 벌벌 떨었다. 이방이라면 부사어른의 바로 아랫자리. 그런 이방에게 '도둑'이란 칭호를 감히 사용하여 함부로 부르다니. 만에 하나라도 이방의 귀에 들어간다면 치도곤을 맞을 일이었다.

하인은 재삼, 재사 매달려보았지만 홍경래는 꿈쩍도 하지 않았다. 하는 수 없이 하인은 다시 임상옥을 찾아와 하소연하였다.

"홍 서기가 곳집의 문을 열어주지 않고 있어 안에 들어가보지도 못하였나이다."

"내 명이라 말하였는데두."

"그렇습니다. 대인어른의 하명이라고 분명히 말씀드렸는데도 꿈쩍도 하지 않고 있나이다."

"그럼 가서 홍 서기를 불러오너라."

하인이 뛰어달려가 홍경래를 불러왔는데 그는 낯빛 하나 흐트러진 데가 없이 담담한 표정을 짓고 있었다.

"곳집의 열쇠를 갖고 있는가."

임상옥이 묻자 홍경래가 대답하였다.

"보관하고 있나이다."

"그런데 어찌하여 곳간의 문을 열어주지 않는가."

그러자 홍경래가 대답하였다.

"자고로 곳간은 함부로 열어주는 법이 아니라 하였습니다. 아낙네들의 속살과 곳간은 은밀히 숨어 있어야 하지, 남의 손때를 타면

부정을 입는다 하였습니다."

"곳간의 주인인 내가 열어주도록 허락을 내렸는데두."

"물론 곳간의 주인은 대인어른이시나이다. 하지만 주인이신 대인어른께오서 허락을 내렸다 하더라도 저는 문을 열어줄 수가 없나이다."

"어째서 그러한가."

"그건 그들이 도둑이기 때문이나이다."

"도둑이라니."

임상옥이 정색을 하고 물어 말하였다.

"그 양반들은 나랏일을 맡아 하시는 관원님들이시다."

순간 홍경래의 입에 싸늘한 비웃음이 감돌았다.

"그러니까 더 큰 도둑놈들이나이다."

홍경래의 눈에서 순간 불꽃이 튀었다.

"굶주린 백성들을 위해 나랏일을 맡으라는 양반님들이오만 뒷구멍으로는 도둑질을 하여 자신의 배만 불리고 있는 도둑이나이다. 대인어른, 자고로 도둑들에게는 문을 열어주어서는 안 되는 법입니다. 도둑들은 마땅히 담을 넘고, 문을 뚫고 들어가 물건을 훔쳐 가도록 해야 하나이다. 따라서 제 목에 칼이 들어와도 곳간의 문을 열어줄 수는 없나이다."

자기의 목에 칼이 들어와도 곳간의 문을 열어줄 수 없다는 홍경래의 말에 임상옥은 웃으면서 말하였다.

"하는 수 없지. 자네가 문을 열 수 없다면 내가 가서 문을 열 수밖에. 내가 가서 문을 열어드리는 것은 괜찮은가."

"곳간의 주인이 대인어른이시오니, 도둑의 무리에게 대인어른께 오서 문을 열어드린다 하더라도 소인이 상관할 바는 아니나이다."

"그럼 열쇠를 이리 주시게나."

홍경래는 자신이 보관하고 있던 열쇠꾸러미를 임상옥에게 내밀었다. 임상옥은 자신이 직접 창고까지 찾아가서 자물쇠를 열고 창고의 문을 열었다. 전해오는 소문에 의하면 임상옥의 '부엉이 창고' 속에는 그 귀한 옥로가 수십 개나 들어 있었다고 한다. 간밤에 사신의 옥로를 잃어버려 혼비백산하였던 이방은 그 수십 개의 옥로 중에서 똑같은 옥로를 구해다가 감쪽같이 사신의 갓에 매달아 놓음으로써 위기를 벗어났음은 물론이고.

2

그날 밤.

임상옥은 술상을 봐놓게 한 다음 사람을 시켜 홍경래를 불러오도록 하였다. 마침 봄이 무르익어 뜰에는 벚꽃이 만개하여 피어 있었다. 춘흥이 도도한 밤이었다. 아직 한기가 남아 있는 북방의 봄밤이었지만 임상옥은 방문을 활짝 열어젖혀 놓고 활짝 핀 벚꽃 위로 스며드는 봄비의 정취를 홀로 술을 마시면서 즐기고 있었다.

"부르셨습니까."

홍경래가 봄비를 맞으며 나타났다. 홍경래를 방으로 들이고 나서 임상옥은 대뜸 술을 내리 석 잔을 따라주고는 자신도 자작하여 말없이 술을 들이켰다. 사람을 오라고 불러놓고는 막상 오자 잊어버린 듯 임상옥은 술을 마시면서 흩어져 내리는 벚꽃만을 무심히 바라보고 있을 뿐이었다.

홍경래 역시 술만 들이켤 뿐 아무런 말이 없었다. 긴 침묵 끝에 먼저 임상옥이 입을 열어 말하였다.

"자네 이런 말을 알고 있는가."

"어떤 말이나이까."

"교토삼굴(狡兎三窟)이란 말을 알고 있는가."

"알고 있나이다."

홍경래가 단숨에 술을 들이켜며 말하였다.

"그 뜻이 무엇인가."

"영리한 토끼는 숨을 굴을 세 개나 갖고 있다는 뜻이나이다."

임상옥은 말없이 자기 손으로 빈 잔에 술을 따라 마시면서 물어 말하였다.

"영리한 토끼는 숨을 굴을 세 개나 갖고 있다니. 그 말의 뜻은 무엇인가."

"옛말에 이르기를 교토유삼굴 근득면기사이(狡兎有三窟 僅得免其死而)라 하였습니다. 이 말의 뜻은 '영리한 토끼는 숨을 굴을 세 개나 갖고 있어 죽음을 면할 수 있다' 라는 의미를 갖고 있나이다."

거침없는 홍경래의 말이었다.

원래 이 말은 춘추전국시대 때 맹상군이 식객이었던 풍훤에게 설(薛) 땅으로 가서 부채가 있는 사람들의 차용금을 모두 거두어 오라는 명을 내렸을 때 그가 가서 백성들의 차용증서를 모두 불태워버린 데서 비롯된 말이었다. 빈손으로 돌아온 풍훤이 못마땅해 맹상군이 화를 내었다. 그러나 그로부터 일년이 흐른 뒤 맹상군이 제왕의 노여움을 사서 재상 자리를 놓고 고향으로 돌아가게 되었을 때 백성들이 그를 보호해주었을 뿐 아니라, 그 뒤로 맹상군은 세 번이나 백성들로부터 보호를 받게 됨으로써 식객 풍훤이 자신을 위해 숨을 구멍 세 개를 미리 마련해주었음을 깨닫게 된 것이다. 이로써 맹상군은 수십년 동안 재상의 지위에 있었으면서도 전혀 화를 입지 않았으며, 여기에서부터 난세의 처세술로 '영리한 토끼는 숨을 굴을 세 개나 갖고 있다' 는 고사성어가 태어나게 된 것이다.

묵묵히 홍경래의 답변을 듣고 있던 임상옥이 입을 열어 말하였다.

"그대는 몇 개의 굴을 갖고 있는가."

홍경래가 대답하였다.

"하나의 굴도 갖고 있지 않나이다."

"그러하면 그대는 영리한 토끼인가, 아니면 우둔한 토끼인가."

"영리한 토끼도, 우둔한 토끼도 아니나이다."

"그러하련 그대는 어떤 토끼인가."

"대인어른."

홍경래가 소리내어 웃으면서 말하였다.

"저는 다만 숨을 곳이 하나도 없는 토끼이니 죽음조차 면할 수 없는 토끼이나이다."

임상옥이 홍경래에게 교토삼굴의 고사를 넌지시 물어보았던 것은 아침나절에 있었던 옥로사건을 빗대어 그의 심중을 묻기 위함이었다. 의주 부윤에서 찾아온 이방을 도둑놈이라고 비웃고 창고의 문을 열어주지 않았던 홍경래에게 난세를 헤쳐가기 위해서는 영리한 토끼처럼 숨을 굴을 세 개 정도는 갖고 있어야 한다는 융통성을 가르쳐주기 위함이었던 것이다. 그러나 그런 임상옥의 흉중을 미리 꿰뚫어 보고 있기나 한 듯 홍경래는 자신을 '숨을 곳이 하나도 없는 토끼'라고 못박아 말하고 있지 아니한가.

마침 비 내리는 벚꽃 가지에는 새들이 날아와 어지러운 소리로 울고 있었다. 내리는 봄비에 어느덧 낙화의 꽃잎들이 어지러이 땅 위에 떨어져 싸락눈이라도 내린 듯하였다.

임상옥은 갑자기 춘흥이 도도해졌다. 그래서 붓을 들어 종이 위에 다음과 같은 시를 써내리기 시작하였다.

> 깊은 봄밤에 새벽이 된 것을 깨닫지 못하는데
> 곳곳에서는 새의 울음소리가 들린다.
> 밤새 비바람 소리에
> 꽃이 많이도 떨어졌음을 알겠다.
> 春眠不覺曉(춘면불각효)
> 處處聞啼鳥(처처문제조)
> 夜來風雨聲(야래풍우성)
> 花落知多少(화락지다소)

이 시는 봄밤을 그린 탁월한 시의 하나로 당나라 시인 맹호연의 대표적인 유정시(幽情詩) 중의 하나이다.

춘흥이 도도해져서 제 흥에 겨워 단숨에 종이 위에 시 한 수를 적어내리고 나서 임상옥은 붓을 던지며 말하였다.

"영리한 토끼건 어리석은 토끼건 봄은 봄이다. 아름다운 봄밤이야."

물끄러미 임상옥의 붓글씨를 지켜보던 홍경래가 먹물이 마르기를 기다려 입을 열어 말하였다.

"하오나 이 밤을 지새고 나면 간밤의 비바람에 꽃이 많이도 떨어질 것이나이다."

"비바람이 불면 꽃이 떨어지는 것은 당연한 일이 아닌가."

취한 임상옥이 빈 잔을 들어 술을 마시는 시늉을 하면서 말하였다. 그러자 홍경래가 술병을 들어 임상옥의 빈 잔 속에 가득 술을 따라주면서 말하였다.

"대인어른께오서는 깊은 봄잠에서 아직 깨어나시지 못하셨습니까. 이제 곧 날이 밝아 새벽이 올 것이나이다. 그만 잠에서 깨어나 일어나서야 하나이다. 언제까지 잠에 취해 꿈에서 헤어나지 못하시나이까, 대인어른."

그리고 나서 홍경래는 말을 이었다.

"지금 밖에서는 다음과 같은 노래가 유행하고 있습니다. 일사횡관(一士橫冠)하니 귀신탈의(鬼神脫衣)하고 십필가일척(十疋加一尺)하니 소구유양족(小丘有兩足)이라."

"그게 도대체 무슨 노래인가."

임상옥이 물어 말하였다. 그러자 홍경래가 대답하였다.

"'선비 하나가 관을 비뚤어 쓰니 귀신이 옷을 벗고 있도다. 열 필 비단에 한 척을 더하니 작은 언덕은 양 다리를 갖고 있구나'라는 뜻이나이다."

　임상옥은 마시던 술잔을 멈추고 귀기울여 홍경래가 읊는 해괴망측한 노래를 듣고 있었다. 그치기를 기다려 임상옥이 다시 말하였다.

　"그게 도대체 무슨 뜻인가. 선비가 관을 비뚤어 쓰니 귀신이 옷을 벗고 있다라니. 그것은 노래가 아니라 귀신의 곡성이 아닐 것인가."

　"그렇습니다, 대인어른."

　홍경래가 대답하였다.

　"이 노래야말로 귀곡성이나이다. 대인어른께오서 노래하신, 깊은 봄밤에 새벽이 된 것을 깨닫지 못한 맹호연의 시는 태평성대에나 어울릴 봄밤의 노래입니다만, 지금 밖에서는 귀신의 울음소리와 같은 해괴한 내용의 노래가 널리 번져가고 있습니다. 지금은 태평성대가 아니라 난세입니다. 아이들이 부르고 있는 동요의 내용대로 선비는 관을 비뚤어 쓰고, 귀신은 옷을 벗고 있는 어지러운 세상입니다. 그러므로 대인어른께 묻겠습니다. 대인어른은 몇 개의 숨을 굴을 가지셨습니까."

　그러자 임상옥은 껄껄 웃으면서 말하였다.

　"나는 영리한 토끼라서 항상 세 개의 숨을 굴을 갖고 있지."

　"그렇다고 하더라도 살아남지는 못하십니다. 세 개의 굴을 가진 토끼라고 하더라도 불타오르는 벌판에서는 살아남지 못하십니다. 세 개가 아니라 열 개의 굴을 가진 토끼라고 하더라도 요원의 불길 속에서는 타죽고 말기 마련입니다. 대인어른, 지금은 난세 중의 난세로 바깥세상은 온통 야화(野火)가 타오르고 있습니다. 타오르는 들불은 끌 수가 없습니다. 타면 타오르는 대로 내버려두어야 합니

다. 그래야만 벌판의 온갖 초목이 다 타버리고 영리한 토끼건 어리
석은 토끼건 모두 다 타 죽어버리고 그 잿더미가 되어버린 폐허에
서 새순이 돋아오르고 새 생명이 자라 마침내 새 세상이 오게 될 것
입니다."

순간 임상옥이 껄껄 큰소리로 웃으면서 말하였다.

"이 사람아, 당나라의 선사 조주에게 어느 날 제자 한 사람이 찾
아와 이렇게 물었다네. 대난도래 여하회피(大難到來 如何廻避).'
그 말은 '큰 난리가 닥쳐오면 어떻게 회피해야 합니까'라는 뜻이
지. 이 말에 조주가 뭐라고 대답했는지 아는가."

임상옥은 술에 취해 술상을 손바닥으로 내리치면서 홍경래를 쳐
다보았다. 홍경래는 묵묵부답이었다. 임상옥이 스스로 묻고 스스로
대답하였다.

"조주는 이렇게 대답하였다네. '흡호(恰好).' 이 말의 뜻은 '기다
리고 있었다'는 뜻이네. 제자가 물었던 그 큰 난리를 기다리고 있었
다는 뜻이지. 그러나 그 대답의 뜻은 이런 것이지. '큰 난리가 닥쳐
오면 회피할 필요는 없다. 나는 그 큰 난리를 이미 기다리고 있었
다. 난세야말로 호시절이 아니겠는가'라는 뜻이지."

홍경래가 낮은 목소리로 물었다.

"대인어른께오서는 이 난세를 기다리고 계셨습니까."

"난세야말로 호시절이다."

갑자기 임상옥이 술상을 내리치면서 크게 웃었다.

"난세야말로 내가 기다리던 호시절이고 말고."

세차게 술상을 내리쳤으므로 술병과 술잔, 몇 개의 그릇이 엎어

졌다. 임상옥은 완전히 취해 있었다. 주인의 그런 취한 모습을 한 번도 본 적이 없었던 홍경래였던지라 자리에서 일어나며 말하였다.

"취하셨습니다. 그만 술상을 물리시고 처소에 드시는 것이 좋을까 하나이다."

임상옥이 취한 눈으로 홍경래를 마주보며 말하였다.

"물론 난 취했네. 하지만 아직 홍 서기에게 할 말이 남아 있네. 내가 홍 서기를 부른 것은 이처럼 쓸데없는 말장난이나 하려고 부른 것은 아니야."

"무슨 이유로 저를 부르셨습니까."

홍경래가 묻자 임상옥이 대답하였다.

"다름 아니라 홍 서기가 풍수의 대가라는 소문을 전해들었네. 《주역(周易)》에도 통달하였다는 소문도 전해들었네. 역경에 밝아 하늘과 땅의 조화와 인간의 길흉화복을 꿰뚫고 있다는 소문이었네. 그러니 내가 홍 서기를 부른 것은 내 점을 보아달라는 부탁 때문이었네."

임상옥의 말은 사실이었다.

처음 홍경래가 임상옥의 집을 찾아왔을 때 그는 자신을 추천하는 이희저의 서장을 소지하고 있었다. 이희저는 홍경래를 소개하면서 그가 수리에 밝을 뿐 아니라 문장을 읽고 쓰는 데 능통하다고 추천하면서 아울러 홍경래가 풍수에도 밝고, 특히 역경에 통달하여 그를 잘 이용하면 흉운(凶運)을 물리치고 길운(吉運)을 잡아 상업이 번창할 수 있을 것이라 천거하였다. 이는 임상옥의 호기심을 자극하여 어떻게 해서든 임상옥과 친분을 맺게 하려고 우군칙이 내놓은 고도의 전술이었다.

임상옥은 직접 술병을 들어 홍경래의 술잔에 술을 따라주면서 말하였다.

"홍 서기, 내 점괘를 좀 봐주게나. 진작부터 홍 서기에게 점괘를 봐 달라는 부탁을 하고 싶었으나 차일피일하다가 마침 오늘에 이르렀네. 내 복채는 두둑이 내놓을 터이니 내 명운을 한번 봐주시게나."

《주역》은 원래 유교의 경전인 삼경 중의 하나로 이 책은 인간의 점복(占卜)을 위한 원전(原典)이기도 하지만 나아가서는 동양의 지혜가 담긴 우주론적 철학이기도 하다.

《주역》이 생겨난 것은 복희씨(伏羲氏)가 황하에서 나온 용마의 등에 새겨진 도형을 보고 천문지리를 살피고 만물의 변화를 고찰하여 처음 팔괘(八卦)를 만든 것에서 비롯되었다. 이후 팔괘는 육십사괘로 발전되었다. 양(陽)과 음(陰)의 이원론으로 천지만물을 나눔으로써 끊임없이 변화하는 음양의 법칙을 인간사에 적용시켜 비교하여 풀이한 것이 바로 역이다.

홍경래는 실제로 주역에 통달하였다. 사마시에 낙방한 뒤 고향에 머무르고 있는 동안 특히 역경에 심취하여 역경의 달인이 되어 있었다. 1808년 순조 8년에는 정약용이 지은 《주역사전(周易四箋)》이란 책이 출판될 정도로 당시에는 많은 사람들이 주역에 깊은 관심을 보이고 있었다. 실제로 공자는 《주역》을 지극히 숭상하고 애독하여 소가죽으로 만든 책끈이 세 번이나 끊어지도록 《주역》을 읽었다 하여 '위편삼절(韋編三絶)'이란 말이 태어났을 정도였다.

홍경래는 고의춤에서 무엇인가를 꺼내었다.

임상옥은 그가 고의춤에서 꺼낸 물건을 쳐다보았다. 그것은 산통(算筒)이었다. 산통은 점칠 때 쓰는 기구로서 그 안에 대나무로 만든 산가지(算木)를 넣어두는 통이었다.

산통 속에는 서죽(筮竹)이라고 불리는 점치는 산가지가 오십 개 들어 있었다. 원래 서죽은 오십 개가 정량이었다. 그중 한 개는 태극(太極)을 상징하는 것이라 하여 젖혀놓고 마흔아홉 개만 사용하는 것이 보통이었다. 왜냐하면 태극은 천지만유의 근원으로서 발동하지 않는 것이라고 인식해왔기 때문이다.

홍경래는 진지하게 정좌한 다음 서죽 마흔아홉 개를 경건한 표정으로 양쪽 손에 나누어 쥐었다.

천하의 혁명아 홍경래의 점괘가 시작된 것이다.

임상옥은 엄숙한 태도로 점을 치는 홍경래의 모습을 물끄러미 바라보았다.

홍경래는 서죽을 양손으로 나눈 후 왼쪽에 쥔 서죽에서 한 개를 뽑아내어 이것을 무명지와 새끼손가락에 끼웠다. 그리고 나서 왼손에 있는 서죽을 네 개씩, 네 개씩 차례로 덜어내기 시작하였다. 나머지의 서죽을 무명지와 새끼손가락에 끼우면서 괘를 점찍어내기 시작하였다.

홍경래는 몇 차례씩이나 이런 작업을 되풀이하면서 괘를 얻고 있었다.

원래 주역은 천지자연의 바른 법칙을 본받아 그 이치에 순응함으로써 계시를 얻는 것이므로 부정한 일을 위한 점은 주역의 원리에 반하는 것이며, 올바른 반응을 얻을 수는 없다. 또한 점의 결과를 의심하여 마음에 들지 않는다고 두 번, 세 번 점을 되풀이하여 보는 것은 바른 계시를 얻을 수 없다고 금기시되어 왔던 것이다.

점괘는 오직 단 한 번뿐이었다.

홍경래는 그러한 작업을 순서에 따라서 차근차근 풀어나갔다. 나오는 점괘마다 이를 종이 위에 적어 우선 팔괘로 나누고, 다시 팔괘를 두 번씩 세분하여 대성괘(大成卦)로 만들어 점괘를 완성해 나아갔다.

오랜 시간이 흐른 후 홍경래는 임상옥의 얼굴을 마주 쳐다보면서 말하였다.

"대인어른의 점괘가 나왔나이다."

홍경래는 붓을 들어 종이 위에 무언가를 써내린 후 먹물이 마르기를 기다려 그 종이를 임상옥에게 내주면서 말하였다.

"이것이 대인어른의 괘이나이다."

임상옥은 홍경래가 내준 괘를 받아보았다. 종이 위에는 문자도 아니고 무슨 도형과 같은 그림 하나가 그려져 있었다.

'☲ ☴'

임상옥에게 괘를 내주고 나서 홍경래가 말하였다.

"이 두 개의 괘 중에서 첫 번째는 불을 상징하며 다음 괘는 나무를 의미합니다. 예순네 개의 괘 중에 쉰 번째에 해당하는 이 괘는 나무로 불을 때는 형상입니다. 주역에 이르기를 이 괘에 대해서 이렇게 말하고 있습니다. '이 괘는 크게 발전하는 것을 의미한다. 나무로 불을 때서 삶고 익힌다. 성인은 삶고 익힌 제물로 하늘의 상제에게 제사하고 또 크게 향응하여 천하의 어진 사람들을 기른다. 겸손한 태도로 남의 말과 의견을 존중하니 귀와 눈이 총명하여진다. 유화한 덕을 가진 이가 위에서 훌륭한 신하들과 뜻이 서로 호응한다. 이러하므로 나라가 크게 발전한다'라는 좋은 뜻을 가진 괘이나이다."

임상옥의 점괘에 대해서 설명한 후 홍경래는 다시 종이 위에 다음과 같은 글자를 써내렸다.

'鼎(정)'

그 글자가 쓴 종이를 임상옥에게 전해주고 나서 홍경래는 말을 이었다.

"이 정은 '솥'을 의미하는 문자인데 대인어른의 운명은 바로 정괘(鼎卦)이나이다. 이를 역경에서는 화풍정(火風鼎) 괘라 하나이다. 솥을 나무로 불을 때어 삶고 익히듯 크게 발전할 상이 바로 대인어른의 괘상이나이다. 주역에서는 이 괘를 '나무 위에서 불이 타고 있는 것이 괘상(卦象)이다. 군자는 이 괘상을 보고 군주의 지위를 바르게 지켜 하늘의 명령이 자신에게 정착하게 해야 한다(木上有火鼎 君子以正位 凝命)'고 풀이하고 있나이다."

"그러하면 내 운명이 솥과 같다는 말인가."

임상옥이 홍경래가 준 종이를 접으면서 물어 말하였다.

"그렇습니다. 대인어른의 상괘는 솥이나이다. 나무 위에서 불이 타고 있고, 대인어른은 그 불 위에서 끓어오르는 솥의 운명을 타고 났나이다. 그러므로 모든 것이 흥하고 크게 발전하는 길운을 타고 났나이다. 다만 주역은 한 가지 사실만을 경계하라고 가르치고 있나이다."

"그것이 무엇인가."

임상옥은 취한 몸을 이리저리 흔들면서 물어 말하였다.

"솥 속의 음식을 익히느라 솥귀가 뜨겁게 달아올라 변하였다는 점입니다. 이를 역경은 이렇게 말하고 있습니다. 손잡이가 (뜨겁게) 변하였다. 손댈 곳이 없으니 솥 안에 삶아 놓은 기름진 꿩고기도 먹지 못한다(鼎耳革 其行塞 稚膏不食)."

"그러하면 그 뜨거운 솥 안에 들어 있는 꿩고기를 익히기만 하였을 뿐 전혀 먹을 수는 없다는 말인가."

임상옥이 어눌한 목소리로 물어 말하였다.

"그렇습니다, 대인어른."

"그렇다면 뜨거운 솥 속의 기름진 꿩고기를 먹기 위해서는 어떻게 하면 좋겠는가."

임상옥이 묻자 홍경래가 대답하였다.

"역경은 뜨거운 솥 속에 들어 있는 꿩고기를 먹을 수 있는 방법을 가르쳐주고 있습니다."

"그 방법이 무엇인가."

"그것은 비(雨)입니다. 비가 오면 손잡이가 다시 식어 운반할 수 있는 것입니다. 그리하여 솥뚜껑을 열고 먹을 수 있는 것입니다. 이를 역경은 이렇게 말하고 있습니다. 비가 오면 솥귀가 다시 식어서 걱정은 없어질 것이다(方雨虧悔)."

불을 때어 뜨거워진 솥귀는 비가 내려 식어야 뚜껑을 열고 솥 속에 들어 있는 꿩고기를 먹을 수 있다는 홍경래의 점괘는 의미심장한 말이었다. 홍경래는 다시 말을 이었다.

"또한 주역은 다음과 같이 점괘를 내리고 있습니다. 솥을 거꾸로 뒤집어야 한다. 그렇다고 도리에 어긋나는 짓을 하라는 것은 아니다. 솥바닥에 있는 찌꺼기를 버려야만 그곳에 소중한 새 물건을 다시 담아 익힐 수 있는 것이다(鼎顚趾 未悖也 利出否 以從貴也)."

홍경래는 점을 치기 위해 꺼내놓았던 산가지를 모아서 산통 속에 다시 집어넣으며 말을 이었다.

"대인어른의 명운은 주역에 따르면 천운을 타고났나이다. 말씀드린 것처럼 나무로 불을 때어 솥 속의 제물을 삶고 익히는 천운을 타고났나이다. 그 제물은 하늘의 상제(上帝)를 위한 음식이며 또한 '정'은 예로부터 천자의 지위와 국가의 위신을 상징하는 신성한 그릇이었나이다. 때문에 예로부터 왕위를 정조(鼎祚)라 하였으며 국가의 운은 정운(鼎運)이라 말하기도 하였던 것입니다. 대인어른께오서 상인이 되셨으니까 그렇지 만약에 국사에 뜻이 있었다면 조정을 이끌어 나가실 제위에까지 오를 수 있는 명운을 타고난 것이나이다. 하오나 역경은 대인어른께 두 가지 주의할 점괘를 내리고 있나이다. 그 하나는 솥 속에 들어 있는 찌꺼기를 버리고 새 음식을 삶아 익히기 위해서는 반드시 '솥을 거꾸로 뒤집어야 한다'는 것이며, 또 하나는 솥 속에 들어 있는 기름진 꿩고기를 먹기 위해서는 뜨거워진 솥귀를 식힐 수 있는 '비가 와야 걱정이 사라진다'는 상괘를 내리고 있는 것입니다. 만약 언젠가 한 번은 솥을 거꾸로 뒤집지 아니하면 평생을 낡은 찌꺼기의 음식만을 먹게 될 것이며, 비가 내리지 않는다면 솥 속의 기름진 꿩고기는 익혀만 놓았을 뿐 먹지를 못하게 되실지도 모르나이다. 이것이 대인어른의 명운이나이다.”

홍경래는 산통을 고의춤에 넣어 보관하면서 말을 마쳤다. 묵묵히 듣고 있던 임상옥이 다시 잔에 술을 따라 마시면서 물어 말하였다.

“그렇다면 홍 서기, 그 꿩고기를 먹기 위해 반드시 비가 내려야 한다면 언제까지 그 비를 기다려야 할 것인가. 기다려도 비가 내리지 아니하면 그땐 어찌할 것인가.”

“대인어른.”

홍경래는 임상옥을 똑바로 마주보았다. 그리고 말하였다.

“이미 비는 내리기 시작하였습니다.”

홍경래의 눈빛이 번뜩이며 타오르고 있었다. 임상옥은 그 눈빛을 피하여 열린 방문 바깥으로 활짝 만개한 벚꽃 쪽을 바라보면서 껄껄 소리내어 웃으며 말하였다.

“그렇군. 비는 이미 내리기 시작하였군. 봄비는 이미 내리기 시작하였어.”

벌써부터 내린 봄비는 벚꽃의 속살로 소리없이 스며들어 육욕에 취한 꽃들은 제 스스로 옷을 벗고 낙화하여 땅 위에 어지러이 떨어지고 있었다.

짐짓 홍경래의 눈빛을 피하고 딴청을 피우는 임상옥을 향해 홍경래는 정곡을 찌르며 말을 이었다.

“제가 말씀드리는 비는 저와 같이 벚꽃을 적시는 봄비를 말씀드리는 것이 아닙니다. 저와 같은 비로써는 절대로 솥의 귀를 식히지 못할 것이나이다.”

“그렇다면….”

이번에는 임상옥이 정면으로 홍경래를 바라보면서 물었다.

"그대가 말하는 비는 어떤 비인가."

"제가 말씀드리는 비는 붉은 비를 말함이나이다."

"붉은 비라면."

"혈우(血雨)를 말함이나이다. 붉은 피의 비라는 뜻이나이다. 솥의 귀를 식히기 위해서라면 반드시 붉은 비가 내려야 하나이다. 마찬가지로 솥을 뒤집어엎어 그 속에 든 찌꺼기를 쏟아버리기 위해서라도 반드시 붉은 비는 내려야 하나이다. 이미 그 비는 내리기 시작하였나이다."

"으헛헛헛."

갑자기 임상옥이 크게 웃으면서 술상을 내리치면서 말하였다.

"그대야말로 내게 있어 붉은 비로군. 홍 서기의 성이 바로 홍(洪)씨가 아니겠는가. 홍씨라면 물수변을 가진 큰 물이란 뜻이 아니겠는가. 그뿐인가. 같은 음인 홍(紅)은 붉다는 뜻. 그러므로 홍씨는 '붉은 큰 물'이란 뜻이 아닌가. 홍 서기는 내게 있어 붉은 비인 셈이로군. 홍 서기야말로 뜨거워진 솥의 귀를 식혀줄 붉은 비인 셈이야."

물론 임상옥의 말은 재치 어린 농담이었다. 그러나 그 농담 속에는 뼈가 있었다. 홍경래는 순간 모골이 송연하였다. 그는 임상옥에 대해서 섬뜩한 감정을 느꼈다. 무서운 인물이다라고 홍경래는 순간 느꼈다.

임상옥은 빈 잔에 술을 따라 홍경래에게 내주면서 말하였다.

"그렇다면 그대의 점괘는 무엇인가. 그토록 주역에 통달하였다면 홍 서기도 스스로 역경을 보아 자신의 명운을 이미 꿰뚫어 보고 있었을 것이 아니겠는가."

임상옥의 말은 사실이었다.

그 또한 공자처럼 세 번이나 가죽 끈이 끊어질 정도로 《주역》을 읽고 또 읽었다. 그가 《주역》에 통달한 후 제일 먼저 점괘를 쳐본 것이 바로 자신의 명운이 아니었던가.

"물론입니다."

홍경래는 대답하였다.

"저도 《주역》을 통해 이미 제 자신의 점괘를 알고 있나이다."

"그 점괘는 무엇인가."

임상옥이 물었으나 홍경래는 굳게 입을 다물었다.

"그 점괘가 무엇이냐고 내가 묻지 않는가."

임상옥이 자작하여 술을 따라 마시면서 어눌한 목소리로 말하였다. 그는 벌써 상당히 취해 있었다.

"말씀드릴 수가 없나이다. 하지만."

홍경래가 잘라 말하였다.

"언젠가는 말씀드리겠나이다."

임상옥은 서서히 잔을 들었다. 잔은 비어 있었다. 술병들을 기울여보았지만 모든 술병들은 깨끗이 비어 있었다.

"여봐라, 게 누구 없느냐. 여기 술을 더 가져오너라."

비틀거리면서 임상옥이 소리쳐 말하였다.

"대인어른."

홍경래가 일어서면서 말하였다.

"그만 드십시오. 이미 대인어른께오서는 만취하셨나이다. 밤도 깊었으니 이만 잠자리에 드시옵소서. 제가 모시고 가겠나이다."

바로 그 순간 임상옥이 손에 들린 빈 잔을 뜨락을 향해 내던지면서 소리쳐 말하였다.

"이봐라, 게 아무도 없느냐."

빈 잔은 봄비 내리는 뜨락에 던져져 깨어졌다. 임상옥은 빈 술병도 열린 방문 바깥을 향해 내던졌다. 요란한 소리를 내면서 술병이 깨어졌다. 그 요란한 소리에 벚꽃 가지에 앉아 비를 피하면서 울고 있던 새들이 놀라 날갯짓을 하여 어둠 속으로 사라져버렸다.

주인 임상옥의 고함소리와 던져진 술병들이 깨어지는 소리에 놀란 하인들이 달려왔다. 그들은 처음 보는 집주인의 취한 모습에 모두들 어리둥절해 하였다. 주인은 술을 좋아해서 거의 매일이다시피 술을 마시긴 했지만 한 번도 저처럼 만취한 모습을 보인 적이 없었기 때문이다.

"이놈들아."

임상옥은 닥치는 대로 술상 위에서 접시와 잔들을 들어 마당으로 내던지면서 소리쳤다.

"술을 더 가져오라는 내 소리가 들리지 않았단 말이냐."

묵묵히 이를 지켜보던 홍경래가 나서며 말하였다.

"밤이 늦었습니다, 대인어른. 이젠 그만 삼자리에 드시옵소서. 제가 모시고 가겠습니다."

"…모시고 가다니."

술취한 임상옥이 다소 기세를 누그러뜨리면서 말하였다.

"제 등에 업히십시오. 제가 등에 업고 가겠나이다."

홍경래가 무릎을 꺾고 등을 돌려 임상옥을 향해 내밀었다.

홍경래가 작은 키로 자신을 업겠다고 하자 임상옥은 느닷없이 껄껄 웃기 시작하였다.

"홍 서기가 나를 업어준다고. 그렇다면 하는 수가 없지."

임상옥은 비틀거리며 홍경래가 내민 등에 몸을 얹었다. 홍경래는 임상옥을 업어들었다. 임상옥의 키는 홍경래보다 두세 뼘이나 더 컸으며 체중도 훨씬 더 나갈 정도로 무거웠다. 그럼에도 가벼운 볏단을 업은 듯 홍경래는 가뿐하게 임상옥을 업고 비가 내리는 뜨락으로 나섰다.

"불을 밝혀라."

당황해 하는 하인들을 향해 홍경래가 명령하였다. 하인 하나가 어둠을 밝히는 지등을 앞세워 들었다. 가뿐가뿐 가벼운 발걸음으로 내전을 향해 걸어가는 홍경래의 등뒤에 업힌 임상옥은 순간 모든 술이 한꺼번에 깨는 느낌이었다.

그렇다. 생각했던 대로 홍경래야말로 범상한 인물이 아니었다. 홍경래야말로 붉은 피의 빗물인 것이다. 이미 붉은 비는 내리기 시작한 것이다. 내 집 한가운데서 그 비가 내리기 시작한 것이다. 장차 이 일을 어이하면 좋을 것인가.

임상옥은 짐짓 만취한 것처럼 주정을 하고 있었지만 실은 말짱한 정신이었다. 물론 평소보다 훨씬 많은 술을 마신 것만은 사실이었다. 그러나 홍경래의 속마음을 알아보기 위해 일부러 많은 술을 마시고 대취한 것처럼 주정을 하고 있었던 것이다.

생각보다 훨씬 넓은 홍경래의 등에 업혀 침소로 가는 임상옥의 마음은 착잡하였다. 그를 만난 첫인상에서부터 상가집이 아니라 조가집에서 재상이나 하고 있을 얼굴이라는 의외의 느낌을 받은 이후 '대낮에 주먹으로 천자의 머리를 노린다'는 홍경래의 즉흥시를 보았을 때 느꼈던 불길한 예감이 오늘에야 확연히 드러나게 된 것이다.

홍경래는 역모를 꿈꾸고 있다. 일찍이 이희저는 산해관의 문루에 내걸린 '천하제일문'을 쳐다보면서 자신은 '천하제일의 왕'이 되고 싶다며 반역의 꿈을 고백해 보이지 않았던가. 반역의 대야망을 꿈꾸던 이희저가 추천해 보낸 홍경래. 이 홍경래야말로 혁명을 꿈꾸는 반역자이다. 그것이 오늘 확연히 드러나게 된 것이다.

임상옥은 마신 술이 한꺼번에 깨었다.

나는 지금 희대의 반역자의 등에 업혀 있다. 이 사내가 희대의 반역자라면 그 등에 업힌 나도 반역자로서 삼족이 멸하는 역모죄를 받게 될 것이다. 그러나 만약 지금 내가 천하의 혁명아의 등에 업혀 있는 것이라면 그땐 사정이 달라진다. 이 사내가 역성혁명을 일으켜 마침내 썩은 조정을 무너뜨리고 개벽을 하여 새 왕조를 일으켜 청사의 영웅이 된다면 그땐 등에 업힌 나도 새 세상을 여는 일등공신이 될 수 있을 것이다.

아아.

홍경래의 등에 업힌 임상옥은 순간 깊은 신음소리를 내었다.

어떻게 할 것인가.

이 사내의 등에 계속 업힐 것인가. 아니면 이 사내의 등에서 내릴 것인가.

3

그날 밤, 임상옥을 침전에 내려놓고 자신의 방으로 돌아온 홍경래도 착잡한 심정을 느끼고 있었다. 임상옥이 홍경래에 대해 섬뜩한 느낌을 받았듯 홍경래 역시 임상옥에 대해서 섬뜩한 느낌을 받았던 것이다. 홍경래는 임상옥이 만취하기를 작정하고 자신을 불렀음을 잘 알고 있었다. 자신의 속마음을 떠보기 위해 만든 술좌석이었음을 홍경래는 이미 간파하고 있었다.

임상옥과 '영리한 토끼는 세 개의 숨을 굴을 갖고 있다'는 논쟁과 주역의 점괘를 통한 선문답을 했던 것도 실은 서로의 마음을 떠보기 위한 고도의 심리전이었음을 홍경래는 이미 잘 알고 있었던 것이다.

그러나 홍경래가 임상옥의 부탁으로 봐준 주역의 점괘는 있는 그대로의 사실이었다.

홍경래 역시 임상옥이 그처럼 좋은 명운을 타고났으리라고는 상상치 못하였다.

임상옥의 점괘인 화풍정(火風鼎)괘는 예순네 괘 중 그 제일 괘인 건위천(乾爲天)과 더불어 가장 좋은 길상괘(吉祥卦)의 하나였다.

홍경래는 주역이 내리는 점괘에 있어서도 추호의 의심을 갖고 있지 않았다. 그것은 하늘이 내리는 계시인 것이다. 상업을 해도 흥할 길운이지만 조가에 들어도 재상 위에 오를 천운을 타고났다는 점괘는 일부러 과장하여 꾸민 내용이 아니라 있는 그대로의 풀이였던 것이다.

임상옥을 혁명으로 끌어들일 수만 있다면.

홍경래는 팔베개를 하고 누워 생각하였다.

임상옥처럼 천운을 받고 태어난 인물을 혁명으로 끌어들일 수만 있다면.

그 혁명에도 하늘의 도움이 따를 수 있을 것이 아니겠는가.

닫힌 방문 바깥에서부터 치적치적 흩뿌리는 빗소리가 홍경래의 귓가를 적시고 있었다. 그의 귓가에 좀 전에 있었던 임상옥의 목소리 하나가 맴돌고 있었다.

"그렇다면 그대의 점괘는 무엇인가. 그토록 주역에 통달하였다면 홍 서기도 스스로 역경을 보아 자신의 명운을 이미 꿰뚫어 보고 있었을 것이 아니겠는가."

홍경래는 자신의 운명을 암시하는 점괘를 알고 있었다.

오래전 강물 속에 들어가 몸을 깨끗이 씻은 다음 마음을 다잡아 하늘과 땅 그리고 동서남북 사위를 향해 무릎을 꿇고 예를 올린 후 스스로 서죽을 잡아 자신의 괘를 점쳐보았었다.

"천지신명이여, 저에게 타고난 운명을 점지하여 주소서."

간절한 기도 끝에 나온 홍경래의 점괘는 바로 '☵☲'였다. 순간 홍경래는 자신의 눈을 의심할 수밖에 없었다. 왜냐하면 앞은 물을 상징하는 괘였으며 뒤의 것은 불을 상징하는 괘였기 때문이다.

물과 불이 함께 있으면 서로 싸울 수밖에 없다. 이를 주역에서는 택화혁괘(澤火革卦)라고 부른다.

이를 주역에서는 다음과 같이 상괘를 내리고 있다.

'못 속에 불이 있는 것이 혁괘(革卦)의 상괘이다. 군자는 이 괘상

을 보고 개혁을 획기(劃期)하여 역서(曆書)를 고쳐 때를 분명히 한다.'

이 점괘는 한마디로 '혁(革)'괘이다. '혁'이란 개혁, 변혁을 뜻하는 것이니 주역에서는 이를 '혁명'을 가리키고 있는 것이다.

자신에게 내린 하늘의 계시, 하늘로부터 점지된 자신의 천명. 그것이 혁명임을 알았을 때 홍경래는 가슴이 끊어지는 듯하였다.

썩은 왕조를 무너뜨리고 새 왕조를 일으키는 천지개벽의 혁명을 얼마나 꿈꾸어왔던가. 그러나 그것은 한갓 내 자신의 야망이 아니다. 하늘은 주역을 통해 그것이 천명임을 분명히 드러내 보이고 있지 아니한가.

홍경래는 하늘을 우러러 말하였다.

나는 하늘로부터 명령을 받은 선택된 사람(天子)이다. 내 혁명은 하늘의 뜻인 것이다.

그러나 또한 《주역》은 다음과 같이 말하고 있었다.

'굳게 지키기를 소가죽으로 묶어놓은 것같이 하라. 절대로 경솔하게 행동하여서는 아니된다.'

《주역》은 다시 이렇게 주의를 내리고 있다.

'여건이 이미 충분히 성숙한 때에 혁명을 단행하라. 적극적으로 나아가면 모든 백성들이 즐거워할 것이다. 길(吉)하다. 허물은 없으리라.'

홍경래는 자신에게 내려진 점괘를 자신이 직접 풀이하여 보았다.

'함부로 나아가면 흉하다. 바른 일이지만 해롭다. 개혁해야 하는 세론(世論)이 무르익을 때에만 일을 단행하라. 개혁해야 한다는 세

론이 무르익으면 달리 할 길이 없지 않겠는가.'

홍경래는 하늘이 주역을 통해 자신에게 명령하는 혁명의 조건을 충분히 알아들을 수 있었다. 하늘이 홍경래에게 내리는 혁명의 조건, 그것은 때를 기다리라는 것이다.

'때를 기다려라(己日革之).'

하늘이 홍경래에게 내린 단 하나의 혁명 조건. 굳게 지키기를 소가죽으로 묶어놓은 것같이 하여 절대로 경솔하게 행동해서는 안 되며 충분히 여건이 성숙되기를 기다려 때를 노려 혁명을 단행한다면 반드시 성공할 것이라고,《주역》은 결론을 내리고 있는 것이다.

'후회할 것은 없다. 인민이 신뢰하고 있다. 신념을 가지고 혁명을 단행하라. 길할 것이다.'

홍경래는 잘 알고 있었다.

유교의 정치사상은 천명사상(天命思想) 위에서 성립된 것이다. 이 우주의 만유를 창조하고 주재하는 것은 하늘, 즉 상제이다. 인간의 모든 일이 하늘의 명령에 의하지 않는 것이 없다. 하늘은 완전하고 바르고 선하고 무한히 생성하고 변화하면서 발전해 나가는 것이며 인간은 하늘의 축소판이다.

제왕이 되어 천하를 다스리는 사람은 천명(天命)을 얻어야 한다. 제왕은 하늘의 명령을 받은 지도자로서 하늘을 대행하여 하늘의 뜻으로 인민을 다스린다. 그러므로 제왕을 '하늘의 아들', 즉 천자라고 부른다. 천명을 받은 제왕이 하늘의 뜻에 어긋나는 정치를 하면 천명을 잃게 된다. 즉, 하늘이 제왕을 파멸시키는 것이다. 그렇다면 무엇으로 하늘의 천명을 잃은 것을 아는가.

그것은 민심이다. 제왕이 민심을 잃으면 천명을 잃은 것이다. 민심이 곧 하늘의 마음, 즉 천심이기 때문이다.

따라서 민심을 잃으면 천하를 잃게 되므로 제왕이 된 자는 항상 수양하고 반성하여 하늘에서 타고난 천성, 즉 선성(善性)을 발휘하고 덕으로써 천하에 선정(善政)을 펴야 천명을 유지할 수 있다.

일찍이 은나라의 마지막 왕이자 전형적인 폭군이었던 주(紂)를 주나라의 무왕이 멸망시키고 스스로 천자가 된 사실을 두고 맹자는 다음과 같이 말하였다.

'…이는 천명을 받은 무왕이 구체적으로 하늘의 위임을 받은 천리(天吏)로서의 임무를 수행한 것이므로 하극상(下剋上)도, 신하가 임금을 해치는 이신벌군(以臣伐君)도 아닌 것이다.'

그리고 다음과 같이 결론을 내림으로써 혁명을 합리화시킨다.

'인도(仁道)를 해치는 행위를 적(賊)이라 하고, 의리를 해치는 행위를 잔(殘)이라 한다. 따라서 잔적(殘賊)의 행위를 하는 자를 필부(匹夫)라고 한다. 무왕이 주의 목을 벤 것은 필부의 목을 벤 것이지 임금을 죽인 것은 아닌 것이다.'

도덕정치의 왕도(王道)를 자신의 유교사상으로 내세웠던 맹자의 그러한 글을 본 순간 홍경래는 심장이 터지는 듯하였다.

내가 혁명을 일으켜 썩어빠진 조선왕조를 뒤집고, 왕의 목을 베려는 것은 맹자의 말처럼 하극상도 아니며 임금의 목을 베는 것도 아니다. 그것은 일찍이 무왕이 하늘의 명령을 받고 주의 목을 벤 것처럼 필부의 목을 베는 것에 지나지 않는다.

맹자는 《왕도 정치론(王道政治論)》에서 '군주는 민중에 대한 사랑을 바탕으로 정치를 해야 하며, 또 경제적으로 넉넉하게 한 다음 도덕교육을 해야 한다. 만약 이에 불인(不仁)한 군주는 쫓아내야 한다'고 주장하고 있다.

나는 때를 기다린다.

팔베개를 하고 누워 혼잣말로 다시 중얼거려 말하였다.

하늘이 내게《주역》을 통해 택화혁의 점괘를 내린 이후부터 10여 년간 나는 줄곧 하늘이 점지해준 천시(天時)를 기다려왔다.

창밖에서는 여전히 봄비가 내리고 있었다. 임상옥과 더불어 꽤 많은 술을 마셨지만 홍경래는 전혀 술이 취하지 않은 말짱한 정신이었다.

그런데 이제 때가 왔다. 민심은 완전히 도탄에 빠지고, 천심은 완전히 썩은 조정에 대해 마음이 떠나고 있다. 이제 때가 무르익어 몇 달 뒤엔 해가 바뀌고 정월 초하루 임신년이면 오랫동안 꿈꾸어오던 혁명의 불길이 타오르게 된다.

벌써 날이 밝아오는지 창문 밖에서부터 새벽빛이 스며들고 어디선가 새벽을 알리는 닭울음소리가 아득하게 들려오고 있었다.

내가 이처럼 임상옥의 집으로 숨어들어와 서기 노릇을 하고 있는 것도 때를 기다리는 행위인 것이다. 이것이 혁명을 위한 마지막 시도이다.

그런 의미에서 임상옥은 혁명아 홍경래가 점찍어 놓은 최후의 인물이었다. 그런데 오늘 홍경래는 임상옥이 만만치 않은 인물임을 분명하게 알게 된 것이다.

엄청나게 술을 마시고도 정신이 말짱하던 그 눈빛. 그러고도 짐짓 엉망으로 취한 듯 방문 밖으로 술잔과 술병을 집어던지던 건주정. 그러나 등뒤에 업혔을 때 홍경래는 비록 말을 하지는 않았지만 체온과 몸을 통한 교감으로 임상옥의 속마음을 분명히 읽고 있었다.

'이 등에 계속 업힐 것인가, 아니면 이 등에서 내릴 것인가.'

임상옥은 그것을 마음속으로 고민하고 있었던 것이다.

홍경래는 중얼거려 말하였다.

그는 내 등에 업히게 될 것이다.

홍경래는 임상옥이 마침내 자신의 수하로 들어와 혁명에 참여하게 될 것임을 확신하고 있었다. 그것은 홍경래가 임상옥의 집으로 들어올 때부터 갖고 있던 비책(秘策) 때문이었다. 그 비책은 우군칙과 더불어 충분히 상의한 다음 미리 마련해 두었던 계책이었다.

며칠 뒤면 그 비책은 발동하게 된다. 그 비책이야말로 임상옥의 마음에 결정적인 선택을 강요하게 될 것이다. 오랜 고민 끝에 임상옥은 혁명에 가담하는 선택을 내리지 않으면 안 될 것이다.

마침내 결전의 순간이 다가오고 있다. 임상옥의 마음을 사로잡기 위한 비장의 무기를 사용하는 그 결전의 한순간이 다가오는 것이다. 만약 이 한순간에 임상옥이 결심하고 내 혁명에 참여한다면 그는 목숨을 건질 것이다.

이희저의 서장을 갖고 임상옥의 집으로 출발할 때 우군칙과 약속하였던 것처럼 천기를 누설치 않기 위해서는 임상옥의 목을 베어 참수해버리지 않으면 안 될 것이다.

홍경래는 베개 속에 들어 있는 단도를 손으로 만져 확인해보았다. 그는 베개 속에 항상 단도를 비상용으로 넣어두고 잠자는 버릇이 있었다.

만약.

홍경래는 단도를 확인하면서 중얼거려 말하였다.

내 말을 듣지 않는다면 임상옥은 반드시 이 칼에 심장이 찔려 죽어버리게 될 것이다.

4

그로부터 며칠 뒤.

과연 홍경래가 임상옥을 포섭하기 위해 준비해 두었던 비장의 승부수가 펄럭이며 움직이기 시작하였다.

임상옥의 상가로 급보가 날아들어온 것이다.

청나라의 수도 연경으로 들어갔다가 성공리에 모든 인삼을 팔고, 그 돈으로 비단을 비롯하여 수많은 수입품을 사서 싣고 돌아오던 박종일을 비롯한 세 명의 일행이 책문을 지나 금석산 근처에 이르러서 그만 마적을 만나 모든 물건을 빼앗기고, 박종일은 인질로 잡히고 말았다는 비보였다.

이곳은 무인지대이자 무법지대였다. 이곳에서는 청나라의 법도, 조선의 법도 통하지 않았다. 이곳 일대는 마적단의 지배를 받고 있었다.

주로 말을 타고 다니던 기마집단이었으므로 마적이라고 불리던 이들은 처음에는 촌락 공동체들이 안전을 위해 조직하였던 자위의 무장집단이었지만 차츰 비적화(匪賊化)되어 가고 있었다.

그러나 임상옥은 이들 무리와 일정한 간격을 두고 있으면서도 우호적인 관계를 유지하고 있었다.

청나라와의 교역에 있어 이들 마적단과 사이가 좋지 않으면 정기적인 상로(商路)를 확보할 수 없고, 약탈을 당할 수밖에 없어서 무역이 성사될 수 없기 때문이었다. 임상옥은 각 지역에 할거하고 있던 마적단의 두목들에게 정기적으로 상납하고 있었다.

그런데 뜻밖의 사건이 벌어진 것이다.

책문과 압록강에 이르는 백이십 리의 광활한 영토를 지배하는 신흥 마적단이 출현하게 되었는데 그 두목의 이름은 정시수(鄭始守)라 하였다. 원래 평안도 강계 사람으로 사람을 죽인 살인자가 되어 청나라로 도망쳐 그 영특함과 잔인성으로 곧 마적단의 두목에 오른 전설적인 인물이었다.

신흥 마적단의 두목 정시수가 자신의 영토 안에 굴러들어온 박종일 일행을 그냥 보낼 리가 없었던 것이다. 마적단들은 원래 재물을 빼앗고 인명은 살상치 아니하고 살려 보내는 불문율을 갖고 있었으나, 그들이 박종일을 비롯한 두 명의 상인들을 인질로 억류했던 것은 치밀한 작전 때문이었다.

홍경래가 미리 정시수와 내통하여 꾸민 고도의 전략이었던 것이다. 홍경래는 10여 년 전 일년 동안 압록강 상류지방을 두루 다니면서 널리 인재들과 교류하는 한편 강을 건너 마적단의 두목이었던 정시수와 친교를 맺고 의형제가 되었다. 홍경래가 마적 정시수와 친교를 맺은 것은 훗날 만약 일으킨 난이 실패하면 국경을 넘어 도망쳐 그곳에서 또다시 힘을 길러 재기의 발판을 마련하기 위한 교두보를 확보해 두려는 계산 때문이었다.

마적 정시수는 박종일을 비롯하여 두 명의 상인을 인질로 억류하고 있는 한편 한 명의 상인을 살려 보내어 임상옥에게 자신의 말을 전하도록 하였다.

"그래, 뭐라고 하더냐."

임상옥은 살아 돌아온 상인에게 물어 말하였다. 그러자 상인이 몸을 떨며 말하였다.

"황공하오나 자신을 만나러 와야 한다고 말하였나이다."

"누가 누구를 만나러 가야 한다는 말이더냐. 만약에."

임상옥이 말하였다.

"내가 그를 만나러 가지 않는다면 어떻게 된다고 말하더냐."

"만약에 대인어른께오서 자신을 만나러 오지 않으려 하신다면 그땐 이것을 보이라 말하였나이다."

"그게 무엇이냐."

상인은 웃통을 벗었다. 그러자 흉측한 형상이 그의 벗은 맨몸 위에 드러났다. 그것은 살갗을 바늘로 찔러 먹물을 입혀 새긴 자문(刺文)이었다. 그의 가슴에는 '殺(살)'자의 문신이 커다랗게 새겨져 있었다.

마적들은 사람을 살상할 때 있어 가장 잔인한 방법으로 날카로운 칼로 살갗을 벗기고 인육을 도려내는 방법을 쓰고 있었다.

임상옥이 자신을 만나러 오지 않는다면 박종일을 비롯하여 두 명의 상인들은 가슴에 새겨진 문신처럼 살갗을 벗기고 인육을 도려내어 죽이겠다는 최후통첩이었다.

　박종일을 비롯하여 두 명의 상인이 죽을 뿐 아니라, 상로가 확보
되지 못함으로써 임상옥의 장사도 죽음을 맞이하게 될 것을 암시하
는 의미심장한 최후통첩이었다.

　"언제 어디에서 만나자고 하였더냐."

　"쇤네가 그들이 있는 곳을 알고 있나이다."

　"그곳이 어디인데."

　"구연성을 지나 금석산 속이나이다."

　청나라를 제 집 드나들듯 하면서 만상 노릇을 하였으므로 임상옥
은 그곳 일대의 지리를 제 손바닥 들여다보듯 상세히 알고 있었다.

　"그들이 원하는 것은 또 무엇이더냐."

　"은자 오천 냥도 따로 가져오라 일렀나이다."

　"가겠다."

　단호하게 임상옥이 말하였다.

　"내가 직접 가겠다."

　그러한 임상옥을 기로막고 나선 사람이 바로 홍경래였다.

　"대인어른께오서 직접 가실 필요는 없으시나이다."

　"어째서냐."

　의아한 목소리로 임상옥이 홍경래를 쳐다보았다.

　"몸에 새겨진 자자(刺字)를 그대도 보았지 아니한가. 내가 직접
가지 않는다면 그들의 목숨을 빼앗겠다고 새긴 '殺' 자의 문신을
그대도 보았지 아니한가."

　"그들이 원하는 것은 대인어른이 아니오라 은자이나이다. 또한

자신들에게 정기적으로 상납할 공물의 약속이나이다. 그러므로 그들이 원하는 은자 오천 냥의 두 배인 만 냥을 보내주고 드나들 때마다 정해진 통행세를 따로 지불하겠다는 약조를 맺는다면 그들은 굳이 대인어른을 따로 만나기를 원치 아니할 것이나이다."

"그러나."

임상옥이 머리를 흔들면서 말하였다.

"나 대신 그곳에 보낼 사람이 없지 아니한가. 누가 나 대신 죽을지도 모르는 그 위험한 곳에 가겠다고 나서겠는가."

"제가 가겠나이다."

홍경래가 당당한 목소리로 대답하였다.

"제가 대인어른을 대신하여 그곳에 가겠나이다."

자신을 대신해서 금석산으로 가겠다는 홍경래의 단호한 대답에 임상옥은 반신반의하였다.

그러자 홍경래가 말하였다.

"옛말에 이르기를 세 치의 헛바닥만 있으면 사지에서도 살아남을 수 있다고 하였나이다. 제가 가서 세 치의 헛바닥으로 그들의 마음을 움직여 보겠나이다."

이 모든 것은 홍경래가 임상옥의 마음을 사로잡아 혁명으로 끌어들이기 위한 치밀한 계획이었다. 계획은 착착 한 치의 오차도 없이 진행되고 있었다. 마적단의 두목 정시수는 미리 홍경래로부터 전갈을 받고 환국하는 박종일 일행을 포획하고 그들을 인질로 삼아 막대한 자금을 요구하는 한편, 임상옥의 생명까지 요구하는 최후통첩을 보냈던 것이다.

홍경래가 임상옥을 대신하여 생명을 담보로 해서 마적단의 소굴로 자진해서 들어간다면 홍경래는 임상옥에게 있어 생명의 은인이 된다. 자신의 생명을 구해준 은덕을 입었다면 임상옥도 홍경래의 생명을 구해줄 의무와 책임이 따르게 되는 것이다.

홍경래의 은덕을 갚는 의무와 책임.

그것은 단 하나, 홍경래의 혁명에 참여하는 길뿐이 아니겠는가.

다음날.

홍경래는 살아온 상인을 앞세워 압록강을 건넜다. 홍경래는 마적단들이 요구했던 은자 오천 냥의 두 배인 만 냥을 따로 간직하고 배를 타고 강을 건넜다. 상황이 상황인지라 임상옥은 직접 강변까지 나아가 홍경래를 전송하였다.

홍경래를 실은 배가 거센 압록강물을 가로질러 까마득히 멀어질 때까지 지켜본 후 임상옥은 발을 돌려 읍내로 돌아오고 있었다. 화창한 봄날이었다. 통군정을 지나 의주읍성 안으로 들어선 임상옥은 무심코 거리에 나와서 놀고 있던 어린아이들이 손뼉을 치면서 부르는 노랫소리를 들었다.

그 노랫소리를 들은 임상옥은 하인을 시켜 그 어린아이들을 자기 앞으로 불러오게 하였다. 아이들이 오자 임상옥은 엽전을 꺼내 아이들에게 하나씩 나눠 주면서 말하였다.

"너희들 아주 노래를 잘하는구나. 이 엽전을 줄 터이니 한 번만 더 그 노래를 하여 보아라."

그러자 신이 난 아이들은 큰소리로 노래를 부르기 시작하였다.

"선비 하나가 관을 비뚤어 쓰니, 귀신이 옷을 벗고 있도다. 열 필 비단에 한 척을 더하니, 작은 언덕은 양 다리를 갖고 있구나."

홍경래가 말하였던 귀신의 울음소리. 아이들이 부르는 바로 그 노래가 귀곡성이 아닐 것인가. '선비 하나가 관을 비뚤어 쓰니 귀신이 옷을 벗고 있도다'라는 노래가 실로 홍경래의 말처럼 유행하고 있음이었다.

임상옥은 깊은 생각에 잠겨서 읍내의 거리를 걸어 나갔다. 바야흐로 봄은 무르익어 화창한 봄날씨에 강변을 따라 이루어진 방천둑길에는 실버들이 우거지고 벚꽃은 만개하여 만화방창(萬花方暢)이었다.

봄은 빨래하는 아낙네들의 방망이질 속에서 무르익어가는지 의주읍성을 가로질러 흘러가고 있는 남동천(南東川) 개울가에 앉아서 타악, 타악 두들겨패는 방망이질 소리가 울려퍼지고 있었다.

임상옥은 둑길을 걸어가면서 생각하였다.

저와 같은 요언(妖言)들과 요망한 노래들은 나라가 극도로 어지러운 난세일 때만 유행하는 법이다. 일찍이 서주(西周) 나라가 멸망할 때는 '달은 떠오르고 해는 진다. 뽕나무로 만든 화살과 쑥대 전통(箭筒)'이란 뜻모를 노래가 대유행을 보였다고 역사는 기록하고 있다.

그날 밤.

임상옥은 밤이 깊도록 잠을 이룰 수가 없었다. 한낮에 들었던 아이들의 해괴망측한 노랫소리 때문이었다. 일찍이 주나라는 요망한 노래가 유행을 보이더니 실제로 멸망되지 않았던가. 그렇다면 아이들이 부르는 해괴망측한 내용의 동요에도 뭔가 깊은 뜻이 숨어 있다. 홍경래가 자신의 입을 통해 그 노래를 귀신의 울음소리라고 표현하였다면 그 노래 속에는 무엇인가 의미심장한 뜻이 담겨 있는 것이다.

홍경래는 그 노래 속에 들어 있는 암호를 임상옥에게 전해주기 위해 일부러 그 노래의 가사를 자신의 입으로 외워본 것이다.

임상옥은 종이를 펴고 붓을 세워들었다.

그 노래 속에 숨어 있는 암호는 과연 무엇인가.

임상옥은 그 가사를 완전히 외고 있었다. 그 노래의 첫 마디는 이러하였다.

"선비 하나가 관을 비뚤어 쓰고 있다."

이를 홍경래는 간단하게 다음과 같이 표현하였다.

"일사횡관(一士橫冠)하니."

임상옥은 종이 위에 '선비 사(士)' 자를 써보았다. 그리고 생각하였다.

선비 하나가 관을 '비뚤어' 쓰고 있다.

이 노랫말의 묘미는 선비가 관을 비뚤어 쓰고 있다는 데 있는 것이다. 순간 임상옥은 종이 위에 쓴 '선비 사(士)' 자 위에 한 획을 비뚤어 그어 보았다. 그러자 '선비 사(士)' 자는 '아홉째 천간 임(壬)' 자가 되었다.

옳지.

임상옥은 자신의 무릎을 내리치면서 중얼거려 말하였다.

첫 마디의 노랫말 속에 숨겨진 암호가 풀린 것이다. 선비 하나가 관을 비뚤어 쓰고 있다 함은 바로 '임(壬)' 자를 가리키기 위한 파자이다.

그렇다면 두 번째의 노랫말은 무슨 자를 가리키기 위한 파자일 것인가. 임상옥은 아이들의 노랫소리를 떠올려보았다.

"귀신이 옷을 벗고 있다."

이를 홍경래는 다음과 같이 표현하고 있었다.

"귀신탈의(鬼神脫衣)하고."

아무리 생각하여도 그 노랫말 속에 숨겨진 암호를 해독해낼 수 없었다. 귀신이 옷을 벗는다, 귀신이 옷을 벗는다. 임상옥은 뜻모를 노랫말을 중얼거리며 생각하고 또 생각하였다.

원래 '옷 의(衣)' 자는 한자의 변에 있어서는 '의(衤)' 자로 쓰이고 있는 것이 보통이다. 그러나 '귀(鬼)' 자, '신(神)' 자 그 어느 글자에도 '옷 의(衤)'의 변자는 보이지 않는다.

가장 비슷한 '귀신 신(神)' 자도 정확히 따지고 보면 '보일 시(示)' 변이지 '옷 의(衤)' 변은 아닌 것이다.

그러나.

어느 한순간 임상옥은 번득이는 영감을 얻었다. 원래 한자의 자획을 나누거나 합치는 파자(破字) 행위는 그 내용을 암시하기 위해서 약간의 과장과 변형도 가능하다는 사실을 떠올린 것이다.

파자를 할 때에는 같은 모양의 한자를 차용하거나 같은 음의 한자를 음사(音寫)하는 경우는 왕왕 있어 왔던 일이었다.

따라서 임상옥은 '귀신이 옷을 벗고 있다'는 노랫말에서 '옷'이라 함은 귀신 신(神) 자의 보일 시(示) 변을 가리키는 암호임을 알아차릴 수 있었다.

귀신 신(神) 자가 옷을 벗는다면.

임상옥은 종이 위에 쓴 신(神) 자에서 보일 시 변을 먹으로 지워보았다. 그러자 남은 글자는 '신(申)' 자 하나뿐이었다.

임상옥은 자신의 무릎을 다시 내리쳤다.

이로써 두 자의 글자가 밝혀진 것이다. '선비 하나가 비뚤어 관을 쓰고 있다' 함은 임(壬) 자를 가리키는 암호였고, '귀신이 옷을 벗고 있다' 함은 신(申) 자를 가리키는 암호였으니, 두 자를 합하면 임신(壬申), 즉 임신년을 가리키는 파자이다.

임신년이라 하면 육십갑자의 아홉째에 해당되는 해로서 올해가 신미년이니 임신년은 내년에 해당되는 햇수다.

이제 남은 글자는 두 개뿐.

임상옥은 붓에 먹물을 새로 묻혀 놓고 중얼거려 말하였다.

남은 두 자의 비밀만 밝혀내면 그 수수께끼의 노래 속에 숨어 있는 암호를 풀어낼 수 있을 것이다.

'열 필 비단에 한 척을 더한다.'

이를 홍경래는 다음과 같이 표현하였었다.

'십필가일척(十疋加一尺)하니.'

물론 열 필 비단을 가리키는 십필(十疋)은 '달릴 주(走)'를 가리키는 한자임을 잘 알고 있었다. 그러나 여기에 '한 척을 더한다'는 척(尺) 자가 더해져야만 숨은 암호의 한자가 드러나는 것이므로 여기에서 주(走) 자는 역시 한문의 변에 불과할 따름이다.

임상옥은 주(走) 변에 척(尺) 자를 합쳐보았다. 그러자 다음과 같은 한자가 되어버렸다.

'趴'

나름대로 한문에 조예가 깊었으나 그런 문자는 본 적이 없었다. 비록 자신이 모른다 하더라도 자전(字典)에는 그런 한자가 있을지 모른다고 생각하여 임상옥은 자전을 찾아보았다. 그러나 분명히 그런 한자는 그 어디에도 존재하지 않았다.

임상옥은 갑자기 벼랑 끝에 선 느낌이었다.

세 번째 글자가 풀리지 않는다면 그 문자에 매달릴 것이 아니라 마지막 한 자인 네 번째 글자부터 풀어내자고 마음을 바꾸었다.

그리고 아이들이 부르던 네 번째의 노랫말을 떠올렸다.

"작은 언덕은 양 다리를 갖고 있구나."

이를 홍경래는 이렇게 표현하고 있었다.

"소구유양족(小丘有兩足)이라."

이 암호도 만만치는 않았다. 그러나 눈치 빠른 임상옥은 '양 다리를 갖고 있다' 는 표현의 뜻을 금방 알아차릴 수 있었다. 원래 구(丘) 자는 그 자체가 작은 언덕을 가리키고 있으므로 굳이 작을 소(小) 자에 매달릴 필요는 없다고 생각하였다. 문제는 '양 다리를 갖고 있다' 는 '양족(兩足)'인데 이는 다리 족(足)이라는 문자를 가리키고 있는 것이 아니라 그 형상을 가리키는 일종의 표의문자다. 사물의 형상을 그대로 베끼거나 시각에 의해서 의미를 전달하는 행위도 파자에 있어서는 중요한 한 방법이었던 것이다.

그렇다면 '작은 언덕이 양 다리를 갖고 있다' 는 암호는 쉽게 풀린다. 즉 '작은 언덕(丘)' 아래 두 개의 다리를 가진 형상의 문자를 가리키는 암호이다.

'두 개의 다리를 가진 언덕', 그 글자는 다름 아닌 '군병 병(兵)' 자인 것이다.

이로써 수수께끼의 노래가 가리키는 네 자의 한자 중 석 자의 비밀이 풀리게 되었다.

임상옥은 풀린 한자를 차례차례로 종이 위에 써보았다.

'壬申○兵'

그러나 세 번째 자의 비밀을 밝혀낼 수 없었으므로 그 넉 자의 의미는 완전히 해독될 수 없었다.

임상옥은 다시 세 번째 글자의 비밀에 도전하기 시작하였다. 어느새 날이 밝아오는지 창문 너머로 새벽빛이 스며들고 있었다. 수수께끼 동요의 비밀을 다 밝혀내기 전에는 이 자리에서 한 발자국도 움직이지 않으리라고 임상옥은 결심하고 있었다.

그는 다시 아이들이 부르던 세 번째의 노랫말을 떠올려보았다.

"열 필 비단에 한 척을 더하니."

"십필가일척(十疋加一尺)하니."

여기에서 십필(十疋)이 달릴 주(走) 자를 가리키고 있음은 분명한 사실일 것이다. 문제는 '한 척을 더한다'는 가일척(加一尺)이다.

혹시 자전에 있는 '달릴 주(走)'의 부(部)를 가진 한자를 모두 찾아서 그 한자를 '壬申○兵'의 풀리지 않은 세 번째 자에 대입시켜본다면 정확한 문자를 밝혀낼 수 있지 않을까.

다행히 자전에는 '달릴 주(走)' 부를 가진 한자가 몇 개밖에 나와 있지 않았다. 그 한자들은 다음과 같았다.

'赴, 赴, 起, 趁, 超, 越, 趙, 趣, 趨'

임상옥은 자전에 나와 있는 한자를 획수의 순서대로 종이 위에 써내리면서 '壬申ㅇ兵'의 빈 칸 속에 대입시켜 보았다.

세 번째의 한자인 '일어날 기(起)' 자를 그 빈칸 속에 넣은 순간 임상옥은 철커덕 하고 녹슨 빗장의 열쇠가 열리는 듯한 느낌을 받았다.

세 번째 자는 바로 '일어날 기(起)' 자임에 틀림이 없는 것이다.

'壬申起兵(임신기병)'

그 순간 노래가 가리키는 "열 필 비단에 한 척을 더한다"는 세 번째 노랫말도 결국 기(起) 자를 가리키고 있음을 임상옥은 정확히 깨달을 수 있었다.

즉, 이 문자도 병(兵) 자처럼 시각에 의해서 의미를 전달하기 위해 기(起) 자 대신 척(尺) 자를 차용하고 있다.

임상옥은 마침내 완전히 밝혀진 그 암호문의 전문을 종이 위에 천천히 써보았다.

'壬申起兵'

순간 임상옥은 머리칼이 곤두서고 모골이 송연해오는 공포를 느꼈다.

이 해괴망측한 내용의 노래는 바로 '임신기병(壬申起兵)'의 넉 자를 '파자'로 만든 수수께끼의 암호였던 것이다.

파자(破字).

한자의 자획을 나누거나 합쳐 그 뜻을 풀이하고 길흉을 점치는 일로 특히 《정감록》에서 널리 유포되어온 방법이 아니던가.

《정감록》은 홍경래나 우군칙 모두가 숭상해온 비결서(秘訣書)

였다.

직접적인 표현을 피하고 은어, 우의(愚意), 특히 파자를 사용하였으므로 그 해석이 난삽하고 애매한 것이 특징이다.

《정감록》에는 '파자' 형식을 빌려온 '삼절운수설(三絶運數說)'이 골자를 이루고 있다.

즉, 조선왕조는 세 번의 내우외환으로 단절될 운수를 맞게 되는데 그 첫 번째는 '임진왜란'이요, 두 번째는 '병자호란'이요, 세 번째는 앞으로 다가올 미래의 재앙이라 하였다. 따라서 이 세 번의 국가적 위기에서 살아남을 방법으로 《정감록》은 '파자 풀이'의 형식을 빌려 이렇게 암시하였다.

즉, 첫 번째 위기인 임진왜란 때에는 '살아자수 화인유녀(殺我者誰 禾人有女)'요 '활아자수 십팔공(活我者誰 十八公)' 이라 하였다. 여기에서 '화인유녀(禾人有女)'는 '왜(倭)'의 파자이고, '십팔공(十八公)'은 '송(松)'의 파자이므로 그 뜻은 다음과 같다.

'죽은 자는 왜〔日本〕 때문이며, 산 자는 송(명나라의 장수인 李如松을 기리킴) 때문이다.'

두 번째 위기인 병자호란 때에는 '살아자수 우하횡산(殺我者誰 雨下橫山)'이요 '활아자수 시착관(活我者誰 豕着冠)' 이라 하였는데 '우하횡산(雨下橫山)'은 '설(雪)'의 파자이고, '시착관(豕着冠)'은 '가(家)' 자의 파자이므로 '죽은 자는 눈〔雪〕 때문이요, 산 자는 집속에 있었기 때문이다'는 뜻을 내포하고 있다. 이는 병자호란이 한겨울에 일어났으므로 전쟁 때문에 죽은 사람보다는 얼어죽은 사람이 더 많았기 때문에 피난 가지 않고 집에 남아 있던 사람이 오히려

화를 면하였다는 사실을 암시하고 있다.

마지막으로 앞으로 다가올 세 번째의 위기에 대해서는 수수께끼의 예언을 하고 있었다. 살아자수 소두어족(殺我者誰 小頭魚足)이요, 활아자수 신입혈(活我者誰 身入穴)이라.'

여기에서 '소두어족(小頭魚足)'은 당(黨)의 파자이고 '신입혈(身入穴)'은 '궁(窮)'의 파자이니 그 뜻을 해석하면 다음과 같은 것이다. '죽은 자는 사색분당의 정치분쟁 탓이며, 산 자는 재물을 버리고 가난을 좇아 청빈한 삶을 산 때문'이란 뜻을 갖고 있다.

홍경래는 이 세 번째 위기를 자신들이 일으킬 혁명의 예언으로 보았다.

자신들의 난이 김조순과 박종경을 비롯한 세도가들의 독재를 무너뜨리기 위해서 가난한 농민들을 중심으로 일으킬 혁명이었으므로 '죽은 자는 당(黨) 때문이며 산 자는 궁(窮) 때문'이라는 《정감록》의 예언에 정확히 부합된다고 굳게 믿고 있었던 것이다.

이 노래는 임신년에 일어나는 혁명을 하늘에서 내린 운명적인 사실이라는 점을 널리 유포하기 위해서 일부러 지어 퍼뜨린 일종의 참언(讖言)이었다.

홍경래.

그는 임상옥이 첫눈에 알아보았듯 범상한 사람이 아닌 것이다. 그는 임상옥이 밤을 새워 해독하였던 수수께끼의 노래에 숨겨져 있는 '임신기병'을 실제로 행동에 옮겨 혁명을 일으킬 반역군의 총수인 것이다.

그제야 전날 가을바람 불 때 역수의 장사는 주먹으로 대낮에 함양 천자의 머리를 노린다'는 즉흥시를 썼던 홍경래가 가리킨 '천자의 머리'가 누구를 말함인가를 임상옥은 분명히 알 수 있었다. '천자의 머리', 그것은 썩은 조선왕조의 목을 가리키고 있는 것이다.

홍경래는 청천백일의 한낮에 천자의 머리를 노리는 반역아며, 또한 어지러운 난세를 적셔줄 붉은 피의 혈우(血雨)인 것이다.

그러한 괴수가 스스로 내 집으로 걸어 들어왔다. 몇 달 뒤 새해 정월이면 일으킬 '임신기병'의 중대사를 앞두고서.

또한 홍경래는 임상옥을 대신해 목숨을 담보로 해서 마적의 소굴로 들어갔다. 그가 인질로 잡혀 있는 박종일을 비롯한 나머지 세 사람의 상인을 무사히 살려내어 온다면 홍경래는 임상옥에 있어 생명의 은인이 된다. 홍경래가 임상옥을 위해 자신의 생명을 담보하였다면 임상옥도 홍경래의 은혜를 갚기 위해 자신의 생명을 담보로해야 할 것이다.

옛말에도 있지 아니한가.

달리는 말에서는 내릴 수 없고, 이미 내리는 비는 멈추게 할 수 없다.'

이미 나는 달리는 마상에 올라타 있으며 내리는 빗속을 걷고 있다. 달리는 말 위에서 뛰어내리면 나는 추락하여 생명을 잃을 것이다. 마찬가지로 이미 내리는 비를 피할 수는 없다. 내리는 비를 멈추게 하는 유일한 길은 비가 그치기를 기다릴 뿐인 것이다.

그로부터 며칠 뒤, 홍경래가 무사히 돌아왔다. 박종일을 비롯하여 세 명의 상인들을 모두 이끌고서. 그는 마적들이 요구하였던 오천 냥에 만일을 생각해서 비상용으로 지참하였던 오천 냥을 더 보태 만 냥을 갖고 출발하였지만 오천 냥만을 마적단에게 주었을 뿐 나머지 오천 냥을 도로 갖고 왔다.

그뿐인가.

박종일의 일행들이 중국에서 인삼을 팔고 그 대금으로 사온 비단을 비롯한 모든 상품들을 고스란히 갖고 빠져나왔다.

더 놀라운 것은 마적단 두목 정시수와 박종일이 임상옥을 대신해서 조약을 체결한 것이다. 즉, 임상옥 상가의 출입을 안전하게 보장하는 대신 일정한 통행세를 낸다는 합의서까지 작성하고 돌아온 것이다.

"도대체 그 사람이 누구입니까."

한 번도 홍경래와 상면치 못하였던 박종일은 혀를 내두르며 임상옥에게 말하였다.

"내 생전에 그처럼 배짱이 두둑한 사람은 처음 보았습니다."

인질로 잡혀 있는 동안 내내 죽음의 공포에 시달렸던 박종일은 자신을 구하러 온 홍경래의 담대한 태도와 능란한 말솜씨에 대해 찬탄을 금치 못하고 있었다. 그러나 임상옥의 속마음은 편치 않았다.

마침내 올 것이 오고야 말았다.

임상옥은 무사히 살아 돌아온 박종일을 비롯한 세 명의 모습을 보자 안도의 한숨을 쉬었지만 또 한편으로는 착잡한 마음이 들었다.

그날 밤.

임상옥은 금의환향한 홍경래를 위해 주연을 베풀었다. 사지에서 살아 돌아온 박종일과 홍경래를 위로하기 위한 술자리였다. 술자리에 들어서는 홍경래는 따로 물건을 챙겨들고 있었다.

"그 물건은 무엇인가."

임상옥이 묻자 홍경래가 대답하였다.

"이 물건은 제가 마적단 두목 정시수로부터 받아온 물건입니다. 정시수는 저에게 이 물건을 대인어른께 전해드리라 하였나이다. 정시수는 대인어른께 이 물건을 자신의 정표로 받아달라고 말하였나이다."

임상옥은 홍경래가 가져온 물건을 쳐다보았다. 그 물건은 흰 천으로 가리워져 있어 그 내용을 확인할 수 없었다.

"정시수는 자신이 갖고 있는 물건들을 보여주고는 마음에 드는 것을 골라 대인어른께 선물하라고 말하였나이다. 그중에서 제가 이 물건을 골라왔나이다."

홍경래가 흰 천을 열었다. 그것은 청동으로 만든 정(鼎)이었다.

"제가 이 물건을 굳이 골라왔던 것은 주역을 보았을 때 대인어른의 점괘가 바로 '화풍정(火風鼎)', 즉 '정(鼎)' 괘였기 때문이었나이다."

임상옥은 그 그릇을 만져보았다. 청동으로 만든 그릇이있으므로 겉면에는 푸른 녹이 슬어 있었다. 움직여보기 위해 힘을 줘보았으나 꿈쩍도 하지 않았다. 어른 무릎 정도 올 만큼의 크지도 작지도 않은 청동그릇이었지만 그 무게만큼은 대단해서 바윗덩어리처럼 꿈쩍도 하지 않았다. 둥근 원통 형태의 정(圓鼎)으로서 겉면에는 동물무늬의 장식이 둘러가면서 새겨져 있었다. 그 형태와 녹슨 모습으로 보아 족히 수천년은 되었을 골동품임에 틀림이 없어 보였다.

아마도 마적단의 두목 정시수가 상인들로부터 빼앗아 두었던 노획품 중의 하나였던 모양이었다.

"제가 이 물건을 골라왔던 것은 대인어른의 점괘가 '정'괘였기에 이를 가까이 두고 교훈 삼아 경책하라는 의미로 가져왔나이다."

그러나 홍경래의 그 말은 사실이 아니었다. 그가 솥을 골라 가져왔던 것은 임상옥의 선택을 묻는 최후통첩과도 같은 의미였다.

밤이 이슥하여 술좌석이 끝날 무렵 임상옥이 홍경래에게 말하였다.

"홍 서기의 이번 일로 나는 큰 은덕을 입었소이다. 홍 서기가 아니었더라면 아마도 나는 이 자리에 살아남아 있지 못하였을지도 모르오."

이에 박종일이 거들어 말하였다.

"그렇습니다. 홍 서기가 아니었더라면 저는 마적단의 소굴에서 개죽음을 당하였을지도 몰랐을 것입니다. 제가 살아온 것은 홍 서기의 은덕이나이다."

그러나 홍경래는 입을 다물고 묵묵히 술만 들이켤 뿐 아무런 대답도 하지 않았다.

"그래서 말인데."

임상옥이 넌지시 홍경래에게 술잔을 건네면서 물어 말하였다.

"홍 서기에게 무엇으로 그 은덕을 갚았으면 좋겠소. 홍 서기야말로 내게 있어 생명의 은인과도 마찬가지이니 무엇으로 그 은혜를 갚았으면 좋겠는지 대답하여 보시오."

그는 건네주는 임상옥의 술잔을 받아 마실 뿐 아무런 대답도 하지 않았다. 긴 침묵 끝에 마침내 홍경래가 임상옥을 처다보면서 무거운 입을 열어 말하였다.

"대인어른께오서 하찮은 저를 생명의 은인이라고까지 말씀하시니 송구스러워 몸둘 바를 모르겠나이다. 하오나 감히 말씀드리면 제가 무엇이든 청하여도 그 요구를 들어주시겠나이까."

마침내 올 것이 오고야 말았다.

임상옥은 마음속으로 생각하였다.

"물론이고 말고."

임상옥이 진지하게 대답하였다.

"홍 서기가 내 목숨을 살렸으니 그대가 원하는 것이면 무엇이든 들어주고 말고."

그러나 홍경래는 겨우 운만 떼어놓았을 뿐 말을 잇지는 아니하였다. 그는 다시 술만 마실 뿐이었다. 옆에서 보다 못해 박종일이 채근하여 말하였다.

"이 사람아, 도무지 답답하여 못 견디겠네. 대인어른께오서 여쭙지 아니하신가. 대인어른은 자네가 원하는 것이면 무엇이든 들어주실 신의를 가지신 분이네. 그러니 대답하여 보시게나."

홍경래가 무거운 입을 열고 말하였다.

"제가 갖고 싶은 것은 오직 한 가지뿐이나이다."

"그것이 무엇인가."

임상옥이 물어 말하였다.

"그것은 바로 저것이나이다."

홍경래가 손을 들어 방안에 놓인 물건을 가리켰다. 그것은 바로 조금 전에 홍경래가 가져왔던 솥〔鼎〕이었다. 마적단의 두목 정시수가 자신의 정표로서 임상옥에게 선물하였던 청동솥이었다.

생명을 구해준 대가로 요구하는 것이 겨우 낡은 청동솥이라니, 하는 표정으로 옆에 앉아 있던 박종일이 껄껄 너털웃음을 웃으면서 말하였다.

"이 사람아, 지금 농담을 하고 있는 건가. 겨우 솥 하나를 달란다니."

그러자 홍경래가 단호하게 대답하여 말하였다.

"네, 제가 원하는 것은 바로 저 솥 하나뿐입니다. 그것으로 충분하나이다."

"그렇다면."

박종일이 껄껄 웃으며 말하였다.

"당장에라도 저 솥을 가져가시게나. 안 그렇습니까, 형님."

박종일이 동의를 구하면서 임상옥을 쳐다보았다.

"하오나."

홍경래가 말을 잘랐다.

"대인어른께오서 반드시 저 솥의 무게를 알아주셔야 하나이다. 제가 대인어른께 묻겠습니다. 저 청동솥의 무게가 무겁겠습니까, 아니면 가볍겠습니까. 또 그 무겁고 가벼움이 어느 정도이겠습니까."

뜻밖의 대답이었다.

청동솥의 무게를 알아야만 그 솥을 받아가겠다는 홍경래의 대답은 그 내용을 알 수 없는 일종의 선문(禪問)과도 같은 것이었다.

그러자 박종일이 다시 나서서 말하였다.

"이 사람아, 솥의 무게가 무에 그리 중요하단 말인가. 솥이 무겁고 가벼움은 무게를 달아보면 정확히 알아낼 수 있을 것이 아니겠는가."

그러나 다시 홍경래가 입을 열어 말을 이었다.

"제가 원하는 것은 오직 하나, 대인어른께오서 솥의 크기와 무게를 알아주시기를 바랄 뿐이나이다. 그러므로 제가 대인어른께 다시 묻겠습니다. 이 솥은 어느 정도 무겁습니까. 아니면 이 솥은 어느 정도 가볍습니까. 또한 이 솥의 크기는 어느 정도입니까."

그 순간 깊은 침묵을 지키고 있던 임상옥이 비로소 입을 열어 대답하였다.

"그렇게 하겠네. 홍 서기가 원하는 대로 솥의 무게를 내가 반드시 알아보겠네. 솥의 크기와 무게를 알아서 그 대소경중의 여부를 그대에게 반드시 가르쳐주겠네."

밤이 깊어 술자리가 파하자 임상옥은 곧바로 침소에 들었다. 그러나 그는 쉽사리 잠을 이룰 수 없었다.

임상옥은 홍경래가 던진 화두를 생각하고 또 생각하였다. 생명의 은덕을 갚기 위해 무엇을 원하는가 물었을 때 홍경래는 난데없이 솥을 달라고 말하였다. 그리고 나서 솥의 무게를 알기 전에는 그 솥을 절대 받을 수 없다고 대답하였다. 그뿐인가. 반드시 그 솥의 무게를 임상옥이 알아내야만 한다는 절대의 조건을 덧붙인 것이다.

그는 도대체 무슨 의미로 그런 질문을 했던 것일까. 이미 임상옥은 수수께끼 동요의 비밀을 풀어냄으로써 홍경래가 내년 임신년을 기해 반란을 일으킬 반역군의 괴수임을 밝혀내었다. 마찬가지로 자신에게 솥을 달라 말하고 그 전에 솥의 무게를 물어온 것은 수수께끼 동요처럼 뭔가 깊은 의미를 담고 있는 또 하나의 참언인 것이다.

임상옥은 밤이 샐 때까지 생각하고 또 생각하였지만 홍경래가 던진 화두를 깨칠 수가 없었다.

한 가지 분명한 것은 홍경래가 그 질문을 통해 자신에게 선택을 강요하고 있다는 사실이었다. 즉, 자신의 반역을 도와주어 혁명에 가담할 것이냐, 아니면 자신을 반역자로 밀고할 것이냐의 양자택일을 강요하는 최후통첩의 의미를 그 솥이 갖고 있음을 임상옥은 본능적으로 알고 있었다.

임상옥은 자신의 침소로 옮겨온 청동솥을 물끄러미 바라보았다. 마적단의 두목 정시수가 정표로 보내왔다고 하지만 그 솥을 선택해온 사람은 바로 홍경래였다. 따라서 《주역》을 통해 임상옥의 괘가 바로 '정(鼎)' 괘임을 알게 된 홍경래는 임상옥에게 그 솥의 대소경중을 물어옴으로써 운명적인 선택을 강요하고 있음이 아닐 것인가.

임상옥은 그 솥을 다시 손으로 만져보았다. 눈으로 보기에도 수천년은 되었을 그 솥은 의외로 무거워서 바윗덩어리처럼 꿈쩍도 하지 않았다. 장정 너댓 명이 달려들어 들어올려야만 겨우 움직일 만큼 수천 근은 족히 되어 보이는 엄청난 무게였다. 그 엄청난 무게의 솥을 그 누구의 도움도 없이 혼자서 번쩍 들어올려 임상옥의 침소에까지 옮겨온 홍경래가 아니었던가.

그 이유가 무엇이든 간에 이제는 둘 중 하나를 선택하지 않으면 안 된다. 내년이면 혁명을 일으킬 반역군의 괴수 홍경래를 도와 역모에 가담할 것인가.

임상옥에게도 조정에 대한 반감은 있었다. 그에게도 서북인이라 하여 괄시를 당했던 쓰라린 경험이 있었으며 그의 아비 임봉핵은 평안도치란 신분에 의해서 역과에 세 번 응시를 했으나 그때마다 번번이 낙과하여 실망한 끝에 술에 취해 압록강물에 빠져 목숨을 잃었던 처절한 과거를 갖고 있었다. 자신도 장돌뱅이의 봇짐장수로 나설 수밖에 없었던 것은 철저히 막혀진 벼슬길 때문이었을지도 모른다. 평안도 사람들은 아무리 학문이 깊고 인품이 고매하다 하더라도 문관은 지평(持平) 이상, 무관은 첨사(僉使) 이상의 벼슬에는 오르지 못하고 불이익을 당하고 있었다.

홍경래의 말처럼 조정은 도적들의 세상이었다.

반드시 거리를 두고 있어야 할 정치와 경제가 서로의 이익을 위해서 밀접하게 결합되어 있는 도적의 세상, 큰 관리는 큰 관리대로 작은 관리는 작은 관리대로 모두 다 큰 도둑, 작은 도둑으로 들끓고 있던 난세 중의 난세였다.

몇 년째 흉년이 들어 민심은 흉흉하였으며 떠도는 전염병과 이유를 알 수 없는 화재로 민생은 완전히 도탄에 빠져 있었나.

이러한 때 홍경래를 도와 혁명에 참여한다면 나는 대역죄인이 된다.

하늘 아래 둘도 없는, 죄인 중에도 가장 무거운 천인공노의 죄인. 그것은 왕권을 침해하거나 부모를 살해하는 죄를 짓는 일이다. 대역죄인은 삼족을 멸하는 형벌을 받게 되며 죄인의 시신 역시 머리, 몸, 손, 팔다리 등을 토막내어 죽이는 능지처참의 극형을 받게 되어 있다.

그러나 만에 하나 그 혁명이 성공한다면 대역죄인은 하루아침에 영웅이 된다. 하루아침에 정사공신(靖社功臣)이 되어 훈호(勳號)를 받게 된다. 그 역사적 실례는 멀리서 찾을 필요도 없다. 2백여 년 전 광해군 시절, 서인 일파는 반란을 일으켜 능양군(綾陽君)을 옹위하여 왕위에 오르게 하니 이것이 곧 인조반정(仁祖反正)이었다.

신하가 임금을 몰아내는 반정도 실패하면 대역죄인이 되는 것이며 성공하면 정사공신이 되는 것을 역사를 통해 분명히 확인할 수 있지 아니한가.

그때였다.

마른 하늘에서 벼락이 떨어지듯 무엇인가 번쩍이며 내리치는 고함소리 하나를 임상옥은 들었다.

"이놈아, 이 손 안에 무엇이 들어 있느냐."

임상옥은 번쩍 정신이 들었다. 거의 동시에 자신의 머리통을 세차게 후려치는 석숭 스님의 일갈이 선명하게 들려왔다.

임상옥은 순간 일어났다. 그는 어디가 어딘지 알 수 없는 어둠 속에서 하나의 방향을 정하고 그곳을 향해 삼배를 올려 제자로서 예를 표한 후 무릎을 꿇고 앉았다. 그제야 석숭 스님의 목소리가 생생하게 들려오기 시작하였다.

"이 죽을 사(死) 자가 너를 반드시 첫 번째 위기에서 살려줄 것이다. 다른 방법은 없다. 오직 이 죽을 사(死) 자 한 자뿐이다. 그러나 두 번째 위기는 다르다. 그 어떤 묘책도, 그 어떤 방법도 너를 살려주지는 못할 것이다."

그때 임상옥은 두려움에 몸을 떨며 다음 말을 기다렸었다.

"만약에 네가 그 위기를 벗어나지 못한다면 너는 반드시 능지처참을 당할 것이다. 문제는 네가 첫 번째 위기는 위기임을 알겠으나 두 번째 위기는 위기라는 것을 깨닫지 못하는 데에 있다. 위기를 위기로서 직감할 때는 헤어날 방법이 반드시 있는 법이다. 그러나 위기를 위기로 인식하지 못할 때에는 자신도 모르게 멸문의 길로 나아가는 것이다. 그러므로 명심하여라. 모든 일이 순조롭게 잘 풀릴 때 그때가 가장 위험한 고비가 아닐까 생각하여라."

임상옥은 무릎을 꿇고 앉은 채 큰스님 석숭의 말을 떠올려보았다. 스님의 예언대로 그의 첫 번째 위기인 연경 상인들의 불매동맹은 '죽을 사'의 비책으로 인해 피해갈 수 있었다. 그러나 마침내 두 번째 위기가 닥쳐온 것일까. 큰스님 석숭의 말씀처럼 지금 이 위기가 멸문의 길로 나아가는 바로 그 위기인가.

순간.

임상옥의 온몸으로 전율이 흘렀다.

지금이 바로 그 두 번째의 위기다. 모든 것이 순조롭게 잘 풀리고 있을 때 혹시 위험한 고비가 다가온 것이 아닐까 잘 생각해보라던 바로 그 두 번째 위기인 것이다. 홍경래가 자신의 상가에 들어와서 양자택일을 강요하는 이 순간이 바로 벗어나지 못하면 능지처참을 당하는 위기의 순간이며, 멸문지화를 당하는 두 번째 위기의 순간인 것이다.

임상옥은 온 생각, 온 마음을 집중해서 석숭 스님의 모습을 떠올렸다.

"위험한 고비임을 깨달았을 때엔 어떻게 하여야 제가 살아나겠습니까."

임상옥이 묻자 석숭은 임상옥의 얼굴을 물끄러미 바라보며 빙그
레 웃었었다.

그 미소를 임상옥은 선명하게 기억하고 있었다. 빙그레 웃고 나
서 석숭은 임상옥이 볼 수 없도록 몸을 돌려 앉았다. 그리고 붓에
먹을 묻혀 종이 위에 무엇인가를 써내렸었다. 석숭은 먹물이 마르
기를 기다려 그 종이를 겹겹이 접었다. 그런 후 임상옥을 향해 다시
돌아앉아 이렇게 말하였었다.

"네가 살아날 방법이 이 종이에 씌어 있다. 그러나 절대로 잊어서
는 안 된다. 함부로 이 종이를 펼쳐 보아서는 안 된다. 그렇게 되면
너는 천기를 누설하여 반드시 하늘로부터 벌을 받게 될 것이다. 반
드시 네가 최대의 위기에 봉착하였음을 깨달았을 때에만 이 종이를
펼쳐보아야 한다. 네가 살아날 수 있는 묘책을 얻을 수 있을 것이
다. 내 말을 알아듣겠느냐."

생각이 여기까지 미치자 임상옥은 몸을 일으켜 지체 없이 벽에
걸린 바지에 매달려 있는 비단주머니를 떼어내었다.

반역군의 괴수 홍경래의 혁명에 참여할 것이냐, 아니면 밀고할
것이냐는 절체절명의 위기에서 벗어날 수 있는 하늘의 비밀. 죽느
냐, 아니면 사느냐. 영웅이 되느냐, 아니면 대역죄인이 되느냐는 운
명적인 선택의 기로에서 내려준 하늘의 기밀. 그 큰 위기를 벗어날
수 있는 천기가 이 비단주머니 속에 들어 있는 것이다.

임상옥은 비단주머니의 끈을 풀었다. 주머니는 보통 형태의 두루
주머니였는데 붉은 비단 위에 십장생이 새겨져 있는 염낭이었다.

매듭진 끈을 풀고 조인 주머니를 잡아당기자 주둥이가 벌어졌다.

주머니 속에 손을 넣자 뭔가 만져졌다. 붉은 작은 종이가 주머니 속에서 나왔다. 붉은 종이봉지를 펼치자 그 속에서 작은 콩알 하나가 나왔다. 붉은 콩 한 알이었다. 원래 주머니 속에 종이봉지에 싸인 붉은 콩을 한 알씩 넣어 가지고 다니는 것은 일년 내내 귀신을 물리치고 만복이 온다는 신앙 때문이었다.

특히 해마다 정월 첫 해일(亥日)에는 붉은 콩 한 알씩을 종이봉지 속에 넣어 종친들에게 보내는 풍습이 있었다. 이는 붉은 콩 한 알이 귀신을 물리쳐주는 부적 역할을 해줄 것이라 믿는 민간신앙 때문이었다. 위험하기 짝이 없는 객상들은 안전을 빌기 위해 주머니 속에 붉은 종이봉지로 싼 붉은 콩 하나를 넣고 다니는 풍습이 있었다.

임상옥은 다시 주머니 속에 손을 넣어보았다. 겹겹이 접은 종이가 손끝에 만져졌다. 그 종이를 꺼내 탁상 위에 올려놓았다. 종이는 세 번, 네 번 차곡차곡 접혀 있었다. 접힌 종이를 풀어내리자 한 뼘 정도의 작은 종이 한 장이 그대로 펼쳐졌다.

서너 번 심호흡을 해서 마음을 다잡은 후 펼쳐진 종이 위를 바라보았다.

종이에는 다음과 같은 글자가 씌어 있었다.

'鼎'

그것은 솥을 가리키는 '정' 자였다.

순간 임상옥은 머리카락이 곤두서는 것 같은 전율을 느꼈다.

홍경래로부터 자신의 주역이 정괘(鼎卦)이며 자신의 상괘가 '화풍정'이라는 점괘를 얻음으로써 자신의 운명이 '솥〔鼎〕'과 밀접한 연관이 있음을 알게 된 것이 불과 며칠 전이 아니었던가. 그뿐인가.
마적단의 두목 정시수로부터 무사히 살아 돌아온 홍경래는 임상옥
에게 줄 선물로 청동솥을 선택해 오고는, 자신에게 그 청동솥의 무
겁고 가벼움을 묻는 '문정경중(問鼎輕重)'의 수수께끼를 던져왔다.

그런데 이제 세 번째의 솥이 연이어 출현했다.

벗어나지 못하면 능지처참을 당하고, 그뿐 아니라 삼족이 멸해
멸문지화를 당하는 이 절체절명의 위기에서 벗어날 비책으로 큰스
님 석숭은 수수께끼의 '鼎' 자 한 자만을 밑도 끝도 없이 내던지고
있는 것이다.

임상옥은 이를 악물고 종이 위에 적힌 그 글자를 노려보았다.

분명히 이 '정' 자 속에는 위기를 벗어날 수 있는 묘책이 숨어 있
을 것이다. 중국 상인들의 불매동맹에서도 임상옥은 밑도 끝도 없
는 '죽을 사(死)' 자의 비의를 풀어냄으로써 죽는 길이야말로 단 하
나의 살아날 수 있는 방법임을 깨닫고 인삼에 불을 지르는 '죽음
〔死〕'을 택함으로써 그들의 기세를 꺾고 전화위복의 행운을 얻을
수 있었다. 마찬가지로 분명히 이 '정' 자에는 위기를 벗어날 수 있
는 비밀이 숨겨져 있을 것이다.

임상옥은 몇날 며칠을 고민하였다.

큰스님 석숭이 활구로 써준 '정(鼎)' 자의 비밀을 밝혀내기 위해
노심초사하였다. 그러나 생각하면 할수록 더욱 깊은 심연에 빠지는
느낌이었다.

큰스님 석숭이 써준 비결 '정' 자가 자신의 두 번째 위기를 물리
쳐줄 활구임을 알겠으나 그 문자 속에 숨어 있는 비의를 알아내지

못한다면 눈뜬장님에 불과할 따름이 아닐 것인가.

추사 김정희.

청년 김정희의 모습을 떠올린 순간 임상옥은 옳거니 하고 자신의 무릎을 내리쳤다.

석숭 스님이 내려주신 첫 번째 위기를 물리쳐줄 '죽을 사' 자의 비의를 밝혀낸 사람, 추사 김정희.

마찬가지로 이 두 번째의 위기를 물리쳐줄 '鼎' 자의 화두를 깨쳐줄 사람은 오직 김정희뿐이다.

김정희를 찾아가 묻는다면 그는 '정' 자의 비의를 밝혀줄 것이다.

추사 이외에 다른 방법이 없고, 그 외에 다른 대안은 없다.

그 즉시 임상옥은 행장을 차리고 김정희를 찾아 떠났다고 기록은 전하고 있다.

제3장 정(鼎)의 비밀

1

1811년 순조 11년. 신미년 5월.

임상옥은 충청도 예산에 있는 김정희의 고택(古宅)을 방문하였다.

지금도 예산군 신암면 용궁리에 그대로 남아 있는 김정희의 고택은 김정희의 증조부인 부마(駙馬) 김한신에 의해서 건립되었다.

김정희의 아버지 노경(魯敬)은 예조참판에 임명되어 한양에 머무르고 있었으나 김정희는 예산의 고택에 머물면서 연경에 체류할 때 옹방강, 완원 두 거두에게서 배우고 익혔던 금석학 연구와 서도에 몰두하고 있었다.

아무런 연락도 없이 불쑥 의주에서 예산까지의 천리길을 멀다 않고 나타난 임상옥을 보자 김정희는 크게 놀라면서 이렇게 물었다.

"대인어른, 이게 웬일이시오니까. 이것이 꿈입니까 아니면 생시옵니까."

반갑기는 임상옥도 마찬가지였다. 연경의 사행길에서 만나고 헤어진 것은 불과 몇 년밖에 되지는 않았지만 마음속으로는 항상 연하의 이 청년을 사숙하고 있었기 때문이었다.

마침 김정희는 인근 마곡사(麻谷寺)에 들러서 수일 동안 불공을 드리고 오던 길이었다. 마곡사는 김정희와 오랜 인연을 맺어왔던 사찰이었고 옹방강으로부터 받았던 불경 수백 권과 불상 등을 기증해 더욱 인연이 깊어졌다. 김정희가 오랫동안 마곡사에 머물러 있었던 것은 첫 부인 한산(韓山)이씨 때문이었다.

동갑내기인 한산이씨와 조혼하였으나 그의 나이 스물한 살 되던해 병인년 5월, 그만 세상을 떠나고 말았다.

몇 년을 홀로 지내던 김정희는 세 살 연하의 예안(禮安)이씨와 재혼함으로써 후취를 얻었으나 마침 첫 부인 한산이씨의 기일이 다가오자 몸소 위패가 안치되어 있는 마곡사까지 나아가서 불공을 드리고 돌아오던 길이었다.

예안이씨도 그가 말년에 제주도에 유배되어 있을 때 김정희보다 14년이나 먼저 세상을 떠났으므로 살아생전 김정희에게 있어 처복은 없었던 모양이다. 그러나 비록 처복은 없었을지는 모르지만 두 부인에 대한 김정희의 사랑은 각별하였던 것으로 알려져 있다.

동갑내기 첫 부인의 돌연한 죽음으로 스물한 살의 청년 김정희는 삶과 죽음에 대해 깊이 숙고하게 되었으며 이로 인해 불교에 심취하는 계기가 되었다.

김정희를 찾아온 임상옥은 즉시 사랑채로 안내되어 여장을 풀었다.

그날 밤. 김정희는 술을 좋아하는 임상옥을 위해 조촐한 주안상을 차렸다. 김정희 역시 술을 좋아하고 있었으므로 두 사람은 마주보고 앉아서 담소를 즐기며 술을 마시기 시작하였다.

김정희는 임상옥이 조선 최고의 거부일 뿐 아니라 당대 제일의 상인임을 잘 알고 있었으므로 비록 사농공상의 사회제도가 있다 할지라도 깍듯이 예우하고 있었다.

두어 순배 술잔이 돌아가자 취기가 오르기 시작하였다. 김정희가 먼저 입을 열어 말하였다.

"의주에서 이곳까지는 천리가 넘습니다. 이곳까지 불원천리하고 찾아오신 것은 반드시 까닭이 있을 것입니다."

그러자 임상옥이 크게 웃으면서 말하였다.

"제가 생원어른을 찾아온 것은 생원어른께오서 일찍이 말씀하신 적천리설(適千里說)' 때문이나이다. 생원어른께오서는 이렇게 말씀하시지 않으셨습니까. '지금 대체 천리길을 가는 사람이 있다면 반드시 먼저 그 길이 나 있는 곳을 판단해야 할 것이다. 그런 뒤에야 출발행로를 정할 수 있기 때문이다.' 제가 이처럼 천리길을 마다 않고 찾아온 것은 길이 나 있는 곳을 판단하였기 때문이나이다."

일찍이 연경에 머무르고 있을 무렵 임상옥은 사신 일행을 따라온 청년 김정희가 대견스러워 왜 이렇게 고생스런 여행을 자청했는가 물었을 때 다음과 같이 대답했던 것을 기억하고 있었다.

"옛말에 이르기를 '눈앞이 곧 길이다. 바로 여기서부터 출발하라'라고 하였습니다. 하오나 출발하여 가야 할 곳이 그 어디인지 아는 사람은 익히 없었습니다. 따라서 '그 문을 나서서 가는데 진실로 앞길이 아득히 멀어서 어떻게 가야 할까 하고 생각되면 반드시 길을 아는 사람에게 물어봐야 한다'고 생각했습니다. 제가 연경에 온 것은 '길을 아는 사람(識塗之人)'을 만나기 위함이었습니다. 그를 만나기 위해서라면 천리길은 물론 만리길도 마다하지 않을 것입니다."

진리가 있는 곳이면 천리길은 물론 만리길도 마다하지 않겠다던 김정희는 그런 의미에서 구도자라고 불릴 수 있다. 김정희에게 들었던 그 말을 인용해서 임상옥은 자신이 천리길을 마다않고 찾아온 것도 '길이 나 있는 곳'을 판단했기 때문이라고 대답했던 것이다.

"그래 무슨 의심으로 저를 찾아오셨습니까."

김정희가 묻자 임상옥은 아무런 대답 없이 허리춤에서 비단주머니를 꺼내었다. 석숭 큰스님이 친히 써준, 두 번째의 위기를 물리쳐줄 비결이 들어 있는 주머니였다. 임상옥은 주머니의 주둥이를 벌려 안에서 겹겹이 접힌 종이를 끄집어내었다. 종이가 펼쳐지자 석숭 큰스님의 친필이 나타났다.

'鼎'

묵묵히 침묵을 지키던 김정희가 먼저 입을 열어 물어 말하였다.

"이 글자는 누가 쓴 글씨입니까."

임상옥은 대답하였다.

"오래전 내가 모시던 어른이 한 분 계셨습니다. 그분께서 내게 써준 글씨이나이다."

김정희가 말하였다.

"이 글씨는 보통 필체가 아닙니다. 이 필체는 선필(禪筆)입니다. 보통 도력이 높은 어른의 글씨가 아니나이다."

한눈에 큰스님 석숭의 정체를 꿰뚫어 본 김정희의 날카로운 직관력에 놀라면서 임상옥이 말하였다.

"제가 생원어른을 이처럼 찾아온 것은 바로 이 글자 하나 때문이나이다."

임상옥의 말을 들은 김정희가 의아한 눈빛으로 말을 받았다.

"이 글자는 솥 정(鼎) 자로 옛날 중국에서 주로 사용하던 솥의 모양을 따서 만든 글자입니다. 자세히 보면 태양(日)을 두 개의 귀를 가진 세 개의 발이 받치고 있는 형상을 갖고 있는데 이는 이 솥이 예로부터 음식을 삶던 기구로 주로 사용되었기 때문이나이다. 훗날 주(周)·은(殷)대에 이르러서는 하늘에 제사지내는 제기로 사용되어 천자의 상징이 되기도 하였습니다. 하온데 이 글자 하나 때문에 대인어른께오서 천리길도 마다않고 저를 찾아오시다니요."

임상옥이 단도직입적으로 말하였다.

"제가 생원어른을 찾아온 것은 이 솥의 무게를 알아보기 위해서나이다."

임상옥은 큰스님 석숭이 써준 '정' 자를 들어 보이면서 김정희에게 말을 이었다.

"생원어른께오서는 이 솥의 무게를 알고 계시나이까."

"그러하시면."

김정희가 빙그레 웃으면서 말하였다.

"대인어른께오서 천리길도 마다않고 저를 찾아오신 것은 이 솥의 무게를 알고 싶어서입니까."

"그렇소이다."

임상옥이 대답하자 김정희가 '정' 자가 썬 종이를 들어 허공에 내던지면서 말하였다.

"이 솥의 무게는 보다시피 가볍기는 솜처럼 가볍습니다."

종이가 허공에서 떨어져 땅바닥 위에 내려앉자 김정희는 다시 말을 이었다.

"또한 이 솥의 무게는 무겁기가 태산처럼 무겁기도 하나이다. 그보다도."

갑자기 소리를 내어 호탕하게 웃으면서 김정희가 말하였다.

"왜 갑자기 저에게 솥의 무겁고 가벼움을 물으시나이까. 그 저의가 무엇이나이까."

"솥의 무겁고 가벼움의 정도를 알았다면 제가 생원어른을 찾아왔을 리가 없겠지요."

김정희가 웃음을 그치면서 한곁에 놓인 붓과 종이를 집어들었다. 붓에 먹을 듬뿍 묻힌 후 세워들고 단숨에 종이 위에 문장 하나를 써내렸다.

'問鼎輕重(문정경중)'

그 뜻을 풀어 말하면 '솥의 가벼움과 무거움의 무게를 묻는다' 는 내용이었다. 문장을 쓰고 나서 김정희가 웃으면서 다시 말을 이었다.

"대인어른께오서 저에게 솥의 무게를 물으시니 제가 아는 대로 대답하여 올리겠나이다. 이 말은 원래 《춘추좌씨전(春秋左氏傳)》에도 나오고《사기》의 '초세가(楚世家)'에도 나오는 말이나이다."

김정희는 임상옥의 술잔에 다시 술을 가득 따른 후 말하였다.

"춘추시대 때 초나라에는 장왕(莊王)이란 명군이 있었나이다. 그는 목왕(穆王)의 아들로 이름은 여(侶)라 하였습니다. 그는 왕위에 오르자마자 자신의 이름을 장왕이라 칭한 후 즉위한 지 3년이 되어도 정령(政令) 하나 내리지 않고 밤낮으로 잔치만 열면서 즐겼습니다. 또한 천하의 미녀들을 골라서 첩으로 삼은 후 날마다 주색을 즐기기만 하였습니다. 신하들이 이를 간하자, 목을 벤 후 이렇게 훈령을 내렸나이다.

감히 간하는 자가 있으면 목을 베겠다.'

실제로 장왕은 신하들의 목을 베어 그 누구도 장왕의 행동을 나무라거나 입궁하여 간하는 사람들이 없었습니다. 그러나 신하 중에 오거(伍擧)란 사람이 있었나이다. 대대로 초나라의 신하였던 오거는 죽음을 각오하고 궁중으로 들어갔습니다. 마침 장왕은 왼팔에는 정희(鄭姬)를 끼고 오른팔에는 월녀(越女)를 끼고 앉아서 종(鍾)과 고(鼓)의 음악을 듣고 있었다고《사기》는 기록하고 있습니다.

'무슨 일인가.'

장왕이 오거에게 물었습니다. 그러자 오거가 대답하였습니다.

'수수께끼 하나를 들려 드리려고 왔습니다.'

'수수께끼라니, 내게 말인가.'

'그렇습니다. 대왕마마께 드리는 수수께끼이나이다.'

'그럼 내어보게나.'

장왕의 말을 들은 오거는 수수께끼 문제를 내기 시작하였습니다.

'큰 새 한 마리가 언덕 위에 앉아 있습니다. 그렇지만 3년 동안 날지도 않고 울지도 않고 있는데 그렇다면 이것은 무슨 새이겠습니까.'

대인어른, 오거가 장왕에게 낸 수수께끼를 풀 수 있겠습니까.”

김정희는 껄껄 소리내어 웃으면서 임상옥을 마주보았다. 두 사람은 이미 거나하게 취해 있었다.

"장왕은 그 큰 새가 바로 자기 자신을 가리키고 있음을 곧 알아차렸습니다. 그러자 장왕은 이렇게 말하였습니다.

'오거여, 과인은 그대의 수수께끼를 풀었으니 안심하고 돌아가거라. 3년 동안 그 큰 새가 날지 않았으니 한 번 날았다 하면 하늘을 찌를 것이요, 3년 동안 울지 않았으니 한 번 울었다 하면 아마 천하가 놀랄 것이다.'”

김정희는 술잔을 기울이면서 말을 이었다.

"하지만 다시 수개월이 지났으나 장왕의 음락(淫樂)은 더욱 심해지기 시작하였을 뿐이었나이다. 참다 못한 대부 소종(蘇從)이 입궁하여 장왕에게 간하였습니다. 이에 상왕은 군사를 불러 소종의 목을 베도록 지시하고는 이렇게 물었습니다.

'그대는 과인의 훈령을 듣지 못하였는가.'

그러자 소종은 대답하였습니다.

'이 한 몸을 희생해서 군왕의 잘못을 깨닫게 해드린다면 백 번 죽어도 여한은 없습니다.'

이 말에 장왕은 분연히 일어났습니다. 3년 만에 잔치를 그만두게 하고 정무를 돌보기 시작하였습니다. 태만하고 게으른 관리 수백

명을 주벌(誅罰)하고 유능한 인재 수백 명을 등용했나이다. 나랏일을 오거와 소종에게 맡긴 후 장왕은 수수께끼를 풀었던 자신의 말처럼, 3년 만에 날기 시작하고 3년 만에 울기 시작하는 큰 새가 되었습니다. 장왕은 소국 용(庸)을 쳐서 멸한 후 다시 송(宋)을 쳐서 전차 5백 대를 탈취했습니다. 오랫동안 초나라를 위협하던 육혼(陸渾)지방의 융족(戎族)을 토벌하고 돌아오는 길에 낙수(洛水) 근처로 나왔습니다. 낙수의 북쪽에는 주나라의 도읍 낙양(洛陽)이 있었는데 그 근처 국경에 대군을 주둔시키며 군사를 사열하여 우위를 과시하고 있었습니다.

이때 주나라의 천자는 정왕(定王)이었나이다. 바로 국경 근처에서 대군을 사열하는 것은 은근히 주나라를 협박하고 군사적으로 위협을 가하려는 군사행동이라는 것을 간파한 정왕은 대부(大夫) 왕손만(王孫滿)을 파견하여 장왕의 노고를 치하토록 하였습니다.

정왕이 보낸 왕손만을 만난 장왕은 대뜸 구정(九鼎)에 대해서 물었습니다. 구정은 고대 순나라의 임금 우(禹)때 주조되었다고 전해 내려오는 거대한 솥으로서 이는 천자의 덕을 상징하는 보물로 하(夏)·은(殷)나라를 거쳐 주나라에 이르기까지 대대로 천자가 계승해오는 물건이었던 것입니다.

장왕은 왕손만에게 물었습니다.

'구정의 크기는 어떠한가.'

왕손만이 대답하려 하지 않자 장왕은 왕손만에게 다시 물어 말하였습니다.

'크기를 모른다면 무게는 알 수 있겠군. 그렇다면 구정의 무게는 어떠한가. 무거우면 얼마만큼 무겁고 가벼우면 얼마만큼 가벼운가.'"

여기까지 말을 마치고 나서 김정희가 임상옥을 쳐다보며 물었다.

"대인어른께오서는 장왕이 주나라의 대부 왕손만에게 천자가 갖고 있는 구정의 크기와 무게에 대해서 물어본 이유를 모르실 리는 없으시겠지요."

"장왕이 천자가 갖고 있는 그 구정에 대해 욕심이 생겼기 때문이 아니었을까요."

임상옥이 대답하자 유쾌하게 웃으면서 김정희가 말하였다.

"그렇습니다, 대인어른. 장왕이 왕손만에게 구정의 크기와 무게를 물었던 것은 주나라 황실의 보물인 그 구정을 빼앗음으로써 자신이 천자위에 오르고 싶다는 뜻이었나이다. 즉, 언제든 제위의 상징이기도 한 구정을 차지하여 천자의 자리에 앉아보겠다는 속셈의 표현이자 은근한 협박이기도 하였습니다. 이를 간파한 왕손만이 대답하였습니다.

'어째서 정의 크기와 무게를 알려고 하십니까. 실로 정의 크기와 무게는 중요하지 않습니다.'

'어째서 중요하지 않단 말인가.'

장왕의 질문에 왕손만은 대답하였습니다.

'정의 크기와 무게보다도 더 중요한 것이 있기 때문입니다.'

'그것이 무엇인가. 크기와 무게보다 더 중요한 것이 무엇인가.'

장왕의 질문에 왕손만은 대답하였습니다.

'덕(德)입니다. 크기와 무게는 덕에 있는 것이지 정(鼎) 자체에 있

는 것은 아닙니다.'

천자가 되고 못 되는 것은 천자의 상징인 구정을 갖고 못 갖고가 아니라 덕이 있고 없음에 달렸다는, 은근한 왕손만의 비유에 화가 난 장왕은 말하였습니다.

난 덕 같은 것은 모르오. 내 말은 우리 초나라에서는 부러진 창 끝만 주워 모아도 그대 나라의 구정 같은 솥은 얼마든지 만들 수 있다는 말이오.'

이에 왕손만은 이렇게 대답하였나이다.

'아, 군왕이시여. 어떻게 그렇게 말씀하십니까.'

왕손만이 장왕에게 행한 대답은 《사기》에 나오는 명문 중의 명문으로 손꼽히고 있습니다."

임상옥은 숨소리조차 내지 못하고 김정희의 말을 경청하고 있었다.

잠시 말을 끊었던 김정희는 다시 입을 열어 말을 이었다.

"그 명문의 내용은 다음과 같습니다. 왕손만은 이렇게 대답하였나이다.

아, 군왕이시여. 어떻게 말씀을 그렇게 하십니까. 순(舜) 임금이나 우(禹) 임금 같은 성덕의 시대에는 먼 지방에서조차 모두 그분들의 덕에 감복하였습니다. 그래서 천하 구주(九州)의 목민관을 시켜 구주의 금속을 공납케 하여 제왕의 덕을 상징하는 보물로서 정을 만들었던 것입니다. 이 정을 구정이라 부른 것은 바로 이러한 연유 때문이었습니다. 백물(百物)의 형상을 새겨 신이(神異)한 것이나 간 괴한 것을 알게 하고 온 백성들이 안전하게 살 수 있는 수호물로서의 상징이었을 뿐입니다. 그러하니 정의 무게와 크기가 무슨 소용이 있습니까. 천자의 덕이 있다면 작은 솥이라도 무겁게 버티고 있는 것이고 덕이 흐려져 있다면 큰 솥이라도 가볍게 옮길 수 있으니 솥은 항상 덕이 있는 곳으로 옮겨져 왔기 때문입니다. 하(夏)나라의 걸왕(桀王)은 덕이 없고 무도했기로 구정은 하왕조를 떠나 은왕조로 옮겨져 왔나이다. 그후 6백년이 지나, 은왕조는 31왕 629년 만에 망하고 말았습니다. 은왕조 역시 주왕(紂王)이 부덕하고 포악하였기에 구정은 다시 주왕조로 옮겨왔던 것입니다. 이처럼 천자의 덕이 아름답고 빛날 때에는 정이 작다 하더라도 반드시 무거우며, 천자의 덕이 간사하고 혼란스러울 때는 정이 아무리 크다 하더라도 반드시 가벼운 법입니다. 옛날 성왕(成王)께오서 정을 낙양에 안치한 후 점을 쳤습니다. 그러자 하늘로부터 '30세대 7백년' 이라는 점괘가 나왔습니다. 그것은 하늘의 명령이니 천명인 것입니다. 이처럼 주왕조의 덕이 아무리 쇠퇴하였다고 하나 천명은 아직 끝이 난것은 아닙니다. 비록 군왕께서 아무리 덕이 많다 하더라도 정의 경중은 물어서는 안 되는 것입니다.'

왕손만의 이와 같은 명답을 들은 장왕은 달리 할 말이 없었나이다. 따라서 장왕은 군사를 거둬서 자신의 왕도로 돌아갔던 것입니다."

말을 마치고 난 후 김정희는 좀 전에 자신이 쓴 글씨를 들어 보이며 다시 말을 이었다.

"그 이후부터 '솥의 가벼움과 무거움을 묻는다' 는 이 '문정경중' 의 고사성어가 태어난 것입니다. 이 말은 제위를 엿보았던 장왕이 속셈을 은근히 표현해 보였던 것처럼, 상대의 실력과 내부사정을 살펴서 그 약점을 파악한 후 공격한다는 뜻으로 사용되는 말입니다."

김정희는 소리를 내어 크게 웃으면서 말하였다.

"저에게 솥의 경중을 물으시니 저와 함께 정혁을 도모하기라도 하실 생각이시나이까."

정혁(鼎革).

썩은 왕조를 뒤집어엎고 새로운 왕조를 창건하는 역성혁명을 가리키는 말.

"장왕이 왕손만에게 솥의 경중을 물은 이래로 솥[鼎]은 제위의 상징이 되었습니다. 그로부터 정업(鼎業)은 제왕의 사업이 되었으며, 정조(鼎祚)는 제왕의 자리가 되었습니다. 정정(定鼎)이라 함은 새로 나라를 세워 도읍을 정하는 일을 가리키는 것이며 '정절족 복공속(鼎折足 覆公餗)'이라 함은 솥의 발이 부러져 임금에게 드릴 음식을 뒤엎는다는 뜻으로 '재상위에 있는 사람이 그 소임을 다하지 못하여 나라를 위태롭게 한다'는 의미를 갖고 있나이다. 하오나 대인어른."

김정희가 다시 붓을 들어 먹을 묻힌 후 종이 위에 단숨에 시 한 구절을 써내렸다.

'茶熟香濃石鼎煨(다열향농석정외)'

문장을 쓰고 나서 김정희는 붓을 내려놓으며 말하였다.

"솥이 아무리 제왕의 상징이라 하여도 솥은 단순히 솥에 지나지 않습니다. 예부터 발이 셋 달리고 귀가 둘이 달린 음식을 익히고 차를 끓이는 기구에 지나지 않나이다. 마찬가지로 천자의 상징인 구정이라 하여도 따지고 보면 낡은 청동솥 하나에 지나지 않는 것입니다. 초나라의 장왕이 그토록 갖고 싶어하였던 주나라의 구정도 한갓 청동솥에 지나지 않는 법입니다. 덕이 있어 무거운 솥이건, 덕이 없어 가벼운 솥이건 솥은 솥에 지나지 않는 법입니다. 이에 남송(南宋)의 시인 범성대(范成大)는 위와 같은 시를 지었던 것입니다. 남송 사대가의 한 사람으로 꼽힐 만큼 시를 잘 지었던 범성대는 자는 치능(致能), 호는 석호거사(石湖居士)라 하였는데 그는 황제의 신임이 두터워 금국(金國)에 사절로 파견되었을 때 부당한 요구에 굴하지 않고 끝까지 소신을 관철하여 사가들의 찬양을 받았던 뛰어난 정치가이기도 하였나이다. 그는 '돌솥 위에 차를 끓이니 짙은 향기가 번져 나간다'는 내용의 시를 지음으로써 '천하의 권세도 차 한 잔의 향기에 미치지 못한다'라고 노래하였던 것입니다. 그렇습니다, 대인어른. 천자를 상징하는 구정도 결국 향기로운 차를 끓이는 그릇에 지나지 않는 법입니다."

2

그날 밤.

임상옥은 밤이 이슥해서 잠자리에 들었다. 그러나 쉽게 잠이 오질 않았다. 주거니 받거니 김정희와 꽤 많은 양의 술을 나눠 마시긴 했지만 시간이 흐를수록 취기가 가시고 정신이 말짱해지고 있었다.

김정희를 통해 홍경래의 저의를 명백하게 밝혀낼 수 있었다. 홍경래는 임상옥에게 솥의 크기와 무거움과 가벼움의 정도를 물음으로써 제왕의 제위를 노리는 정혁, 즉 역성혁명을 함께 일으키자고 넌지시 권유해온 것이다. 임상옥의 대답은 분명해진다.

그 솥의 무게가 가볍다 하면 임상옥 자신도 그 혁명에 가담하겠다는 뜻이며 그 솥의 무게가 무겁다 하면 임상옥 자신은 그 혁명에 참가하지 않겠다는 의미를 담고 있는 것이다.

김정희는 솥의 무게를 묻는 홍경래의 수수께끼를 풀어준 것이다.

그러나 그것으로 모든 비밀이 풀린 것은 아니다.

석숭 큰스님이 써주었던 두 번째의 비결 '鼎'의 화두는 아직 풀린 것이 아니다. 석숭 큰스님은 분명히 말씀하였다.

"만약에 네가 그 위기를 벗어나지 못한다면 너는 반드시 능지처참을 당할 것이다."

그렇다면 '정'의 비의는 무엇인가.

임상옥은 석숭 스님이 써준 글자를 새삼스럽게 바라보며 생각하였다.

아직 이 '정의 비밀'이 풀린 것은 아니다. 갓씨 속에 수미산이 들어 있듯 이 한 자 속에 살고 죽는 모든 생사의 비밀이 다 들어 있는 것이다.

어디선가 그윽한 향냄새 같은 것이 풍겨오고 있었다. 어렸을 때부터 암자에서 동자승 노릇을 하면서 글을 배워 익혔고 청년시절에는 일년 이상 세속을 떠나 승려생활을 했었던 임상옥으로서는 그 향냄새가 법당 안에서 풍겨오는 분향임을 본능적으로 알아차릴 수가 있었다.

임상옥은 그 냄새가 풍겨오는 곳을 찾아서 사랑채를 지나 집 뒤 곁으로 걸어가 보았다. 야트막한 야산을 끼고 형성된 고택 위쪽으로 작은 암자 하나가 세워져 있었다. 암자 위에는 편액이 내걸려 있었다.

'永慕庵(영모암)'

신도들을 상대로 한 사찰이 아니라 가족들의 소원을 비는 원찰이었다. 새벽예불을 올리는 사람은 없었지만 누군가 가족 중의 한 사람이 일어나 부처님 앞에 향불을 지펴 올린 모양으로 반쯤 열린 법당 안에 불이 켜져 있었고, 그 안에서부터 향냄새가 번져오고 있었다.

임상옥은 까마득히 잊고 있었던 먼 옛생각이 물밀듯이 몰려오는 것을 느꼈다. 하산하여 추월암을 떠난 이후로 한 번도 맡아보지 못하였던 향냄새였다.

그 순간이었다.

갑자기 어둠 속에서 석숭 스님의 손이 솟아나와 임상옥의 코를 세치게 부여잡고는 흔들었다. 아야야, 하고 임상옥은 비명을 지르며 얼굴을 감싸안았다.

"아프냐."

석숭 스님의 목소리가 생생하게 들려왔다. 아프다고 비명을 질러도, 귀를 잡아당기고 코를 비틀고 주먹으로 머리를 쥐어박던 큰스님.

"아픕니다."

임상옥이 대답하자 그 대답하는 입을 잡아 찢었던 석숭의 손길이

느닷없이 십수년 만에 어둠 속에 나타나 임상옥의 코를 잡아 비틀었던 것이다.

순간 임상옥은 부여잡았던 손을 풀고, 어둠을 바라보았다.

자신의 코를 잡아 비틀었던 석숭의 손은 어디에도 보이지 않고 빈 어둠의 허공뿐이었다.

부처가 되기 위해서는 굳이 산속에 머물러 앉아서 불도를 닦을 필요가 없다. 저잣거리에 나가서 장사를 함으로써도 상불(商佛)을 이룰 수 있다는 깨우침을 주기 위해서 자신의 입을 찢고, 코를 비틀었던 큰스님 석숭.

과연 나는 산을 내려와 저잣거리에 나아가 상인이 되었다. 그리하여 남들이 모두 부러워하는 거부가 되었다. 하늘 아래 구할 수 있는 물건은 모두 구할 수 있으며 무엇이든 원하는 재물이면 내 소유로 만들 수가 있는 것이다. 그러나 내가 대상(大商)은 되었지만 석숭 스님이 말씀하였던 것처럼 상인으로서의 부처를 이루었는가.

큰스님 석숭이 내려주신 비결 '鼎'의 비밀은 내 어리석음과 미망을 깨우쳐주기 위한 화두인 것이다. 이 화두를 타파하지 못하면 나는 영원히 떠돌이 잡상인이 되어 저잣거리를 헤맬 것이다.

임상옥은 법당 안으로 들어가 합장한 자세로 불상 앞까지 다가가 향불을 붙인 다음 불상 앞에 고개 숙여 절을 하였다.

"나무아미타불 관세음보살."

임상옥은 다시 합장한 채 한 발을 뒤로 물러선 후 불상을 바라보면서 간절한 마음으로 기원하였다.

"반드시 석숭 스님이 내려주신 참된 뜻을 목숨 걸고 깨우칠 수 있도록 도와주십시오. 나무아미타불 관세음보살."

떠나기 전날 밤.

김정희는 임상옥을 위해 다시 주안상을 차려 조촐한 주연을 베풀면서 말하였다.

"대인어른께오서는 솥의 무게를 알기 위해 천리길을 마다 않고 찾아오셨나이다. 그런데 찾아오신 목적은 이루셨습니까. 솥의 크기와 무게를 알아내셨습니까."

이에 임상옥이 대답하였다.

"물론입니다. 솥의 크기와 무게의 정도를 알아낼 수 있었나이다."

"그런데."

임상옥의 대답을 들은 김정희가 가볍게 물어 말하였다.

"어찌하여 표정이 어두우시나이까. 여전히 의심이 풀리지 않은 표정이십니다."

김정희의 말을 들은 임상옥이 솔직하게 대답하여 말하였다.

"그것은 이것 때문이나이다."

임상옥은 며칠 전 김정희에게 보여주었던 석숭 스님이 쓴 친필을 꺼내 가리키면서 말하였다.

"제가 생원어른을 찾아온 것은 바로 이 한 장의 종이 때문이었나이다. 찾아올 무렵 저는 이렇게 스스로 말하였습니다. 만약 내가 이 '솥 정(鼎)' 자의 비의를 풀 수 있다면 이 종이를 반드시 불에 태워버릴 것이라고 말입니다. 그런데 아직 이 종이를 불태우지 못하였습니다. 그것은 아직도 모든 의심이 사라지지 않았기 때문이나이다.”

그러자 술을 마시던 김정희가 갑자기 손을 내밀고 말을 받았다.

“그러하면 그 종이를 제게 보여주십시오.”

임상옥이 주머니를 풀어 종이를 꺼내 김정희에게 내밀자 말없이 종이 위에 쓰인 ‘鼎’ 자를 물끄러미 바라본 후 김정희는 종이를 촛불에 들이밀었다. 너무나 갑작스럽게 벌어진 일이라서 말릴 겨를조차 없었다. 종이는 촛불에 댕겨져서 순식간에 타오르기 시작하였다.

김정희는 재가 되어 스러진 종이를 후― 하고 불어버렸다. 재는 단숨에 사방팔방으로 사라져 아무것도 없는 빈 허공이 되어버렸다. 큰스님 석숭이 써준 멸문지화의 대재앙을 벗어날 수 있는 유일한 활구를 감히 불태워버린 김정희의 돌연한 행동에 놀라, 임상옥은 어이가 없는 표정으로 김정희를 마주보았다.

그러자 김정희는 소리를 내어 호탕하게 웃으며 말하였다.

“무엇을 그리 놀라십니까. 방금 대인어른께오서는 이 정(鼎)의 비의를 풀어 반드시 이 종이를 불에 태워버리기 위해 저를 찾아오셨다고 말씀하지 않으셨습니까. 그러므로 저는 이 종이를 미리 불태워버린 것입니다.”

“하오나.”

임상옥이 말하였다.

“그 鼎 자의 비의가 풀리지 않아 아직 의심이 가시지 않았다고 제가 말씀드리지 않았습니까.”

“물론입니다.”

김정희가 대답하였다.

"하오나 그 종이가 있는 한, 그리고 문자에 매달리고 있는 한 그 정 자의 비의는 풀리지 않을 것이나이다."

김정희가 두 손으로 술을 가득 따른 잔을 임상옥에게 내밀면서 말하였다.

"제가 한 말씀 하여 올리겠습니다. 평생 동안 방망이로 제자들을 때리는 독특한 선법을 사용했던 덕산(德山)은 때문에 덕산방(德山棒)이라는 별칭으로 불리던 선사였는데 그는 어린 나이에 출가하였나이다. 그는 금강경(金剛經)에 정통하여 누구든 그의 금강경 강해를 따를 수가 없었습니다. 그래서 그의 별명이 주금강(周金剛)이라 불릴 정도였나이다. 그는 남방에 선종이 성하다는 말을 듣고 화가 나서 선종에 도전하기 위해 남방으로 내려갈 결심을 하였습니다. 그는 등에는 금강경을 강해한 '청룡소초(靑龍疏鈔)'를 짊어지고 하남으로 가는 길을 떠났습니다. 길을 가는 도중에 떡장수를 만나게 됩니다. 마침 배가 고팠으므로 덕산은 떡장수 좌판 앞에 앉아 발길을 쉬면서 말하였나이다.

'할머니, 떡을 두 개만 사서 배를 채울까 합니다.'

노파는 호떡 두 개를 내놓으면서 물었습니다.

'등에 진 게 무슨 물건이오.'

'책입니다.'

'무슨 책들인데.'

'금강경이라는 책입니다.'

금강경에 정통하여 주금강이라는 별명으로 불리던 덕산은 자랑스럽게 대답하였나이다. 이를 본 노파가 말하였습니다.

그러면 내가 금강경에 관한 수수께끼를 내겠는데 이를 맞히면 공짜로 점심을 드리리다. 한번 맞혀보겠소.'"

　김정희는 술을 마시면서 말을 이어나갔다.

　"덕산은 금강경에는 자신이 있었으므로 쾌히 승낙하였나이다. 그러자 노파는 다음과 같이 물었습니다.

　'금강경에 이르기를 과거의 마음도 얻을 수 없고, 현재의 마음도 얻을 수 없으며, 미래의 마음도 얻을 수 없다고 하였는데 그대는 어느 마음(心)에 점(點)을 찍겠소이까.'

　노파의 수수께끼는 놀라운 것이었습니다. 노파에게 점심을 사먹으려 하였을 뿐이던 덕산은 그만 답이 막히고 땀을 뻘뻘 흘릴 뿐이었습니다.

　답을 못 맞혔으니 점심을 못 주겠소. 다른 데 가서 사먹으시오.'

　자청 주금강이었던 덕산은 선종을 처부수려고 길을 떠났는데 그만 선사를 만나기도 전에 길거리의 떡장수 노파에게 보기 좋게 한 방 얻어맞은 것이었습니다. 덕산은 할 수 없이 쫄쫄 굶으면서 용담(龍潭)을 찾아가 당대의 유명한 용담선사를 친견하였나이다. 용담선사를 본 순간 덕산은 이렇게 비꼬았습니다.

　'용이 사는 연못이라는 소문을 듣고 찾아왔지만 막상 찾아오고 보니 연못도 보이지 않고 용도 보이지 않습니다.'

　눈앞에 있는 용담화상을 빗대어 한바탕 빈정대는 덕산을 용담선사는 그냥 웃으면서 맞아들였습니다.

　'그대는 이미 용이 사는 연못에 이르렀도다.'

　덕산이 입실한 때는 한밤중이어서 용담이 말하였습니다.

'오늘은 그냥 돌아가서 자거라.'

덕산이 인사를 드리고 밖으로 나오려 하자 너무 어두워 돌아서서 말하였나이다.

'스님, 밖이 너무 어둡습니다.'

이에 용담이 지촉(紙燭)에 불을 댕겨주었습니다. 덕산이 막 지촉을 받아들고 나서려 하자 용담이 확— 입김으로 불을 꺼버렸는데 순간 칠흑 같은 어둠 속에서 덕산은 사무쳐 깨달았다고 전해오고 있습니다. 절대의 어둠 속에서 깨달은 덕산은 말하였다고 합니다.

내가 이제부터는 노화상의 혀끝을 의심하지 않겠습니다.'

그리고 나서 덕산은 횃불 한 자루를 들고 법당 앞으로 나아가 청룡소초를 태우면서 말하였습니다.

'온갖 현묘한 말재주를 다 부려도 터럭 하나를 허공에 날린 것 같고, 온세상의 온갖 재간 다 부려도 한 방울의 물을 바다에 던진 것 같다.'"

말을 끊고 나서 김정희가 말하였다.

"내인어른께오서 '정(鼎)'을 등에 지고 있는 한 영원히 그 비의를 밝혀낼 수는 없을 것입니다. '정'의 비의를 밝혀내기 위해서는 덕산이 금강경을 태우듯 그 문자를 등에서 내려놓고 불에 태워버려야 할 것입니다."

임상옥은 말문이 막혔다.

"자, 모든 것을 잊고 술이나 흠뻑 취해보십시다, 대인어른."

김정희의 말대로 큰스님 석숭으로부터 받았던 '鼎'의 문자를 불태워버리자 차라리 마음이 편해졌다.

될 대로 되라지.

술 취한 임상옥은 생각하였다.

능지처참을 당하라면 능지처참을 당하라지. 멸문지화를 당하라면 멸문지화를 당하라지.

술이 거나하였을 때 김정희가 말하였다.

"전날 밤 제가 말씀드렸던 '솥의 무겁고 가벼움'을 물었던 장왕이 나중에 어떻게 되었는지 아십니까. 왕손만으로부터 덕이 없는 무뢰한 취급을 받았던 장왕은 나중에는 명군 중의 명군이 되었습니다. 비록 천자가 되지는 못하였지만 그는 춘추오패(春秋五覇)의 한 사람으로 꼽히는 명군이 되었나이다. 제(齊)의 환공(桓公)이나 진(晉)의 문공(文公)과 더불어 오패'로 일컬어지는 명성을 얻은 것은 무엇 때문인 줄 아십니까."

김정희는 스스로 묻고 대답하였다.

"장왕이 다섯 명의 명군 중 한 사람으로 출발하게 된 것은 '솥의 무게'를 물었다가 무뢰한으로 왕손만에게 반격을 당한 이후부터였나이다. 그는 솔직히 주나라의 구정을 빼앗음으로써 스스로 천자의 제위에 오르고 싶었던 것입니다. 그러나 왕손만으로부터 명답을 들었던 장왕은 이 말에 크게 깨달았습니다. 이후로 그는 정나라와 진나라 등 오랜 역사와 전통을 지닌 나라들을 정복하고 압박을 하였지만 결코 멸망시키지는 않았던 것입니다. 그는 왕손만을 통해 천하통일의 꿈이 얼마나 어리석은가를 깨달았던 것입니다. 그러니 이제 제가 묻겠습니다, 대인어른."

김정희가 임상옥의 얼굴을 정색을 하고 쳐다보았다.

"장왕은 처음에 솥의 크기와 무게에만 관심이 있었습니다. 그러나 솥의 대소경중에서 벗어난 장왕이 그 다음에 솥을 통해 깨달은 것이 무엇이겠습니까. 솥의 무엇을 보았기에 그는 무례한 왕에서 패왕(霸王)으로 성장할 수 있었겠습니까, 대인어른."

김정희도 취하고 임상옥도 취해 있었다. 임상옥은 취기로 몸을 제대로 가누지 못하고 이리저리 흔들면서 대답하였다.

"…글쎄요. 모르겠소이다."

그러자 김정희가 대답하였다.

"처음에는 솥의 무게와 크기에만 관심이 있던 장왕이 왕손만으로부터 깨달음을 얻고 발견한 것은 바로 솥의 발〔足〕이었습니다. 아시다시피 정은 세 개의 발을 갖고 있습니다. 정을 다른 말로는 삼족기(三足器)라 부르고도 있습니다. '세 개의 발을 가진 그릇'이라는 뜻이지요. 정담(鼎談)이라 하면 세 사람이 둘러앉아 나누는 이야기를 뜻하며, 정립(鼎立)이라 하면 세 나라가 서로 어우러져 서 있는 형상을 말합니다. 이러한 모든 말들은 솥이 가진 세 개의 발에서부터 비롯된 것이나이다. 말하자면 장왕은 천하의 덕은 '솥의 크기'와 '솥의 무게'에 있는 것이 아니라 그 크기와 무게를 받쳐주는 세 개의 발에 있음을 깨달았던 것입니다. 아무리 큰 솥이라 할지라도 세 개의 발이 받쳐주지 못하면 그 솥은 뒤집어져 쓰러져버릴 것입니다. 마찬가지로 아무리 무거운 솥이라 할지라도 세 개의 발이 조화롭게 받쳐주지 못하면 뒤집혀질 것을 장왕은 깨달았던 것입니다."

김정희는 다시 말을 이었다.

"때문에 예로부터 중국에서는 솥의 세 발을 인간이 가진 세 가지 욕망으로 흔히 비유하여 말하곤 하였습니다. 인간에게는 세 가지의 욕망이 있다. 그 하나는 명예욕이요, 다른 하나는 지위욕, 즉 권력에 따른 욕망이며, 나머지 하나는 재물욕이라 하였습니다. 이 세 가지 욕망을 인간이면 누구나 갖고 있는 삼욕(三欲)이라고 말하고 있는 것입니다.

일찍이 노자, 장자와 더불어 도가삼서로 널리 읽혀온 열자(列子)는 이렇게 말하고 있습니다.

'사람들이 번쇠(繁衰)하는 것은 보이지 않는 네 가지의 욕망 때문이다. 첫째는 수명, 둘째는 명예, 셋째는 지위, 넷째는 재물이다. 이 네 가지 것에 얽매인 사람은 귀신을 두려워하고 사람을 두려워하게 되며, 위세를 두려워하고 형벌을 두려워하게 된다. 이런 사람을 두고 자연의 이치로부터 도망치려는 둔인(遁人)이라고 말하는 것이다. 그러나 죽여도 좋고 살려도 좋다. 목숨을 제재(制裁)하는 것은 하늘의 뜻에 달려 있다, 이렇게 생각하는 사람은 자연의 이치를 따르는 순민(順民)이라 말하는 것이다. 따라서 순민은 이렇게 생각하고 있는 것이다. 운명을 거스르지 않거늘 어찌 수(壽)를 부러워하겠는가. 귀함을 뽐내지 않거늘 어찌 명예를 부러워하겠는가. 권세를 추구하지 않거늘 어찌 지위를 부러워하겠는가. 부를 탐하지 않거늘 어찌 재물을 부러워하겠는가.'"

김정희는 말을 이었다.

"이처럼 자고로 중국의 도가(道家)에서는 인간의 욕망을 명예, 지위, 재물 이렇게 삼욕으로 보고 있었던 것입니다. 이는 마치 솥의 세 발과 같은 것입니다.

'사람은 오래 살고 명예와 지위를 누리고 재물을 많이 모으려고 발버둥친다. 그러나 이것은 외물(外物)에 지나지 않는다. 사람은 목숨이나 명예, 지위, 재물에 초연할 수 있을 때 자연스럽게 자기 자신의 뜻있는 삶을 누릴 수 있는 것이다.'

인간의 욕망은 끝이 없습니다. 재물을 가진 사람은 명예뿐 아니라 권세까지 누리려 합니다. 권세를 가진 사람은 명예뿐 아니라 재물까지 가지려 합니다. 이것은 분명 하늘의 뜻에 어긋나는 일입니다. 이 세 가지 욕망을 합쳐서 천하를 통일하여 한 사람이 누리려 하는 것은 마치 한 발을 가진 솥이 쓰러지거나 뒤집혀지지 않기를 바라는 것과도 같습니다, 대인어른."

말을 마치고 나서 김정희가 빙그레 웃으며 물어 말하였다.

"이제 대인어른께오서는 천하의 무뢰한 장왕이 어찌하여 '춘추오패' 중에서도 손꼽히는 명군패왕으로 변신하였는지 그 연유를 알게 되셨나이까. 장왕은 솥의 크기와 무게에서 벗어나 솥의 세 다리를 발견하였던 것이나이다. 자신이 천자를 노리는 것은 마치 세 개의 빌을 합쳐 외발로 솥을 똑바로 세우는 것 같은 불가한 일임을 깨닫고 그 이후부터 정나라와 진나라와 같은 역사와 전통을 지닌 나라들을 정복하고 항복을 받았음에도 이들을 멸망시키지 않는 덕을 베풂으로써 패왕이 될 수 있었던 것입니다."

김정희는 다시 말을 이었다.

"이는 노자도 마찬가지였나이다. 노자도 《도덕경》에서 이렇게 말하였나이다. 누구나 똑똑한 자가 되고 싶고 명성을 누리기 원한다. 또 누구나 높은 자리에 오르고 싶고 권세를 누리기 원한다. 또한 누구나 금은보화를 얻고 싶고 부자가 되기를 원한다. 그러나 지위와 명예는 끝없는 경쟁심을 일으키고, 재물은 끝없는 욕심을 불러일으킨다. 끝없는 경쟁심과 끝없는 욕심은 백성들로 하여금 한도 끝도 없는 거짓을 야기시켜 결국 사회를 혼란시키는 것이다. 따라서 무지와 무욕 그리고 무위야말로 백성을 다스리는 최고의 덕인 것이다.' 솥의 세 발처럼 지위, 명예, 재물이 인간이면 누구나 가진 세 가지 욕망이라면 무지, 무욕, 무위야말로 성인이 가져야 할 세 가지의 덕목이라고 말할 수 있을 것이나이다."

다음날 아침.

임상옥은 김정희의 고택을 떠났다. 김정희의 집에 머문 지 사흘만의 일이었다. 한양에 들러 박종경 대감을 만나기로 하였으므로 더 이상 김정희의 집에 머물 수 없었다.

김정희로부터 정중한 환송을 받고 이별을 하였지만 임상옥의 마음은 여전히 무거웠다. 간밤에 김정희와 더불어 마신 술이 깨지 않아 몸이 천근처럼 무거웠지만 그보다 더 무거운 것은 몸이 아니라 마음이었다. 큰스님 석숭이 써준 비결 '鼎'자의 비밀을 아직 완전하게 밝혀내지 못하였기 때문이다. 멸문지화의 사지를 벗어나기 위해서 천리길도 마다 않고 김정희를 만나기 위해서 이처럼 예산까지 내려왔던 길이 아니었던가.

아침나절에 예산을 떠난 임상옥 일행은 오후 무렵에 강경 근처에 도착하였다. 두 명의 종자를 앞세우고 노새 위에 앉아서 터벅터벅 강경을 지나던 임상옥은 문득 들판에서 모내기를 하는 농부들의 모습을 보았다.

강경이라 하면 예나 지금이나 쌀농사를 많이 짓는 너른 들판으로 유명한 곳. 임상옥이 김정희를 찾은 때가 5월이었으므로 모내기가 한창일 무렵이었다.

잠시 노새에서 내려 담배를 피우면서 한가롭게 들일을 바라보던 임상옥은 문득 들판에서 약속이나 한 듯 한 떼의 새들이 날갯짓을 하면서 날아오르는 것을 보았다.

금강 하류에 자리잡고 있는 강경은 바다가 가까워 자연 각종 철새들이 살고 있는 도래지이기도 하였다.

무심코 일제히 날갯짓을 하면서 날아오르는 들오리떼를 본 순간 임상옥은 갑자기 허공 속에서 손 하나가 나타나 자신의 코를 세차게 잡아 비트는 것 같은 느낌을 받았다.

아야야.

임상옥은 비명을 지르면서 자신의 코를 부여잡고 얼굴을 숙였다.

이상한 일이었다.

김정희의 고택에서 첫날 밤을 지낼 무렵 우연히 한밤에 향냄새에 이끌려 밖으로 나와 향냄새가 풍겨오는 곳을 찾아가다가 같은 경험을 했던 기억이 떠올랐다. 그날 밤에도 어둠 속에서 석숭 큰스님의 손이 돌연 나타나 임상옥의 코를 잡아 비틀지 않았던가.

석숭 큰스님은 지금 이곳에 있지 않다. 그런데도 어째서 실제 상황인 것처럼 허공 속에서 석숭 큰스님의 손이 나타나 생생하게 자신의 코를 잡아 비트는 것일까.

임상옥은 긴 담뱃대를 빨면서 묵묵히 생각하였다.

그러자 문득 추월암에 있으면서 석숭 스님으로부터 환속 허가를 받기 위해 찾아갔던 그날 밤의 기억이 떠올랐다. 밖에는 소나무숲을 달려가는 솔바람소리가 말발굽소리처럼 들려오고 있었지만 방안에는 호롱불 하나만 깜박이고 있을 뿐 적적한 깊은 밤이었다. 긴장해서 앉아 있는 임상옥에게 느닷없이 석숭이 손가락을 들어 허공을 가리키면서 소리쳐 말하였다.

"너는 그 허공을 잡아올 수 있겠느냐."

임상옥은 대답하였다.

"잡아오도록 하여 보겠습니다."

"그럼 잡아오도록 하여 보아라."

임상옥은 파리채를 들어올려서 허공에서 빙빙 돌려보았다. 어느 한순간 임상옥은 파리채로 타악— 소리가 나도록 허공을 후려쳤다.

"잡았습니다."

"잡았으면 허공을 보여다우."

임상옥이 파리채를 들어올리자 석숭이 큰소리로 할하면서 말하였다.

"허공이 어디 있느냐. 보이지 않지 않느냐."

순간 석숭은 파리채를 들어 임상옥의 머리통을 세차게 후려쳤다. 임상옥은 무안해서 겸연쩍은 얼굴로 물었다.

"그렇다면 큰스님께서는 허공을 잡을 수 있습니까."

"나야말로 잡을 수 있지."

"그럼 허공을 잡아 보여주십시오."

"보여주다마다."

석숭은 갑자기 옷소매를 걷었다. 그는 두 손을 휘둘러 허공을 향해 내저었다. 어느 순간 그 손은 전광석화처럼 빠르게 임상옥의 얼굴을 향해 내리꽂혔다. 그 손은 임상옥의 코를 잡아 비틀었다.

"바로 이것이다. 이것이 내가 잡은 허공이다."

석숭이 잡은 손은 가차없었다. 코를 떼어낼 듯이 임상옥의 코를 잡아 비틀었다. 저도 모르게 임상옥은 아야야— 하고 비명을 질렀다.

"내가 잡은 허공이야말로 진짜의 허공이다. 아야야 하고 비명까지 지르니까."

죽을 맛이었다. 환속을 허락받기 위해서 찾아간 임상옥은 허락 대신 코가 떨어질 만큼의 호된 아픔을 맛볼 수밖에 없었던 것이다.

참담한 마음으로 큰스님의 방을 나온 임상옥은 다음날 채마밭에 나아가 거름을 주고 밭이랑을 고르고 있다가 스승 법천에게 간밤에 있었던 일을 낱낱이 고하였었다. 그러자 법천은 말하였다.

"옛날 마조(馬祖)선사에게 백장(白丈)이라는 큰 제자가 있었다. 백장은 마조의 제자 중 단연 으뜸이라 해서 어금니라 불리곤 하였다. 어느 날, 백장은 스승인 마조 스님을 모시고 들판을 지나게 되었다. 이때 두 사람은 들판에 앉았다가 인기척에 놀라 날아가는 들오리떼를 보았다. 이때 마조 스님이 물었다. '저것이 무엇인가.'"

스승 법천은 임상옥에게 말을 이었다.

"백장은 대답하였다.

'들오리입니다.'

다시 스승 마조가 물었다.

'어디로 갈까.'

백장은 대답했다.

날아가버렸습니다.'

마조가 갑자기 머리를 돌려 제자 백장의 코를 비틀었다. 이에 백장이 아픔을 참으면서 아야야─ 하고 비명을 질렀는데 마조 스님이 다시 물어 말하였다.

다시 한번 날아가버렸다고 말해봐라.'

이렇듯 마조는 제자를 깨우치기 위해 백장의 코를 잡아 비틀었고 큰스님도 너를 깨우치기 위해 네 코를 잡아 비틀었던 것이다. 그러므로 오히려 큰스님을 원망해서는 안 되고 큰스님에게 고마움을 느껴야 마땅히 옳을 것이다."

임상옥은 뉘엿뉘엿 해가 기우는 들녘에 앉아서 묵묵히 십수년 전에 들었던 스승의 말을 떠올렸다. 느닷없이 큰스님의 손이 허공에서 나타나 임상옥의 코를 세차게 비틀었던 것은 이처럼 갑자기 날갯짓을 하면서 날아오르는 들오리떼를 본 순간 까마득히 잊고 있던 마조와 백장의 선화가 잠재의식 속에 숨어 있다가 돌연 의식의 표면으로 떠올랐기 때문이 아닐 것인가.

그때였다.

약속이나 한 듯 떼지어 날아갔던 들오리떼들이 다시 허공을 선회하여 날아와 들판에 내려앉았다. 새떼들의 모습을 보는 임상옥의 마음속에 돌연 번득이는 영감이 떠올랐다.

마조가 제자 백장의 코를 비틀어 보인 것은 새가 날아가버린 것이 아니라 바로 백장 코 위에 앉아 있음을 깨우쳐주기 위한 것이다. 마찬가지로 큰스님 석숭이 임상옥의 코를 비틀어 보인 것은 임상옥의 코가 바로 허공임을 깨우쳐주기 위한 것이었다. 코는 항상 얼굴의 중심에 위치하고 있다. 그것은 움직이거나 날아가지 않고 항상 면전의 정중앙에 위치하고 있다. 평소에는 있는지조차 모르는 존재이지만 쥐어뜯으면 아픈 것이다. 큰스님 석숭은 코를 쥐어뜯어 아픔을 느끼게 함으로써 가장 가까운 곳에 코가 있음을 깨우쳐준 것이다. 진리는 먼 곳에 있는 것이 아니라 바로 눈앞, 눈에서 가장 가까운 거리에 있는 코와 같은 존재인 것이다.

바로 그 순간 임상옥은 앉은 자리에서 벌떡 일어났다고 전하여진다. 일어나서 덩실덩실 춤을 추었다고 전해지고 있다. 지켜보던 종자들이 주인어른이 행여 실성하였는가 걱정이 되어 만류하였지만 임상옥은 내처 노래까지 부르며 춤을 추었다고 전해오고 있다.

한바탕 춤을 추고 노래를 부르고 나서 임상옥은 종자들을 시켜 방석을 가져오게 하였다. 방석을 가져오자 임상옥은 먼저 방위를 짚어 북쪽을 정한 후 그곳을 향해 방석을 깔았다. 의관을 정제하고 나서 임상옥은 정중하게 삼배를 올리기 시작하였다.

그곳은 큰스님 석숭이 있는 곳을 향한 방위였다. 비록 눈에 보이지는 않았지만 큰스님이 있는 곳을 향해 삼배를 올림으로써 임상옥은 '솥 정' 자의 비결을 전해주어 자신을 결정적인 위기에서 구해준 스승의 은혜에 보은을 하기 위함이었다.

"큰스님."

삼배를 올리면서 임상옥은 소리내어 말하였다.

"큰스님의 은혜는 백골난망이나이다. 부디 옥체보존 하시옵소서."

정중하게 삼배를 올린 후 임상옥은 다시 방석을 들고 이번에는 김정희가 사는 곳을 향해 펼쳐 깔았다. 그러고 나서 임상옥은 또다시 김정희를 향해 정중하게 삼배를 올리기 시작하였다.

"생원어른."

삼배를 올리면서 임상옥은 소리를 내어 말하였다.

"생원어른으로부터 비결을 밝혀낼 수 있었나이다. 생원어른이야말로 제게 있어 큰 스승이나이다. 부디 명신보중 하시옵소서."

우연히 노새를 타고 가다가 잠시 들녘에 앉아 쉬면서 날아오르는 새떼를 본 순간 임상옥은 큰스님 석숭이 내려준 '鼎'자의 화두를 타파한 것이다.

3

임상옥이 고향 의주로 돌아온 것은 막 성하가 시작되는 초여름이었다.

돌아오자마자 임상옥은 여독도 채 풀리기 전에 한밤에 주안상을 마련한 후 홍경래와 박종일을 함께 불러들였다.

"대인어른."

홍경래가 문안인사를 올리면서 말하였다.

"일들은 모두 잘 치르셨나이까."

"물론이네."

임상옥이 밝은 표정으로 대답하였다.

"그동안 집안에 별일이 없었는가."

박종일이 한마디 거들어 말하였다.

"별일이 있겠습니까. 홍 서기가 워낙 일을 잘하여서 전혀 문제가 있을 리 없나이다."

"물론 그러하겠지."

세 사람은 오랜만에 만난 회포를 풀기 위해 잔을 돌리면서 술을 나눠 마시기 시작하였다. 주로 여행 중에 있었던 일들을 임상옥이 털어놓고 홍경래와 박종일은 이를 듣고 담소하는 환담이었다.

밤이 이슥하여 파장될 무렵 임상옥이 정색을 하고 홍경래에게 말하였다.

"여전히 홍 서기는 내게 있어 생명의 은인이니 무엇으로 그 은혜를 갚았으면 좋겠소. 아직도 청동솥을 갖고 싶은 것이 홍 서기의 유일한 소원이란 말인가."

임상옥이 묻자 홍경래가 대답하였다.

"물론이나이다, 대인어른."

홍경래가 고개를 숙이면서 말을 이었다.

"하오나 대인어른께오서 쇤네와 약조하지 않으셨나이까. 저 청동솥의 무게를 직접 가르쳐주시겠다고 말씀하시지 않으셨습니까."

"물론 그렇게 하였네."

너털웃음을 웃으며 임상옥이 대답하였다.

"청동솥의 크기와 무게를 반드시 알아서 그 대소경중의 여부를 그대에게 반드시 가르쳐주겠다고 내가 약속하였지."

"그렇다면 그 무게를 알아보셨습니까."

홍경래의 눈빛이 번득였다.

번득이는 홍경래의 눈빛을 담담한 표정으로 받으면서 임상옥이 대답하였다.

"물론 알아보았네. 솥의 무게가 중요한 것이 아니라 덕이 있고 없음이 중요하다는 사실도 알았지. 또 덕이 있으면 솥이 가볍다 해도 무거울 것이고, 덕이 없으면 솥이 무겁다 해도 가벼울 것이라는 사실도 알아내었네."

"그러하면 대인어른께 묻겠습니다."

홍경래가 역시 번득이는 눈빛으로 물어 말하였다.

"청동솥에는 덕이 있습니까, 아니면 없습니까."

단도직입의 질문이었다. 솥으로 상징되는 왕조의 운명이 덕이 있어 계속 이어져나갈 것이냐, 아니면 왕조의 운명이 덕이 없어 끊겼으니 함께 혁명을 일으켜 새로운 왕조를 창업할 것인가를 묻는 교묘한 질문이었다.

"대답하기 전에 내가 먼저 홍 서기에게 묻겠네. 그대는 어떻게 생각하는가. 저 청동솥이 가볍다고 생각하는가, 아니면 무겁다고 생각하는가."

"쇤네는 저 청동솥의 무게가 아주 검불처럼 가볍다고 생각하나이다."

잠시 짧은 침묵이 흐른 후 임상옥이 다시 입을 열어 말하였다.

"허지만 고사에 이르기를 덕이 있으면 청동솥의 무게가 가벼워도 무겁다고 말하였네. 그러하면 저 청동솥의 덕도 무게처럼 가볍다고 생각하는가, 아니면 무게는 가볍더라도 덕은 무겁다고 생각하고 있는가."

이에 홍경래는 대답하였다.

"무게가 검불처럼 가벼운데 어느 곳에 덕이 있겠습니까."

"허어, 그러한가."

홍경래의 단호한 대답을 들으면서도 임상옥은 여전히 담담한 표정이었다.

"홍 서기가 그렇게 생각하고 있다면 나도 그렇게 생각하겠네. 그리고 홍 서기의 의견을 따르겠네. 청동솥의 무게가 가볍다고 생각한 홍 서기의 의견대로 무게가 가볍다고 생각할 것이며, 무게가 가벼울 뿐 아니라 부덕하다는 홍 서기의 의견대로 나도 그 솥이 부덕하다고 생각할 것이네."

"…고, 고맙습니다."

순간 홍경래의 눈빛에 살기가 번득였다. 이것으로 되었다고 홍경래는 생각하였다. 이것으로 지난봄 이희저의 서장을 갖고 상인으로 변장하여 임상옥의 상가로 숨어들어온 소기의 목적은 거둔 것이다. 자신의 의견대로 솥의 무게가 가볍다고 생각하고 부덕하다고 생각함으로써 둘이서 함께 솥을 뒤집어엎는 정혁(鼎革)의 역성혁명을 일으키겠다고 맹세하고 있지 않은가.

임상옥을 혁명으로 끌어들이는 데 성공을 거둔 것이다.

두 사람 사이에 오가는 뜻모를 문답을 영문도 모르고 지켜보던 박종일이 입을 열어 말하였다.

"이제는 저 솥을 가져가겠는가."

"물론입니다."

"그럼 가져가시게나."

홍경래는 그 자리에서 벌떡 일어섰다. 그는 방 한구석으로 다가가서 덮여져 있는 청동솥의 흰 보자기를 벗겨 들었다. 비록 크기는 크지 않아도 장정 서너 명이서 들어올려야만 겨우 움직일 만큼의 엄청난 무게의 청동솥이었다.

홍경래는 그 엄청난 청동솥을 단숨에 번쩍 들어올렸다.

그 순간 솥을 받치고 있던 세 발 중에서 하나가 동강 부러져나갔다. 놀란 홍경래가 다시 솥을 방바닥에 내려놓았다. 그러나 솥은 먼젓번처럼 서 있을 수가 없었다. 왜냐하면 솥을 받치고 있던 세 발 중의 하나가 부러져나갔기 때문이었다.

청동솥은 똑바로 서 있지 못하고 그 자리에서 쓰러져 뒤엎어졌다.

좀 전까지만 해도 멀쩡하던 솥의 발이 부러져 뒤엎어지자 홍경래는 놀란 눈빛으로 임상옥을 쳐다보았다. 어느 순간 홍경래의 얼굴에서 사태의 추이를 짐작한 것 같은 표정이 스쳐 지나갔다. 홍경래는 묵묵히 한쪽 발이 부러져나간 청동솥을 번쩍 들고는 말하였다.

"주시니 감사하게 받겠나이다."

그 길로 홍경래는 술자리를 벗어나 사라져버렸다. 임상옥과 박종일 단 두 사람이 남게 되자 박종일이 먼저 입을 열어 말하였다.

"어떻게 된 일일까요. 솥의 발이 갑자기 부러져 나가다니요. 며칠 전까지만 해도 멀쩡하던 솥이 아니었습니까. 녹이 슬어 갑자기 부러져 나갔을까요."

방바닥에는 아직도 부러진 외발 하나가 뒹굴고 있었다. 그 떨어져나간 다리를 들고 박종일이 말하였다.

"귀신이 곡할 일이 아니겠습니까. 이처럼 단단한 청동솥의 다리가 엿가락 부러지듯 동강나버렸으니 말입니다."

물론 박종일의 표현은 정확한 것이었다. 청동솥의 다리가 동강나 부러지는 것은 귀신도 곡할 일이었다. 눈치 빠른 천하의 박종일이라 하더라도 그 청동솥의 다리를 임상옥이 미리 분질러놓은 후 아슬아슬하게 힘을 받고 서 있게 했다가 누구든 손만 대면 쓰러지도록 교묘하게 위장하였음을 상상조차 못했던 것이다.

바로 그것이 큰스님 석숭이 내려준 비결 '鼎'의 참뜻이었던 것이다.

임상옥은 큰스님 석숭이 내려준, 멸문지화를 벗어날 '정'의 비밀을 풀기 위해서 천리길도 마다 않고 예산으로 김정희를 만나러 갔었다. 그러나 임상옥은 그 비밀을 밝혀내지 못하고 홀로 돌아오다가 강경 벌판에서 갑자기 떼지어 날아오르는 들오리들을 바라보았던 것이다. 그 들오리들을 본 순간 임상옥은 갑자기 허공에서 석숭의 손이 나타나 자신의 코를 잡아 비트는 고통을 느꼈으며 그 충격 속에서 활연대오할 수 있었다.

바로 눈에서 가장 가까운 얼굴의 정중앙에 있으면서 보이지 않아 있는지 없는지 모르는 코를 잡아 비틀어 고통을 줌으로써 진리는 코처럼 바로 눈앞에 있음을 깨우쳐준 석숭 스님의 행동을 통해 임상옥은 순간 '정' 자의 비밀을 깨우칠 수 있었던 것이다.

석숭 스님은 '정' 자의 비결을 내려줌으로써 인간의 욕망에 대한 경책을 내렸다. 김정희의 말처럼 인간에게는 누구나 솥의 세 발과 같은 욕망이 있음을 깨우쳐준 것이다.

석숭 큰스님이 보여준 세 사람의 인물.

그 하나는 김정희이며, 또 하나는 홍경래다. 그리고 나머지 한 사람은 바로 임상옥, 자신인 것이다.

김정희는 천하제일의 거유를 꿈꿀 정도로 학문에 힘쓰는 학자이자 문인이다. 그러므로 굳이 말한다면 그는 인간이 가진 욕망 중에서 명예를 추구하는 사람이다. 홍경래는 썩은 왕조를 무너뜨리고 천지개벽의 혁명을 꿈꿈으로써 지위, 즉 천하의 권세를 추구하는 사람이다. 그렇다면 임상옥 자신은 누구인가.

임상옥 자신은 천하제일의 상인이 될 것을 꿈꾸었던 사람, 즉 인간이 가진 욕망 중에서 재물의 욕망을 꿈꾸었던 사람이다.

그런 의미에서 김정희는 '명예'의 화신(化身)이고 홍경래는 '지위'의 화신이며 임상옥은 '재물'의 화신인 것이다.

그러므로 명예를 가진 사람이 재물을 탐한다면 솥의 다리가 부러져 솥이 쓰러져 뒤집히듯이, 명예를 가진 김정희가 재물의 임상옥이 되기를 꿈꾼다면 이는 하늘의 뜻을 거스르는 일이다.

마찬가지로 재물을 가진 임상옥이 천하의 권세를 꿈꾸는 홍경래와 한 인물이 될 수는 없는 것이다. 만약 두 사람이 하나의 인물이 되려고 한다면 이는 반드시 하늘의 뜻을 거스르는 일이 되어 하늘로부터 무서운 징벌을 받게 될 것이다.

이것이 큰스님 석숭이 가르쳐준 삼족이 멸망하고 능지처참을 당하는 멸문지화의 길인 것이다.

임상옥이 강경의 들판에서 깨우친 것은 바로 그것이었다.

바로 그 기쁨 때문에 그 자리에서 덩실덩실 춤을 추었으며, 그러고 나서 방석을 깔고 큰스님이 계신 곳과 김정희가 있는 곳을 향해 세 번이나 무릎을 꿇고 큰절을 올렸던 것이다.

스승 석숭이 내려준 '정' 자의 참위(讖緯) 예언을 미리 꿰뚫어 봄으로써 임상옥이 취할 선택은 자명해졌다.

그것은 홍경래의 혁명에서 물러서는 일이었다. 그렇다면 홍경래에게 혁명에서 발을 빼고 참여하지 않겠다는 자신의 뜻을 밝힐 수 있는 가장 현명한 방법은 무엇일까. 그를 대면하고 면전에서 분명하게 자신의 뜻을 밝힐 것인가. 아니다. 그것은 그의 자존심을 건드리는 일이다. 첫날 그를 대면하였을 때부터 임상옥은 그의 눈빛에서 범상치 않은 기운을 느꼈다. 혁명을 도모하고 있는 사람이라면 반드시 죽음을 무서워할 사람도 아닐 것이다. 만약 천기가 누설될 경우에는 만일의 사태를 대비하기 위해서라도 칼을 들어 자신의 목을 벨 것을 망설일 홍경래가 아닌 것이다.

그제야 임상옥은 모든 것을 분명하게 알아차릴 수가 있었다.

혁명군의 괴수 홍경래가 이희저의 서장을 갖고 자신의 상가에 점원으로 취직하였던 것은 오직 자신을 혁명에 끌어들이기 위함이었다는 사실을.

임상옥은 결론을 내릴 수가 있었다.

홍경래가 '솥을 통해 질문'을 해왔다면 임상옥도 '솥을 통해 대답'하여야 할 것이다.

솥을 통한 대답으로 혁명에 참여치 않겠다는 자신의 뜻을 분명하게 전하는 단 하나의 방법.

그것은 솥의 발을 미리 부러뜨려놓는 일이다.

홍경래도 자신의 입을 통해 천기를 누설한 것은 아니다. 다만 솥의 무겁고 가벼움의 정도를 물어온 것뿐이다. 임상옥도 분명하게 거절의 말을 전한 것은 아니다. 그러나 솥의 다리를 미리 부러뜨려 놓아 솥을 뒤엎게 함으로써, 혁명에 참여하는 것은 이처럼 솥발이 부러지는 것처럼 능력 밖의 일이며 주제를 넘어선 과욕임을 넌지시 전하고 있는 것이다.

임상옥은 돌아오자마자 자신이 직접 청동솥의 다리를 부러뜨려 놓았다. 그리고 부러뜨린 다리를 간신히 버팀목으로 아슬아슬하게 세워놓아둔 후 곧바로 주안상을 차려 홍경래와 박종일을 불러들였던 것이다.

임상옥의 생각은 적중하였다.

이로써 모든 것은 끝났다.

홍경래의 얼굴에서 스쳐가던 미묘한 실망과 분노의 그림자를 엿본 순간 임상옥은 그렇게 결론을 내렸다.

그러나.

과연 그러하였을까.

4

그날 밤.

자정이 넘은 깊은 한밤중에 검은 그림자 하나가 임상옥이 잠자고 있는 안채의 담장을 기웃거리고 있었다.

검은 그림자는 잠시 주위를 살펴보았다. 이따금 노복들이 순시를 돌곤 하였으므로 사내는 행여 인기척 소리가 들려오는가 귀를 기울여 들어보았다. 그러나 사위는 깊은 정적에 빠져 있었다.

이윽고 담을 넘어 들어온 안채에 아무런 동요가 없음을 확인한 검은 그림자는 빠르게 움직여 마당을 가로질렀다.

일순 구름을 벗어난 달에서 대낮 같은 광채가 뿜어나왔다. 사내는 민첩하게 층계를 올라 마루 위로 올라섰다.

그 별당은 임상옥이 잠을 자고 있는 곳이었다. 임상옥은 가족들이 살고 있는 본채에서 따로 떨어진 곳에 집을 짓고 그곳에서 주로 생활하고 있었다.

사내는 언젠가 한번 술에 취해 정신을 잃은 임상옥을 이곳까지 업어서 바래다준 적이 있었으므로 임상옥이 거처하는 곳을 정확하게 알고 있었다.

날이 밝기 전에 이곳을 떠날 것이다.

사내는 입에 물었던 단도를 빼어들어 손으로 거머쥐면서 생각하였다.

성문이 열리자마자 의주읍을 빠져나가야 할 것이다. 사내는 발끝으로만 걸어서 조심스레 마루를 건넜다. 몸무게 때문에 움직일 때마다 나무로 만든 마루가 미세하게 흔들리면서 소리를 내었다.

떠나기 전에 마무리를 해야 할 일이 있는 것이다.

하늘의 밀지(密旨)를 보존하기 위해서는 반드시 임상옥의 목을 베어 성명(性命)을 끊어버려야만 후환이 없을 것이 아니겠는가.

지난밤 홍경래는 무거운 청동솥을 들어올렸을 때 두 동강으로 부러져나가는 솥의 다리를 보았다. 바로 그 순간 홍경래는 임상옥이 미리 그 다리를 분질러놓았음을 알게 되었으며 그것으로 임상옥이 자신의 혁명에 참여할 뜻이 전혀 없음을 분명하게 깨달았다.

임상옥의 뜻을 정확하게 알게 된 이상 이곳에 머물 필요는 없게 된 것이다.

우군칙의 충고대로 임상옥의 목을 베어 숨통을 끊어버림으로써 천기를 누설치 아니하고 보존해야 하는 것이다. 그가 반항하려 한다면 심장을 찔러서라도 그를 잠재워야 할 것이다.

홍경래는 가만히 손을 들어 방문의 손잡이를 잡아당겼다. 다행히 문은 잠겨 있지 않아 가볍게 열렸다.

한 사람쯤 들어갈 수 있도록 문이 열리자 홍경래는 오른손으로 단도를 옮겨서 거머쥐고 살그머니 방안으로 들어섰다.

바로 그 순간, 나지막한 목소리가 어둠을 가르며 들려왔다.

"홍 서기 아니신가. 이 밤중에 이곳엔 웬일이신가."

자지러지게 놀란 홍경래의 눈에 어둠보다 더 밝은 임상옥의 모습이 한눈에 들어왔다.

"내가, 내가 이곳에 온 것은 중요한 것을 가져가기 위함이오."

예기치 못한 상황에 홍경래의 목소리는 오히려 파르르 떨렸다.

"가져가고 싶은 것이 무엇인가."

한층 낮은 목소리로 임상옥이 말하였다.

"무엇이든 갖고 가고 싶은 것이 있다면 말씀을 하시게나. 돈인가 아니면 물건인가."

"내가 가져갈 것은 돈도 아니고 물건도 아니오."

홍경래가 대답하자 임상옥이 다시 물어 말하였다.

"그럼 무엇인가. 돈도 아니고 물건도 아니라면."

"바로 그대의 목숨을 가져가기 위해서 온 것이오."

순간 홍경래의 칼이 임상옥의 목을 향해 겨냥되었다. 일촉즉발의 위기였다.

무시무시한 침묵이 흘렀다. 그 침묵 속에서 어디선가 새벽을 알리는 듯 닭의 울음소리가 아스라히 들려오고 있었다. 닭의 울음소리가 들려오자 마음이 급해졌는지 홍경래가 급하게 말을 뱉었다.

"그러니 순순히 목숨을 내놓으시오."

순순히 목숨을 내놓으라는 말에 임상옥이 멈칫거리며 조용히 물어 말하였다.

"어째서, 내 목숨이 필요하단 말이신가. 내 목숨을 가져 무엇하겠는가."

그러자 홍경래가 낮은 목소리로 말을 잘랐다.

"내가 그대의 목숨이 어째서 필요한 것인지 그 연유를 정녕 모르겠단 말이오."

"모르겠소."

단호하게 임상옥이 대답하였다.

"예로부터 죽을 사람에게는 그 죽을 이유를 가르쳐주는 것은 매우 당연한 일이오. 그대가 정녕 내 목숨이 필요해서 이렇게 찾아왔다면 나도 그 이유를 죽기 전에 반드시 알아야 하겠소."

전혀 두려움이 없는 당당한 요구였다. 구차하게 목숨을 구걸하거나 공포에 떠는 모습을 보이지 아니하고, 당당하게 죽음을 맞는 임상옥의 태도 앞에 홍경래도 마음이 움직였다.

"그렇게 물으니 내가 대답해드리겠소."

임상옥의 목을 겨냥한 칼끝을 여전히 날카롭게 치켜세운 채 홍경래가 차분하게 말하였다.

"그대는 못 봐야 할 것을 너무 많이 보았으며, 못 들어야 할 것을 너무 많이 들었소. 또한 몰라야 할 것을 너무 많이 알게 되어 단지 그대의 헛바닥을 베는 것만으로는 천기를 보존할 수가 없게 되었소. 내가 이렇게 한밤을 틈타 그대를 찾아온 것은 그대의 목숨을 가져가기 위함이오. 그래야만 모든 것이 무사할 수 있기 때문이오."

그러자 임상옥이 받아 말하였다.

"나는 그대가 무슨 말을 하는지 모르겠소. 나는 아무것도 보지 못하였으며 아무것도 듣지 못하였소. 난 아무것도 알지 못하고 그대가 누구인지도 모르오. 그대가 내 곁을 떠난다 해도 그대가 어디로 갈지도 모르오. 허나 만약 그대가 나를 죽인다면 그것은 차라리 어리석은 일이오. 내가 죽어 발각된다면 그대는 날 죽인 살인자로 수배를 받게 되어 오히려 만천하에 그 정체를 드러내게 될 것이오. 옛말에도 그러한 말이 있소. 내 입을 막기 위해서 나를 죽인다 해도 이는 하늘도 알고, 땅도 알고, 나도 알고, 그대도 알고 있는 일이오. 그러나 만약 그대가 이대로 내 곁을 떠나 사라진다면 이는 하늘도 모르고, 땅도 모르고, 나도 모르고, 그대도 모르는 일이오. 자, 그러니 둘 중의 하나를 택하시오. 나를 죽여 '하늘도 알고, 땅도 알고, 나도 알고, 그대도 아는(天知 地知 我知 子知)' 길을 택하겠소. 아니면 나를 살려 '하늘도 모르고, 땅도 모르고, 나도 모르고, 그대도 모르는(天不知 地不知 我不知 子不知)' 길을 택하겠소."

자신을 죽이러 온 홍경래를 설득한 임상옥의 말이야말로 세 치의 혓바닥으로 천하를 얻은 세객을 연상케 한다.

　임상옥의 말은 틀림없는 사실이다. 만약 홍경래가 임상옥의 입을 막기 위해서 칼로 목을 찔러 죽인다면 입을 막을 수는 있겠지만 오히려 쫓기는 자가 되어서 전국의 관원들에게 수배를 당하여 더욱 쉽게 천기를 누설케 될 것이 아니겠는가.

　홍경래는 임상옥의 말이 훨씬 현명한 것임을 깨달았다.

　"나는 그대를 모르오."

　임상옥이 낮은 목소리로 대답하였다.

　"나는 아무것도 본 적도 없고 아무것도 들은 적도 없소. 난 그대를 만난 적도 없고, 그대 또한 나를 만난 적도 없소. 따라서 그대는 내게 온 적도 없고 간 적도 없소. 그러니 얼른 가시오. 이곳을 떠나 날이 밝기 전에 성문을 빠져나가시오."

　어둠 속에서 새벽을 재촉하는 닭의 울음소리가 꼬끼오— 하고 다시 들려왔다.

　목숨을 빼앗으러 왔다가 오히려 설득당한 홍경래는 그러나 쉽사리 물러서지 않았다.

　"그러나 만약 그대가 배신하여 입을 열게 된다면 그땐 반드시 그대에게 보복을 할 것이오. 이 말을 명심해 두시오."

　임상옥이 말을 받았다.

　"난 이미 그대의 손에 죽은 목숨과 다름이 없소. 난 이미 그대의 칼에 죽은 목숨이오. 죽은 목숨이 어찌 입을 열어 무슨 말을 할 것이고, 죽은 목숨이 무슨 배신을 할 것이오."

순간 홍경래의 눈빛이 번득였다. 그의 눈빛에서 다시 소름끼치는 살기가 뿜어져나왔다.

"그대의 곁을 떠나기 전에 아직 할 일이 남아 있소."

그는 꺾었던 칼을 다시 세워들었다.

홍경래는 임상옥이 앉아 있던 보료 위를 처다보았다. 보료 위 머리맡에는 임상옥의 옷과 갓 같은 의관들이 가지런히 정돈되어 놓여져 있었다. 홍경래는 손을 들어 임상옥의 옷과 갓을 가져다가 방바닥에 펼쳐놓았다.

"예로부터 그 사람이 입던 옷에는 그 사람의 신령이 깃들어 있는 법이라 하였소. 또한 그 사람이 쓰던 갓에는 그 사람의 혼백이 깃들어 있는 법이라 하여 사람들이 입고 쓰는 옷은 신물이라고 부르곤 하였소. 나는 이제 그대의 목숨을 빼앗는 대신 이 옷을 베고, 이 갓을 찔러 숨통을 끊어버리겠소. 이 옷과 갓의 숨통을 끊어버림으로써 그대의 목숨을 끊은 것으로 대신하겠소. 그러하니 그간 있었던 인연과 정의를 끊고 입을 굳게 다물어 밀지를 보존하여 주시오. 이를 맹세하겠소."

홍경래가 눈빛을 번득이며 물었다. 임상옥은 한 자 한 자 끊으며 맹세하여 말하였다.

"반드시 약조를 지키겠소."

홍경래의 손이 번쩍 허공으로 추켜올려졌다. 허공을 가르며 홍경래의 손이 섬광처럼 일렁거렸다. 칼이 임상옥의 갓 위에 정확히 내리꽂혔다.

그와 동시에 홍경래의 손이 춤을 추며 흔들렸다. 임상옥의 갓이 갈갈이 찢겨졌다. 비록 선혈이 낭자하지는 않았지만 처참한 살육의 현장이었다.

"잘 있으시오."

한바탕의 살육이 끝난 뒤 가쁜 숨을 몰아쉬면서 홍경래는 한순간 임상옥을 마주보았다. 그리고는 비호처럼 열린 방문 밖으로 몸을 날렸다.

임상옥은 몸을 일으켜 방문을 열고 밖으로 나가보았다.

구름을 벗어난 달빛이 온누리에 펼쳐져 있어 시야는 대낮처럼 투명하였다.

임상옥은 바람을 가르듯 방문 밖으로 날아간 홍경래의 몸이 순간 허공을 솟구쳐 하늘로 날아오르는 모습을 보았다. 그것은 도저히 살아 있는 사람의 모습이랄 수는 없었다.

허공을 날아 담장 위에 올라선 홍경래는 마지막으로 몸을 돌려 마루 위에 선 임상옥을 보았다. 두 사람의 눈은 짧게 마주쳤다. 뭐라고 말을 할 듯한 표정으로 쳐다보던 홍경래는 이내 시선을 거두었다. 그는 훌쩍 담 아래로 사라져버렸다.

그것이 임상옥이 본 홍경래의 마지막 모습이었다. 세기의 풍운아, 조선왕조 최고의 혁명아였던 홍경래의 최후 모습이었다.

홍경래가 사라지자 임상옥은 갈갈이 찢긴 자신의 옷과 갓 위에 꽂혀 있는 홍경래의 칼을 보았다. 비록 목숨을 앗으러 와서 임상옥의 설득으로 마음을 바꾸긴 하였지만 만에 하나라도 입을 열어 자신을 밀고하면 그땐 가만히 두지 않겠다는 결연한 의지를 나타내 보이기라도 하듯 단도는 갓을 찌르고, 방바닥 깊숙이 박혀 있었다.

임상옥은 찢긴 옷들과 갓을 들고 마당으로 내려와 불을 질러 태우기 시작하였다.

조금 있으면 날이 밝아 노복들이 나타날 것이므로 그들이 깨기 전에 이 물건들을 태워버려야 할 것이다. 자신이 입던 옷과 갓을 태우면서 임상옥은 생각하였다.

이 옷들은 나의 가구(假柩)이다. 이 옷들을 태움으로써 홍경래에게 있어 나는 이미 죽은 목숨인 것이다.

옷을 모두 태우고 나자 남은 것은 오직 홍경래의 칼 하나뿐이었다.

이것을 어떻게 할 것인가, 하고 임상옥은 생각하였다.

임상옥의 눈에는 후원에 있는 우물의 모습이 들어왔다. 깊은 우물이었다. 아무리 가물어도 전혀 물이 마르지 않는 우물이었다.

이 속에 칼을 넣어 떨어뜨린다면 영원히 홍경래의 칼은 찾을 수 없게 될 것이다.

임상옥은 우물 속을 들여다보았다. 속이 깊어 그 끝을 알 수 없는 우물 속에는 물이 가득 차 있어 생선비늘처럼 달빛이 찰랑이고 있었다. 임상옥은 홍경래의 칼을 우물 속에 떨어뜨렸다. 맑은 물소리가 일어나더니 엷게 파문이 일었다. 그리고는 그것으로 그만이었다.

이제 모두 끝났다.

임상옥은 손을 털면서 마당을 가로질러 마루 위로 올라섰다.

그날 아침. 임상옥의 상가는 발칵 뒤집혔다.

간밤에 홍 서기가 온데간데없이 사라져버렸기 때문이었다. 임상옥의 상가에 출입하는 모든 물건들을 받아들이고 내놓는 일을 도맡아하는 사람이 바로 홍경래였고, 곳간의 열쇠를 전담하고 있는 사람이 홍 서기였으므로 그는 남들보다 일찍 일어나야 할 사람이었다. 그런데도 그의 모습이 보이지 않았던 것이다. 지금까지 한 번도 그런 일이 없었으므로 하인들은 이제나저제나 홍 서기가 잠에서 깨어나 나타나기를 기다렸는데 해가 중천에 뜰 때까지 나타나지 않자 하인 하나가 홍 서기가 자고 있는 방까지 찾아가보았다.

문밖에서 큰소리로 서너 번 외쳐도 방문이 열리지 않자 하인은 밖에서부터 문을 덜컹 열어보았는데 놀랍게도 방안은 텅 비어 있었다. 사라진 것은 홍 서기뿐 아니라 그가 쓰고 입던 생활용품 모두가 한꺼번에 흔적도 없이 사라져버린 것이다.

이 소문은 즉시 박종일에게 전해졌으며 그는 곧바로 임상옥을 찾아갔다.

"형님, 기침하셨습니까."

성급한 박종일의 목소리에 천천히 문을 열고 임상옥이 물어 말하였다.

"무슨 일이신가."

"간밤에 해괴한 일이 일어났습니다."

"해괴한 일이라니."

"홍 서기가 사라져버렸습니다."

임상옥은 따로 안채에서 가져온 옷을 입고 갓을 쓰고 나서 정색을 하고 물어 말하였다.

"무슨 소리인가. 홍 서기가 사라져버렸다니."

"글쎄 말입니다요. 홍 서기가 하늘로 솟구쳤는지 땅으로 꺼져버렸는지 흔적조차 없습니다. 참으로 귀신이 곡할 노릇입니다. 샅샅이 곳간을 뒤져보았습니다만 없어진 물건도 없고….”

“이 사람아.”

임상옥이 꾸짖어 말하였다.

“홍 서기가 남의 물건을 탐할 사람인가.”

“물론 그렇습니다. 하오나, 그렇기 때문에 더욱 이상한 일이 아닙니까. 참으로 귀신이 곡할 노릇입니다.”

“앞장서게나. 함께 홍 서기의 방으로 가보세나.”

박종일을 앞세우고 임상옥은 홍경래의 방으로 함께 가보았다. 과연 박종일의 말대로 홍경래의 방은 흔적도 없이 깨끗하게 텅 비어 있었다.

방안에 남아 있는 것이라고는 간밤에 들고 갔던 청동솥뿐이었다. 다리 하나가 부러졌으므로 청동솥은 쓰러져 뒤집혀 있었다.

“도대체 어디로 사라져버린 것일까요.”

박종일이 임상옥의 눈치를 살피면서 물어 말하였다.

“글쎄, 낸들 알겠나.”

방문을 닫으며 임상옥이 말하였다.

“올 때부터 어디서 온 사람인지 몰랐으니 갈 때도 어디로 가는지 모르는 것은 당연한 일이겠지.”

홍경래의 방을 떠나며 임상옥은 생각하였다.

홍경래는 내 곁에서 사라졌다. 나는 홍경래를 만난 적도 없고, 그를 본 적도 없다. 그에게서 아무것도 들은 적이 없고, 또한 그에게 아무런 말도 한 적이 없다. 홍경래는 이곳에 온 적도 없으며, 따라서 이곳에서 떠난 적도 없는 것이다.

제4장 혁명의 종말

1

1811년 순조 11년 12월 18일.

홍경래가 이끄는 혁명군 2천 명은 다복동에 있는 대본영을 출발하여 진군을 시작하였다. 혁명군의 진용은 다음과 같았다.

평서대원수　　홍경래

총참모　　　　우군칙

모주　　　　　김창시

선봉장　　　　홍총각

선봉장　　　　이제초

후군장　　　　윤후험

도총　　　　　이희저

부원수　　　　김사용

이들의 진용에 대해서 참모들간에 약간의 불평은 있었지만 대원수인 홍경래의 용단이었으므로 별 이의는 없었다. 무식하면서도 혈기왕성한 홍총각에게 선봉장이라는 중임을 맡겼다는 게 주로 우군칙과 김창시의 불평이었으나 홍경래는 원안대로 밀고 나갔던 것이다.

그리하여 황혼이 깃드는 저녁 무렵.

혁명군은 다복동 앞을 흐르는 대령강 한가운데에 있는 섬에 집결하여 출진식을 거행하였다.

홍경래는 대원수의 복장을 하고 제단 위에 올라 하늘과 땅에 제사를 지낸 후 모주 김창시로 하여금 혁명의 당위성을 주장하는 격문을 낭독케 하였다.

명문으로 알려진 김창시가 쓴 격문의 내용은 대충 다음과 같다.

"서북지방은 기자, 단군시대 때부터 천하에 이름을 떨치던 구역으로 예부터 의관문물이 빛났었고 임진·병자의 두 국난에 있어서도 그 공이 컸었다. 임진왜란 때에는 재조(再造:사직을 다시 일으켜 세우는 일)의 공이 있었고 정묘의 변에는 양무공(襄武公)의 공이 있었고 둔암(遯庵)·월포(月浦)와 같은 재사가 나왔으나 조정에서는 이를 돌보지 않았고, 심지어는 권문세가의 노비까지 서북인을 평한(平漢)이라고 멸시하여서 4백년 이상 버려두는 데에 분개하지 않을 수 없는 것이다. 더욱 지금에 이르러서는 김조순, 박종경의 무리들이 국권을 농락하여 정치는 어지럽고, 인민은 도탄에 빠져 헤어날 수 없는 지경에 이르게 되었다. 이때에 선천군 검산 일월봉 밑 군왕포 위에 있는 홍의도(紅衣島)에서 진인이 나타났으니 이분은 일찍이 중국에 들어가 도술을 배워가지고 조선으로 나왔는데 지금 철기

(鐵騎) 10만을 일으켜 드디어 동국(東國)의 악폐를 말끔히 씻어줄 뜻을 펴게 되었다. 그러나 서북 땅은 우리들의 고향이라 차마 병마를 함부로 짓밟게 할 수 없어 서북의 영웅호걸들을 시켜 만백성을 구하려고 하니 의군(義軍)의 깃발이 이르는 곳마다 모두 이 명령을 받들어 순종토록 하라."

격문을 낭독한 후 홍경래 대원수는 군령을 어기는 자는 사정없이 참한다는 추상 같은 명령을 내렸고 혁명군은 천하를 뒤엎을 듯한 함성과 함께 가산(嘉山)을 향해 진군하기 시작했다.

반군의 기세는 하늘을 찌를 것 같았다. 불과 이틀 만에 혁명군은 가산과 곽산 그리고 정주의 세 열읍(列邑)을 차례로 점령하는 전과를 올렸으며, 홍경래가 진두지휘한 본진은 박천까지 쉽게 함락시켰다.

이는 혁명군의 군세가 막강한 탓도 있었지만 무엇보다 열렬하게 지지했던 현지 농민들의 호응 때문이었다.

속전속결을 전략으로 삼은 홍경래는 아군을 둘로 나눠 남군과 북군으로 재편성하였다. 차일피일 시일을 끌다가는 관군의 반격을 받아 파죽지세가 꺾일 것을 우려했기 때문이었다. 관군의 총집결이 완료될 때까지 가능한 많은 지역을 점령하여 유리한 고지를 선점하기 위함이었다.

홍경래의 신출귀몰한 전술은 백발백중이었다.

북군의 김사용은 24일에 선천을 무난히 점령하였고 검산산성에 도망쳐 있던 선천부사 김익순을 생포하고 항복을 받았으며 25일에는 철산을, 이와 거의 때를 같이하여 용천도 함락시켜 수중에 넣었다.

용천의 부사는 권수라는 사람이었는데 그는 북쪽에 있는 용골산성에 의거하여 약간 항전하였으나 역부족이었으므로 성을 버리고 의주로 피신했다.

홍총각이 이끄는 남군도 28일에 태천을 점령하였다. 이와 같이 혁명군은 파죽지세로 가산, 박천, 정주, 태천, 곽산, 선천, 철산, 용천 등 여덟 개의 열읍을 점령하였다. 그러나 아직도 영변, 귀성, 그리고 임상옥이 머물고 있는 의주는 함락되지 않고 있었다.

용천부사 권수는 간신히 목숨을 구해 의주로 도망쳐옴으로써 순식간에 의주는 위기감에 빠지게 되었다. 용천이 함락되었다면 바로 코앞에까지 혁명군이 쳐들어온 것이다. 이제는 혁명군과 맞서 싸울 것이냐, 아니면 그대로 성문을 열어 다른 열읍처럼 혁명군을 환영하여 맞아들이느냐 둘 중의 하나만 남은 것이다.

이미 의주성 내 곳곳에는 평서대원수 홍경래의 격서가 나붙어 있었고 민심은 흉흉하였다. 이 와중에 홍경래의 붉은 군대(홍경래의 혁명군이 붉은 천을 가슴에 붙이고 다녔으므로 백성들은 그들을 홍의병, 즉 붉은 군대라고 부르고 있었던 것이다)에 맞서 싸울 의병을 모집한다는 방문이 내걸리기 시작하였다.

홍경래의 혁명군과 맞서 싸울 의병을 모으는 의병대장의 이름은 허항(許沆)으로 본관은 양천(陽川)이며 자는 원숙(元淑)이다. 그는 원래 첨사였던 허수(許秀)의 아들이었는데 효성이 지극하고 담용(膽勇)이 뛰어난 무장으로 이곳 일대에서는 모르는 사람이 없을 정도로 유명한 사람이었다.

그에게는 일화가 있다.

그는 27세에 무과에 응시하였는데 과규(科規)에는 합격하였으나 방(榜)에는 누락되어 있었다.

 그 이유는 단 한 가지, 그가 평안도 출신이라는 이유 때문이었다. 이에 방방(放榜)하던 날 억울한 사정을 직접 왕에게 호소하기 위해서 궁중으로 뛰어들어갔다가 위사(衛士)에게 붙잡혀 전옥(典獄)에 갇힌 죄수가 되었다.

 그러나 감시가 소홀한 틈을 타서 나와 큰소리로 억울함을 합외(閤外)에서 호소하니 그 소리가 왕이 거처하는 대내(大內)에까지 들려 왕이 그를 불러 까닭을 묻고는 그 기백이 장하다 하여 급제를 내리고 충장장(忠壯將)으로 제수까지 하였다고 《순조실록》에 기록되어 있는 바로 그 사람이다.

 홍경래의 난이 일어났을 때 마침 허항의 아버지 허수가 죽어 상중이었다. 마땅히 아버지의 제사를 지내야 할 거우 중임에도 그는 분연히 일어섰다. 홍경래의 격서가 부당함을 직접 조목조목 따져서 격문을 지어 방을 붙인 다음, 스스로 대장이 되어 의병을 모집하기 시작하였다.

 홍경래의 혁명군이 파죽지세로 밀고 올라와 의주는 몹시 위태하였으므로 의병은 소규모로 모집되었으나 김견신(金見臣)이 의군에 합류하였던 것은 다행이었다. 김견신은 대대로 의주의 상가에서 장사를 하던 상인 출신의 장사였기 때문이다.

 김견신은 허항을 만나 다음과 같이 말하였다.

 "홍경래와 맞서 싸울 의병이 구름처럼 몰려들게 하기 위해서는 한 가지 방법밖에는 없습니다."

 "그것이 무엇인가."

허항이 묻자 김견신이 대답하였다.

"임상옥의 동의를 구하는 길뿐이나이다. 임상옥 대인의 동의를 구할 수만 있다면 의주성 내에서 의병들이 구름처럼 일어서고, 또한 군자금 역시 든든하게 모을 수 있어 자연 적들로부터 의주성을 굳건히 지킬 수 있을 것입니다."

"허지만 임 상공의 허락을 받아낼 수 있을까."

당시 임상옥은 의주읍 내의 성민들로부터 상공(相公)으로 불리고 있었다. 원래 상공이라 함은 나라의 재상을 높이는 말이었는데 청나라의 장사꾼들은 상대방 장사꾼을 높여서 부를 때 그런 과장된 존칭을 부르는 풍습이 있어 청나라의 상인들이 쓰던 대로 상공이란 칭호를 그대로 임상옥에게 붙여 사용하고 있었다.

"그를 만나 사실대로 아뢰면 임 대인의 마음을 움직일 수 있을 것이나이다."

허항은 김견신의 말을 받아들여 함께 임상옥을 찾아가 방문하였다. 허항은 마침 기중이라 베옷을 입고 가슴에는 검은 상장(喪章)을 달고 있었으며, 손에는 대나무 막대로 만든 상제가 짚는 지팡이까지 들고 있었다.

허항은 임상옥에게 자신이 의병을 일으켜 홍경래의 적도들과 맞서 싸울 결심을 털어놓고 도와줄 것을 청하였다. 임상옥은 끝까지 말을 듣고는 가타부타 대답지 아니하고 깊은 침묵 끝에 다음과 같이 물어 말하였다.

"허 대인께오서는 누가 돌아가셨습니까. 가슴에 검은 상장을 두르고 있는데."

"신의 아비가 돌아가셨나이다."

"그러하면 친상(親喪)을 당하셔서 대상 중이신데 어찌하여 의병을 일으키려 하시나이까."

이 말을 들은 허항이 눈을 부릅뜨고 말하였다.

"예로부터 군사부일체(君師父一體)라 하였나이다. 나라의 임금과 스승과 아버지의 은혜는 다 같아 하나라는 뜻이나이다. 비록 이 몸은 아비에게서 나왔으나 나를 가르친 것은 스승이요, 나를 기른 것은 나라의 임금이나이다. 그러므로 어찌 사사로운 정에 이끌려 나라의 위태로움을 모른 체할 수 있겠나이까."

이 말을 들은 임상옥은 한참이나 침묵을 지키며 허항을 물끄러미 쳐다보았다. 오랜 시간이 흐른 뒤 임상옥은 말하였다.

"무엇이든 원하는 것은 말하시오. 내가 할 수 있는 능력껏 도와드리겠소이다."

전혀 뜻밖의 손쉬운 답변이었다. 허항으로서는 천군만마를 얻은 셈이었다. 임상옥이 의병을 모으는 방수장(防守將)이 되었다는 소문이 곧 의주성 안에 떠돌았으며 이로써 의병들은 손쉽게 모여들기 시작하였다. 사기가 떨어질 대로 떨어졌던 관군들도 다시 사기가 충천하였다.

임상옥은 창고를 열어 쌀과 포목들을 모두 풀어 의병들에게 나눠주는가 하면 소를 잡고 술을 걸러서 관군들을 위로하였다. 홍경래의 혁명군이 코앞에 있는 태천까지 점령하여 풍전등화의 화급상태에 있는 의주에서 임상옥이 보인 행동은 얼핏 보면 무모한 용단이 아닐 수 없었다.

박종일이 근심스런 얼굴로 임상옥을 찾아와 말하였다.

"어찌하여 이 위태로운 시기에 무모한 일을 하시나이까."

"무모한 일이라니."

임상옥이 담담한 얼굴로 물어 말하였다.

"홍경래의 난군이 태천까지 점령하고 영변과 귀성을 넘보고 있 나이다. 빠르면 이삼 일 안에 의주성을 무너뜨리고 점령할 것이나 이다. 그런데 어찌하여 이런 난국에 의병의 편을 들어 홍경래를 대 적하려 하십니까. 더욱이 홍경래는 형님에게 있어서는 의인이 아니 십니까."

박종일은 홍경래에 대해서 비교적 호의를 갖고 있었다. 그는 홍 경래가 떠나던 날 임상옥을 죽이기 위해 월장하였음을 모르고 있었 지만 임상옥에게는 그의 생명을 구해준 은인이자 의인으로 알고 있 었다.

"물론 홍경래는 내게 있어 은인이라고 말할 수는 있네. 그러나 의 인이라고 말할 수는 없는 것이네."

말을 끝내고 나서 임상옥은 붓을 들어 종이 위에 문장 하나를 써 내렸다. 박종일은 임상옥이 쓴 문장을 읽어보았다. 그 문장은 다음 과 같았다.

'墨翟之守(묵적지수)'

문장을 다 쓰고 나서 임상옥은 이렇게 말하였다.

"내가 홍경래의 편에 서지 않고 그 반대편에 선 것은 바로 이 문 장 하나 때문이네."

임상옥은 천천히 말을 이어내려갔다.

"옛날 춘추시대 때 전쟁은 무익하니 없어져야 한다는 비공(非攻)을 주장한 묵자(墨子)가 있었지. 그런 묵자가 어느 날 강대국 초나라가 공수반(公輸盤)이라는 기술자를 고용해 운제계(雲梯械)라는 새로운 공격용 사다리를 개발하여 약소국 송나라를 공격하려 한다는 소식을 듣고 초나라를 방문했다네. 수도 영(郢)에 도착한 묵자는 공수반을 찾아가 이렇게 입을 열었지.

'북방에 나를 모욕 주는 자가 있는데, 그대가 나를 위해 그를 죽여줄 수 있겠소.'

느닷없는 질문에 공수반이 불쾌한 낯빛으로 말하였네.

'나는 의(義)를 생각하는 마음으로 사람을 죽일 수는 없소이다.'

그러자 묵자는 공손히 절을 하면서 말하였지.

'한 사람도 죽이지 않는 것이 의라고 생각하면서 어째서 죄 없는 송나라 백성을 죽이려 하시오.'

물론 내게 있어 홍경래는 은인이자 의인이라고 말할 수 있을 것이다. 왜냐하면 홍경래는 내 생명을 구해주었으며 끝내는 내 목숨까지 살려주었으니. 그러나 그렇다고 그를 의인이라고 부를 수 있을 것인가. 나를 죽이지 않은 것이 의라면 묵자의 말대로 의주성읍의 많은 사람들을 죽이는 것 역시 의라고 말할 수 있을 것인가. 허항을 도와 의병 편에 선 것은 묵자처럼 의주성을 끝까지 지키고 사수하려는 의지 때문인 것이네. 분명히 말해서 홍경래는 의인이 아니네. 그에게는 욕망이 있어. 그에 비하면 허항은 아무런 욕심이 없지. 그는 단지 나라를 지킨다는 충효(忠孝)의 마음 하나로 자신의 목숨까지 내걸었네. 그러므로 진정 의로운 사람은 홍경래가 아니라 허항인 것이네."

한편.

홍경래의 혁명군은 여덟 개의 열읍을 점령하였으나 시일이 흐름으로써 청천강 이북을 완전히 평정하여 뒷근심이 없게 하고, 남북 연합군이 일거에 안주 평양을 공격하려던 애초의 작전을 단념할 수밖에 없었다.

안주 선공을 반대하던 우군칙, 김창시 등도 남군만으로 안주를 공격하는 수밖에 없다고 생각하였다. 이에 남군은 박천에서 안주성이 바라보이는 송림으로 그 본진을 이동하였다. 이것이 26일 밤이었다.

그러나 이미 때는 늦어 있었다.

이보다 며칠 앞선 21일 밤에 평안감사 이만수는 홍경래의 기병을 조정에 보고하였다.

이 변보를 받은 조정은 곧 이요헌을 양서순무사(兩西巡撫使)로 삼고, 박기풍으로 순무중군(巡撫中軍)을 삼아 삼영(三營)의 정병을 거느리고 27일 정오에 한양을 출발하게 하였다.

안주병영에서는 관하 각 군에게 명령을 내리어 증원을 독촉하였다. 그 결과 숙천부사(肅川府使) 이유수를 위시하여 중화, 순천, 함종, 덕천, 영유, 증산, 순안 등 각 군의 수령들이 거느리고 온 군세가 불과 5, 6일 동안에 2천 명을 넘어섰다. 게다가 한양에서 곧 본군(本軍)이 오리라는 소식에 안주의 관군은 그 기세가 충천하였던 것이다.

그리하여 12월 29일 아침.

동이 틀 무렵, 우선 천여 명의 관군이 얼어붙은 청천강을 건너서 송림 속에 진을 펴고 있던 혁명군에 기습작전으로 총공격을 개시하기에 이르렀다.

마침내 혁명군과 관군의 죽느냐 사느냐 건곤일척의 결전이 시작되었던 것이다.

선봉장 홍총각의 활약은 과연 대단하였다.

선봉장 홍총각은 선두에서 칼을 빼들고 닥치는 대로 주장 이해승 군에 육박하여 좌충우돌 베어버렸다. 곧 이해승의 진세는 흔들리기 시작하였고, 좌익의 관군도 수세에 있어 고전에 고전을 거듭하고 있었다.

이때 평안병사 이해우는 백상루(百祥樓)의 누각 높은 곳에서 진세를 살피고 있다가 관군이 동요됨을 보고, 곽산군수로 있다가 도망쳐온 이영식을 시켜 성내에 남아 있던 군졸 천여 명을 지휘하여 일시에 출동케 하였다.

안주성의 전 병력인 줄만 알고 이를 포위하여 완전 섬멸하려던 혁명군은 불의의 원병에 당황하였고 포위당하였던 관군은 후원군이 닥쳐오자 용기백배하여 반격을 개시하였다.

순식간에 전세는 바뀌었고, 역전되었다.

이때의 패주 원인을 기록은 다음과 같이 전하고 있다.

'혁명군은 관군과의 비등한 전투병력으로 평야에서 전투를 전개함으로써 활과 조총으로 무장한 관군을 대적할 수 없었던 점, 관군의 지휘부는 누각 높은 곳에 올라가 양군의 전투를 내려다볼 수 있었음에도 불구하고 혁명군의 지휘부는 낮은 평야에 있었으므로 국지적인 면밖에 볼 수 없었던 점, 진세 구축에서 우세한 관군을 무모

하게 중앙돌파하려 하였던 점 등이 패배의 원인이었다.'

대원수 홍경래는 북을 울려 혁명군을 철수케 하였다. 날은 이미 어두웠고, 많은 군졸이 관군에게 짓밟히고 죽어 쓰러졌다.

홍경래는 남은 장병들을 정비하고 정주성으로 향하였다. 만일의 경우를 대비해서 다복동에 있던 모든 식솔들을 정주성에 피신시켜 놓고 있었다. 이 정주성이 그곳에서는 가장 견고하고 험준하였으므로 수성(守城)하기에 유리한 곳이라고 홍경래는 판단하고 있었다.

이때부터 혁명군은 공격군이 아니라 정주성을 근거지로 끝까지 방어하는 수성의 혁명군으로 바뀌었다.

송림대전에서 이긴 관군은 기세를 몰아 해를 넘기기 전에 벌써 박천, 가산을 도로 찾고 혁명군의 소굴인 다복동을 습격하여 민가와 병사를 모두 불살라버렸다. 계속해서 태천을 회복하고 1812년 1월 3일, 관군은 홍경래의 마지막 보루인 정주성을 포위하기에 이르렀다.

처음 관군은 이 정주성도 단숨에 함락시킬 기세였으나 이는 쉽지 않았다. 세 차례나 대정문의 공격을 개시했으나 그때마다 실패했고 관군의 손해는 막중하였다.

성문을 굳게 닫은 혁명군은 관군이 성 밑까지 올 때에는 별로 응전하지 않았다. 그러나 관군들이 몰려들어 사다리를 타고 성 위로 올라오려 할 때를 기다려 성 위에서 큰 돌과 끓는 물을 퍼부어 한 명도 성안으로 들어올 수 없게 하였다.

순조 12년 임신년 4월 19일 밤.

관군은 미리 파둔 땅속에 화약 수천 근을 묻고 심지에 불을 질렀다. 타들어간 불꽃은 화약을 점화시켜 수천 근의 화약이 일제히 폭발하였다.

엄청난 폭발과 더불어 삽시간에 북성이 무너지고, 이윽고 북장대(北將臺)가 무너졌다. 관군은 물밀듯이 성안으로 쳐들어갔다.

당시 홍경래는 서장대(西將臺)에 머물면서 혁명군을 직접 지휘하고 있었으며 북장대는 김사용이 지키고 있었다. 북장대는 정주의 진산(鎭山)인 해발 545미터의 독장산 여맥에 솟아 있는 파수대였다.

김사용은 관군의 기세를 어떻게든 저지해서 시간을 끌어서라도 홍경래에게 도망칠 수 있는 기회를 만들어주려고 하였다.

그는 남은 군사들을 지휘하여 용감히 싸웠으나 이미 전세는 기울고 있었다. 결국 날아오는 총탄을 맞고 그 자리에서 즉사하였다.

관군들은 물밀듯이 서장대 쪽으로 쳐들어갔다.

서장대의 높은 누각에서 밀려들어오는 관군들의 모습을 홍경래는 지켜보고 있었다. 그는 이미 사태를 그르친 것을 알았다.

도망치려야 도망칠 수 있는 혈로도 없었으며 더 이상 물러설 곳도 없었다.

이때 홍경래는 혁명군들의 참모인 우군칙과 이희저 등과 함께 있었다. 홍경래의 호위는 선봉장이었던 홍총각이 맡아 하고 있었는데 사태의 위급함을 알게 된 홍총각이 입을 열어 말하였다.

"대원수 나으리, 옷을 벗어 나를 주옵소서."

홍경래는 홍총각의 속마음을 알고 있었다. 그는 자신의 옷을 대신 갈아입고 자신이 홍경래 역할을 함으로써 어떻게 해서든 홍경래에게 포위망을 뚫고 도망칠 기회를 주려 함이었다.

"소용없는 일이다."

홍경래는 웃으며 말하였다.

곳곳에서 성은 무너지고 있었으며 한꺼번에 폭발한 화약으로 성읍은 완전히 화염에 휩싸여 있었다.

"대원수 나으리."

곁에서 홍총각이 소리쳐 말하였다.

일찍이 소금장수였던 미천한 신분의 자신을 발탁하여 혁명의 중심에 세운 홍경래에 대해서 홍총각은 혈육 이상의 정을 갖고 있었다.

홍총각은 홍경래를 호위하여 날아오는 화살과 총을 자신의 몸을 방패 삼아 물러서고 있었다. 정주성은 원래 조선시대 때 쌓은 성곽이었다. 북한의 사적 34호로 되어 있는 성곽은 초기에는 흙으로 쌓은 토축성이었으나 뒤에 석성으로 개축한 읍성(邑城)이었다. 성곽의 높이는 낮은 곳이 2미터, 높은 곳이 5미터에 이르고 있는데 요소마다 성치(城雉)를 설치하고 있었다.

혁명군은 서장대까지 빼앗기고 성치로 후퇴할 수밖에 없었다.

"옷을 신이 입겠나이다."

홍총각은 자신이 홍경래의 모자를 빼앗아 머리에 쓰고 홍경래의 갑옷을 벗겨 자신이 대신 입었다. 그는 평서대원수의 휘장이 새겨진 붉은 깃발을 손에 들고 관군들로부터 시선을 집중시켜 마지막 혼란작전을 시도하였다.

그러나 홍경래의 생명을 지키려는 홍총각의 이러한 행동은 오히려 홍총각은 살고, 홍경래를 죽이는 정반대의 결과를 낳고 말았다.

왜냐하면 홍경래를 산 채로 생포함으로써 자신의 명예를 회복하려는 중군대장 유효원은 전군에 대해 다음과 같은 엄명을 내려놓고 있었기 때문이다.

"절대로 홍경래를 죽여서는 안 된다. 털끝 하나 다쳐서는 안 된다. 살아 있는 그대로 생포하여야 한다. 만에 하나라도 홍경래를 살상하는 자가 생길 경우에는 군령으로 엄히 다스릴 것이다."

홍경래의 투구와 갑옷을 빼앗아 대신 입고, 대원수의 휘장이 새겨진 홍총각의 모습은 관군의 표적이 되었다. 죽여야 할 적의 표적이 된 것이 아니라 살려야 할 대상의 표적이 된 것이다.

관군들은 그 표적을 향해 진격해 나갔을 뿐 그곳을 향해 집중 사격을 하지는 않았다. 그러나 나머지 농군들은 닥치는 대로 쏘고, 잔인하게 베었다.

관군들은 소위 초토작전이라 하여서 애매한 농민들을 혁명군의 배후세력으로 인정하고 그들을 원수처럼 대하고 있었다. 어쩔 수 없이 농민들은 관군의 약탈을 피해 정주성으로 퇴각하여 농군으로 편입된 사람들이었다. 그들은 말이 농군이었지 실은 소박한 농민들이었다. 그들은 허수아비처럼 쓰러지고 죽어나갔다.

그때였다.

관군들이 쏘는 조총으로부터 날아온 탄환이 홍경래의 가슴에 정통으로 박혔다. 홍경래는 그대로 쓰러졌다.

"대원수 나으리."

홍총각을 비롯하여 우군칙, 이희저가 쓰러진 홍경래를 감싸안았다. 그러나 이미 사태는 그르친 뒤였다. 탄환이 가슴을 꿰뚫어 붉은 선혈이 뿜어져나오고 있었다.

"나으리."

이희저가 울면서 몸을 흔들었으나 그의 두 눈빛에서 생기가 빠져나가고 있음이 보였다. 그는 잠깐 동안이나마, 눈을 뜨고 자신을 바라보며 울고 있는 세 사람의 얼굴을 물끄러미 바라보았다. 그의 얼굴에서 희미한 미소와 같은 것이 번져나가고 있었다. 그와 동시에 헐떡이던 그의 숨이 크게 부풀어오르더니 땅이 꺼지듯 스러졌다. 홍경래의 목이 꺾여지고 그의 입에서 붉은 핏물이 뿜어져나왔다.

홍경래의 죽음을 눈앞에서 지켜보고 있던 이희저는 순간 이성을 잃고 칼을 뽑아들고 적진을 향해 울부짖으며 홀로 달려 나아갔다.

"모두 나오너라, 이놈들아. 내가 너희들을 상대해주마."

이희저는 닥치는 대로 관군의 목을 베었다. 창수(槍手)건 총수(銃手)건 그는 상관하지 않았다.

"이놈들아, 내가 바로 천하제일왕 이희저다."

그토록 원했던 '천하제일왕'을 울부짖고 있던 그 찰나, 의병 함의형의 창이 이희저의 갑옷을 뒤에서 뚫으며 속살에 꽂혔다.

"내가 바로 천하제일왕 이희저다."

이 말은 이희저의 마지막 유언처럼 되어버렸다.

홍경래와 이희저의 죽음은 곧 전투의 포기와 직결되었다.

홍총각은 죽을 때까지 맞서 싸울 것을 주장하였으나 총참모 우군칙은 이미 전세가 글러 싸울 필요가 없다고 결론을 내렸다. 우군칙은 대원수의 휘장이 새겨진 붉은 깃발을 내리고, 백기를 들고 항복하였다.

아직까지 홍경래의 죽음을 모르는 유효원은 즉각 전투 중지를 명령하여 항복을 받아들였다.

그러나 홍경래가 죽었음을 알게 되자 유효원은 곧 대노하여 총참모 우군칙, 병참장(兵站長) 이박저 등 몇 명의 참모들만 빼놓고 나머지 군사들은 모두 죽여버리라고 명령하였다.

농군들은 항복하였음에도 불구하고 관군에 의해서 몰살되었다. 이들이 흘린 피는 길상산에서 흘러내린 달천강을 통해 황해로 유입됐는데, 전해오는 말에 의하면 강물은 통 핏빛으로 물들어 피의 강이 되었으며, 바다 역시 피의 바다가 되었다고 한다.

이로써 1811년 12월 18일에 기병하여 시작된 홍경래의 난은 이듬해 4월 19일 정주성이 함락되고 평서대원수인 홍경래가 죽음으로써 완전히 역사의 뒤안길로 사라져버리게 되었다.

'만고의 역적.'

《순조실록》에는 홍경래에 대해서 단 한마디로 표현하고 있다.

그러나 불과 다섯 달 동안의 짧은 기간이었고, 불과 청천강 이북의 한정된 지역만을 휩쓸었던 혁명이었지만 만고의 역적 홍경래가 불붙인 민중의 저항은 결국 썩은 왕조를 몰락케 한 원동력이 되게 하였으며 이로 인해 홍경래는 세기의 풍운아로 되살아나 역사에 기록되는 것이다.

2

홍경래, 이희저의 시신과 함께 평양으로 압송되어온 우군칙 등은 반역죄를 물어 사형이 집행되었다.

이들은 모두 대역죄인들이었으므로 능지처사(陵遲處死)로 처형되었다. 능지처사의 참형은 먼저 신체의 살을 잘게 저미거나, 특정한 곳에 칼질을 하여 상처를 낸 후 목을 베는 극형이었다. 죽은 후의 효수는 간두에 매달아서 백성에게 보이는 참형이었다.

이 무렵 임상옥은 홍경래의 난 동안 의주성을 지킨 공로로 오위장(五衛將)으로 임명되었다.

오위장이라면 종2품의 벼슬로서 세조 3년(1457년) 이전의 군제를 새로 고쳐 만든 중앙군사조직의 장을 겸하는 열두 명 중의 하나로서 오늘날로 말하면 사단장에 해당되는 직책이었다.

그 당시로 보면 아무리 조선 제일의 거부라고는 하지만 사농공상의 엄격한 신분제도 속에서 일개의 상인이 오위장으로나마 임명되었다는 것은 획기적인 일이 아닐 수 없다.

임상옥은 오위장으로 임명을 받은 그날 밤 은밀히 새로 부임한 평안감사 정만석을 찾아가 말하였다.

"나으리, 비천한 신에게 종2품의 벼슬을 내려주심은 백골난망이나이다."

정만석은 임상옥의 이름을 익히 들어 잘 알고 있었다. 그가 전국에서 으뜸가는 부호이며 무엇보다 당대의 권신 박종경 대감의 비호를 받고 있는 상인임을 잘 알고 있었다.

"천만의 말씀이오. 그대에겐 종2품이 아니라 정2품의 벼슬을 제수한다 하여도 전혀 나무랄 것이 없음을 잘 알고 있소이다."

"하오나."

임상옥은 조심스럽게 말하였다.

"신은 나으리께서 내려주신 오위장의 벼슬을 감히 받아들일 수가 없나이다."

"어째서 그렇소."

이해할 수 없는 눈빛으로 정만석이 말하였다.

"그대의 논공보다 벼슬의 품계가 부족하여서 그렇소이까."

"천만의 말씀이나이다."

임상옥이 말하였다.

"나으리, 오위장이라 함은 무장들의 벼슬이옵고 신은 무예와는 거리가 먼 한갓 장사꾼에 지나지 않나이다. 신이 비록 난 때에 있어 방수장이 되었으나 이는 다만 이름뿐이었고 실제로 방수대장은 전사한 허항이었나이다."

"물론 원숙공(元淑公)의 충정이야 모를 사람이 어디 있겠소이까."

원숙은 죽은 허항의 자였다.

"때문에 조정에서도 허공을 우림장으로까지 제수하지 않았소이까. 또한 표절사를 지어 길이 원숙공의 충절을 기린다고 하니, 그렇게 하면 죽은 원숙공도 편히 눈을 감게 될 것이나이다."

표절사란 평안도 내의 사민(士民)들이 뜻을 모아 건립하려던 사당이었다. 홍경래의 난 때 순절한 가산군수 정시를 비롯하여 소위 임신칠의사(壬申七義士)의 넋을 기리기 위해 끝까지 항거하였던 홍경래 최후의 성 정주성읍에 세워진 사당이었다. 이곳에 배향된 나머지 6의사는 허항, 한호준(韓浩遵), 백경한(白景翰), 박지환(朴之煥), 제경욱(諸景彧), 김대택(金大宅) 등이다.

"나으리."

임상옥이 입을 열어 말하였다.

"말씀드린 바와 같이 신은 장사꾼이어서 무예와는 거리가 먼 사람이나이다. 따라서 나으리께서 임명하신 벼슬은 받아들일 수가 없나이다. 그 대신 허항공을 비롯하여 임신년의 일곱 명 의사의 넋을 기리기 위해서 만드는 사당의 건립은 전액 신이 기부하겠나이다."

사당을 건립하는 전액을 자신이 부담하겠다는 임상옥의 말에 번쩍 정만석의 귀가 뜨인 것은 당연한 일이었다. 왜냐하면 변란으로 피폐해질 대로 피폐해져 사당을 건립하는 비용을 갹출하는 데 많은 애로가 있었기 때문이다.

"그대가 그렇게까지 해주신다니 고맙기 그지없구려."

정만석이 파안대소하자 임상옥이 조심스럽게 말을 받았다.

"그 대신 한 가지 청원이 있나이다."

"그것이 무엇이오."

그 대신 청이 하나 있다는 임상옥의 말에 정만석이 정색을 한 얼굴로 물어 말하였다. 그러자 임상옥이 고개 숙여 말하였다.

"차마 아뢰옵기 황망하나이다."

"무엇이냐고 내가 묻지 않았소이까."

정만석이 재차 묻자 임상옥이 조심스럽게 말을 이었다.

"아뢰옵기 황공하오나 이번 난 때 협조하였다가 능지처참된 죄수의 시신 하나를 신에게 주셨으면 하나이다."

"무엇이라구."

뜻하지 않은 임상옥의 말에 크게 놀라면서 정만석이 소리를 높였다.

홍경래의 난에 협조하였던 우군칙 등 대역죄인이 평양성까지 압송되어 끌려와 능지처사되었으며 그들의 효수는 홍경래, 이희저의 수급과 함께 간두에 매달려 성민들에게 효시되고 있었다.

"그들의 시신은 가져가 무엇하시게."

원래 대역죄로 죽은 죄수들의 시신은 매장도 허락되지 못하는 법이었다. 그들의 시신은 함부로 들판에 내버려 굶주린 들짐승의 먹이가 되게 하거나 날짐승이 쪼아먹도록 내버려두는 관례가 있었다.

"신이 매장하여 주고 싶어서 그렇나이다."

순간 정만석은 임상옥의 얼굴을 마주보았다. 이 사람이 도대체 제정신인가 하는 눈빛으로 임상옥의 얼굴을 쳐다보면서 말하였다.

"이 사람아, 무슨 말을 하고 있는 것인가. 대역죄인의 시신을 수습하여 장례를 치러주는 것도 역모죄가 되는 것을 모른단 말인가."

"물론 알고 있나이다. 그래서 나으리께 청원을 드리고 있지 않나이까. 신은 대역죄인을 장례하여 줄 마음은 없나이다. 다만 허락하여 수신다면 시신을 수습해서 땅속에 묻어주고 싶은 생각뿐이나이다. 봉분도 세우지 않고 비석도 세우지 않겠나이다. 아무런 표지도 남기지 않겠나이다."

"도대체 누구의 시신을 원하고 있단 말인가."

정만석이 임상옥의 얼굴을 쳐다보며 물었다.

"이희저의 시신이나이다."

"이희저의 시신을 말인가."

정만석이 심드렁한 얼굴로 물어 말하였다.

"그렇나이다, 나으리. 이희저의 시신을 신에게 주셨으면 하나이다."

"도대체 두 사람은 어떤 관계인데."

"이희저는."

임상옥이 조심스레 입을 열어 말하였다.

"한때 신의 막역한 친구였나이다. 둘이서 함께 청나라로 들어가 장사를 하였던 만상들이었나이다."

자칫하면 오해받을 수 있는 말이었다. 남들은 행여 역모에 연루될까 쉬쉬하여 함구하고 있는 판에 어째서 임상옥은 대역죄인의 친구임을 스스로 고백하여 밝히고 있는 것일까.

정만석은 날카로운 눈빛으로 임상옥을 쏘아보았다. 그러나 임상옥의 얼굴에는 조금도 동요하는 빛이 없었다.

이 사람은.

정만석은 순간 생각하였다.

신의를 지키고 있는 것이다.

"비록 국가에는 모반하여 대역죄를 지어 참형을 받았다고는 하오나 신에게는 변함없는 친구이나이다. 죄를 보아서는 극형을 받아 마땅하오나 인간으로 보아서는 죽어서도 차마 땅속에 묻히지 못함이 너무 가엾다는 생각이 들었나이다."

조심조심 임상옥이 말을 이었다. 묵묵히 말을 듣고 있던 정만석이 긴 침묵 끝에 입을 열어 대답하였다.

"그렇게 하시게나. 다만 이 일이 밖으로 알려지면 피차 서로 좋을 것이 없으니 절대로 밖으로 새어나가지 않도록 입조심을 하시게나.

어차피 어지러운 난국이니까 말일세."

다음날 아침.

동트기 전에 성문 밖에 걸렸던 죄수의 효수 중에서 이희저의 목이 내려졌다. 비록 시신은 없는 수급뿐이었지만 임상옥은 이희저의 수급을 조심스럽게 초라한 목관 속에 넣었다. 시신을 지키던 위병들의 호주머니에도 두둑이 뇌물이 주어졌다.

이 모든 작업이 귀신도 모르게 빠르고 그리고 은밀하게 진행되었다.

이희저의 수급은 곧바로 그의 고향 가산으로 운구되었다.

가산은 반란군의 총본영이 있던 곳이라 하여서 관군들에 의해 철저히 초토화되어 있었다.

특히 이희저가 경영하던 다복동의 깊은 골짜기의 광산은 모든 것이 불타고 모든 것이 파괴되어 폐허가 되어 있었다.

임상옥은 이희저의 시신을 대령강 속에 있는 신도로 옮겨갔다. 신도는 홍경래의 혁명군이 기병하였던 발화점이었다. 홍경래가 대원수의 복장을 하고 김창시로 하여금 격문을 낭독케 하고 하늘과 땅에 제사를 지냈던 바로 그곳이었다.

임상옥은 하인 둘을 시켜 흘러가는 강물이 잘 보이는 둔덕 위의 흙을 파도록 하였다.

때는 4월 하순이어서 봄은 한창 무르익어 온통 푸른 풀들과 나뭇잎들이 무성하게 자라고 있었다. 언제 그러한 비극이 있었냐는 듯 관군에 의해서 불타버린 대지에는 어느새 신록들이 씩씩하게 자라고 있었고, 섬을 감도는 대령강의 강물은 와랑와랑 물소리를 내면서 휘돌아 나가고 있었다.

뉘엿뉘엿 넘어가는 해거름 무렵이었으므로 서편 하늘은 붉은 낙조가 드리워져 있었고 강물도 온통 핏빛이었다.

이윽고 하인들이 입관할 수 있도록 깊이 땅을 파자 임상옥은 친히 이희저의 관을 땅속에 묻었다. 남의 눈을 피해 은밀하게 매장하고 있었으므로 격식을 갖추지 않고 신속하게 처리할 필요가 있었다.

평양감사 정만석과 봉분도 만들지 않고 비석이나 그 어떤 표지도 남기지 않겠다고 미리 약속해 두었으므로 임상옥은 이희저의 수급을 땅속에 묻자 그대로 흙을 덮어버렸다.

흙을 덮은 후 임상옥은 가져온 술을 흙 위에 뿌렸다.

생전에 유난히 술을 좋아하던 이희저가 아니었던가.

임상옥은 봉분조차 만들지 못한 이희저의 무덤 위에 앉아 자작하여 술을 마시면서 묵묵히 지난 일들을 회상하여 보았다. 임상옥은 자신이 한 잔 마신 후에는 반드시 이희저의 무덤 위에 술을 한 잔 똑같이 부어내리곤 하였다.

마치 다정했던 친구 이희저가 그곳에 앉아 있기라도 한 듯이.

"한 잔 마시게나."

임상옥은 입으로 소리를 내어 그렇게 말하곤 하였다.

주거니 받거니 잔을 돌리는 동안 임상옥은 취기가 솟아올랐다. 그는 묵묵히 잔을 들고 앉아서 강물 위에 반사된 붉은 낙조가 타오르듯 핏빛으로 물들어가는 모습을 물끄러미 바라보았다.

날이 저무는 것을 아쉬워하는 듯 섬의 갈대숲에서 일제히 새떼들이 일어나 강물 위를 바짝 스치며 날아오르고 있었다.

서편 하늘로 날아가는 새들을 바라보면서 임상옥은 다시 생각하였다.

이희저와 처음으로 만나 함께 중국으로 들어가던 산해관에서의 첫날 밤. 죽은 아비를 생각하며 임상옥이 천하제일의 상인이 될 것을 맹세하고 있을 때 느닷없이 술병을 들고 나타난 이희저는 임상옥의 고백을 듣고 나서 이렇게 말하였다.

"우리끼리 이곳에서 나눈 이야기는 죽을 때까지 천지신명 이외에는 그 누구에게도 입을 열어 털어놓지 않기로 맹세해주겠나."

임상옥의 다짐을 받고 나서 이희저는 자신의 꿈을 고백했던 것이다.

'천하제일왕(天下第一王).'

이희저의 꿈은 바로 그것이었다. 하늘 아래 제일의 임금이 되고 싶은 것이 이희저의 욕망이었던 것이다.

임상옥은 흙 밑에 잠들어 있는 이희저의 시신을 손으로 쓰다듬기라도 하듯 흙을 어루만지며 입을 열어 말하였다.

"여보게, 희저."

봉분은 물론 떼조차 입히지 못하였으므로 붉은 흙더미를 쓰다듬으며 혼잣말로 중얼거려 말하였다.

"나도 모반에 가담하였다면 자네처럼 이렇게 비참하게 모가지가 베어져 죽어버렸을 테지. 안 그런가, 희저. 한 잔 더 마시게나."

임상옥은 자신이 마셨던 빈 잔에 술을 가득 따라 붉은 흙더미에 쏟아부었다. 술취한 그의 눈가에서 눈물이 솟아 흐르기 시작하였다.

그렇다. 이희저는 재물을 소유하였을 뿐 아니라 천하의 권세마저 소유하려 하였다. 그가 능지처참으로 비참하게 죽은 것은 혁명에 실패하였기 때문이 아니라 과욕 때문인 것이다.

지위와 명예는 끝없는 경쟁심을 일으키고 재물은 끝없는 욕망을 불러일으킨다. 이 끝없는 경쟁심과 끝없는 욕심은 결국 인간을 병들게 하고 사회를 혼란시키는 것이다. 따라서 무지와 무욕 그리고 무위의 삼무야말로 인간이 바랄 수 있는 최고의 덕목인 것이다.

임상옥은 빈 잔에 술을 따랐다. 간신히 한 잔을 채우고서야 술은 떨어졌다. 임상옥은 그 남은 술잔을 이희저의 가묘 앞에 놓아두었다.

이제 다시는 이곳을 찾아오지 못할 것이다. 이희저의 가족들은 모두 멸문지화를 당할 것이니 이 무덤 자리를 안다고 한들 찾아와 성묘할 사람들조차 없을 것이다.

묘비조차 없는 무덤이라 할지라도 땅속에 묻힌 이희저의 시신은 세월이 가면 썩어서 살은 살대로 흩어지고, 뼈는 뼈대로 삭아서 모두 흙으로 돌아가버릴 것이다.

"그럼 잘 있게."

임상옥은 마지막 술잔을 흙더미 위에 부어내렸다.

그러고 나서 가벼운 마음으로 일어섰다. 마신 술이 많아서 몸을 가눌 수 없을 만큼 취하였으나 마음은 밝았다. 친구의 장례를 무사히 치렀다는 안도감으로 임상옥은 돌아서서 둔덕 아래로 흐르는 강물을 바라보았다.

아직도 사라지지 않는 석양의 그림자를 배경으로 까마귀들이 까악까악 울면서 날아오르고 있었다.

"잘 있게, 희저."

돌아서면서 임상옥이 중얼거려 말하였다.

"자네가 나를 살려주었네. 자네가 대신 죽음으로 내가 이렇게 살 수 있었네. 고맙네 그려."

사라져가는 석양의 그림자가 물든 강물 위에는 안개가 뽀얗게 드리워져 있었고 석양의 그림자를 등에 지고 까마귀떼들이 어디론가 돌아가고 있었다.

임상옥은 비틀거리면서 언덕을 내려왔다.

이제나저제나 주인을 기다리고 있던 하인들이 황급히 달려왔다.

임상옥은 이것으로 이희저와의 인연이 모두 끝이 났다고 생각하였다. 그러나 과연 이희저의 수급을 묻어줌으로써 그와의 인연이 모두 끝이 난 것이었을까.

이희저와의 인연은 전혀 생각지도 않았던 곳에서 또다시 이어지는 것을 보면 임상옥과 이희저는 숙세(宿世)로부터 숙연(宿緣)을 맺은 불가분의 관계인지도 모른다.

제5장 계영배(戒盈杯)

1

방조제로 남행하는 간선도로를 버리고 남양만(南陽灣)으로 가는 사잇길로 접어들자, 차창 왼쪽 멀리 바다가 보이기 시작하였다.

겨울 날씨 치고는 햇볕이 밝은 날이어서 그런지 바다의 빛깔이 쪽빛으로 푸르렀다. 바다 가까이 다가가는 도로 양편으로 유난히 거울처럼 평평한 평야지대가 나타나고 있어, 처음에는 가을걷이를 끝낸 전답지(田畓地)인 줄 알았는데 자세히 보니 그게 아니었다.

염전(鹽田)이었다.

밀물 때면 자연적으로 밀려들어오는 바닷물을 가둬놓고, 농축시킨 바닷물을 자연증발시키는 천일염전 지대였다. 한겨울이면 결빙기여서 염전이 폐장하는 것으로 알고 있었는데 어느새 2월의 하순, 아직 매서운 해풍이 몰아치는 겨울이긴 하지만 그 칼바람 속에도 봄의 온기가 스며드는 해빙기인 때문인지 염전들은 한결같이 개장하고 있었다.

지형이 평탄한 간석지들이 끝없이 펼쳐져 있는 염전에서는 유난히 햇볕의 일사(日射)가 강하여 눈이 부실 정도였다. 칸칸이 구획을 정리해 놓은 염전지대의 한쪽에는 바짝 마른 해수 속에서 사금파리와 같은 소금의 결정체들이 하얗게 반짝이고 있었다.

그 광활한 염전 너머로 푸른 바다가 기웃거리고 있었다.

이따금 대여섯 대의 차들을 한꺼번에 실어나르는 대형 수송차들이 거리의 반대편에서 달려오는 것으로 보아 그 바다 가까이에 자동차공장이 있는 것은 분명해 보였다.

서해안을 끼고 남행하는 국도에서도 분명히 '매화리 기평자동차 공장'이란 거대한 입간판을 확인했으므로 내가 가고 있는 길이 정확한 방향임은 틀림없어 보였다.

평일 오후였으므로 도로는 한산하였다. 마침 썰물 시간이라 바닷물이 한꺼번에 빠져나간 개펄에는 가래침을 뱉어놓은 것 같은 암갈색의 바닷물 위로 바다갈매기들이 떼지어 날고 있었다.

'기평자동차 공장 5킬로미터'

도로의 한곁에 달려가는 차의 방향을 따라 화살표가 그려진 이정표가 세워져 있었다. 공장까지 5킬로미터가 남아 있다면 늦어도 십 분이면 약속장소에 도착할 수 있을 것이다.

나는 시계를 들여다보았다. 네 시 사십오 분이었다.

한기철과 만나기로 한 약속시간보다도 한 시간이나 일찍 공장에 도착한 셈이었다.

４, ５일 전 나는 한기철과 어렵게 통화를 했었다. 그 무렵 한기철은 회사 일로 홍콩에 머무르고 있었다. 비서실을 통해 ２, ３일이면 돌아온다는 말을 들었지만 내 성급한 마음으로는 그가 돌아오기만을 기다릴 수 없었다.

《가포집》이 북한의 주석 김일성을 통해서 임상옥의 후손들로부터 얻은 유물임이 분명하고, 그 '깨어진 잔' 역시 후손들로부터 구한 유물이라면 그 잔을 내 눈으로 직접 봐야 한다고 생각했기 때문이었다.

만약 그 깨어진 잔이 임상옥이 스스로 고백하였던 '나를 이루게 해준 것은 그 하나의 잔'이라는 수수께끼의 문장에 나오는 바로 그 잔이라면 반드시 눈으로 확인하지 않으면 안 된다고 생각했던 것이다.

어렵게 여기저기 물어 한기철과 통화를 하게 되었다.

"그 깨어진 잔이 그토록 중요하시다면 보여드리거나 빌려드리는 것은 어렵지 않은 일입니다. 제가 서울로 돌아가는 즉시 정 선생님 댁으로 전화를 드리겠습니다."

나는 그의 전화를 기다렸다.

예정보다 하루가 지난 어젯밤 한기철로부터 전화가 왔다.

"어떻습니까. 내일 오후에 시간이 있으십니까. 그 잔을 보여드리고 싶어서 말입니다."

나는 좋습니다, 하고 대답했다.

그러자 그는 저녁 여섯 시까지 경기도 화성군 매화리에 있는 기평자동차 공장으로 와달라고 말했다. 나는 의외의 느낌이었다.

한기철이 그러한 내 마음을 벌써 눈치채었는지 말하였다.

"자동차공장 한구석에 돌아가신 회장님의 숙소가 있습니다. 서울에 있을 때에도 회장님은 일주일에 하루쯤은 그 공장의 숙소에서 머무르곤 했습니다. 노사분쟁이 심하던 80년대에는 아예 그 숙소에서 4, 5년 가량 머무르고 있었습니다. 어떤 의미에서는 그 숙소야말로 회장님의 집이라고 말할 수 있을 것입니다."

한기철은 다시 말을 이었다.

"정 선생님이 제게 부탁하셨던 《가포집》이란 고서가 발견된 곳도 바로 공장 속에 있던 숙소였습니다. 정 선생님이 지금 보고 싶어하시는 그 깨어진 잔도 숙소에 그대로 남아 있을 것입니다. 만약 정 선생님이 저와 함께 회장님의 숙소를 방문하신다면 그곳에서 또 다른 유물을 발견하실지도 모릅니다. 저희와 같은 문외한의 눈에는 띄지 않는다 하더라도 정 선생님과 같은 전문가의 눈에는 새로운 것이 발견될지도 모르니까요."

한기철의 말대로 그곳에 가면 그 깨어진 잔을 내 눈으로 직접 보고 확인할 수 있을 뿐 아니라 어쩌면 임상옥과 상관이 있는 유물들을 더 많이 발견할 수 있을지도 모른다.

바다를 끼고 뻗어내린 야산을 돌아가자 갑자기 산 아래로 자동차공장의 전경이 드러났다. 바다를 메워 조성한 간척지에 세운 공장이었다.

시간이 많이 남아 있었지만 그대로 약속장소인 공장 안으로 들어가기로 마음의 결정을 내렸다. 한기철은 오후 세 시부터 공장 안에서 중요한 회의가 있고 오후 여섯 시쯤 회의가 끝날 것이라고 말하였으므로 이미 도착해서 회의에 참석하고 있을 것이다.

바다를 향해 내려가는 야트막한 경사를 따라 천천히 차를 몰고 가는 동안 공장은 산 위에서 볼 때보다도 가까이 다가갈수록 엄청난 규모임을 확인할 수 있었다.

바다를 막은 방조제를 경계로 마치 바다 위에 떠 있는 거대한 항공모함처럼 자동차공장은 누워 있었다. 그것은 외부세계와 단절된 하나의 왕국과도 같아 보였다.

정문을 향해 차를 끌고 가자 굳게 차단기가 내려진 정문 수위실에서 사람이 나와서 다가왔다.

신분을 확인한 그는 내게 출입허가증을 내주면서 말하였다.

"길을 쭈욱 따라가시면 첫 번째 사무실이 나타날 것입니다. 그 사무실에 가시면 임영준 차장이란 분이 기다리고 계실 것입니다."

안내원이 가르쳐준 대로 곧장 앞으로 나아가자 작은 광장이 나타나고 광장에는 회사를 상징하는 조형물이 전시되어 있었다. 화강암으로 만든 조각이었다. 아니, 조각품이라기보다는 일종의 설치미술과도 같은 작품이었다. 거대한 원형의 조형물 두 개가 쌓아올린 석축계단 위에 포개어 누워 있었다.

그것은 바퀴〔輪〕의 상징물이었다.

두 개의 바퀴는 서로 경쟁하여 굴러가는 움직임과 속도를 나타내고 있었다. 또한 그 두 개의 바퀴는 바퀴에 미친 김기섭 회장의 철학을 암시하는 공간예술이기도 하였다.

그 광장 뒤편에 넓은 주차장이 마련되어 있었고 주차장에는 공장에서 갓 생산되어 출고된 신차들이 정돈되어 진열돼 있었다.

형형색색의 차들은 이제 마악 기울기 시작한 하오의 햇살을 받고 눈부시게 반짝이고 있었다. 바로 '이카로스'였다.

하오의 햇살을 받으며 형형색색의 빛깔들로 넓은 야적장에 정렬되어 있는 신차 이카로스의 모습들은 김 회장의 표현처럼 이제라도 당장 발굽으로 힘차게 땅을 박차고 말갈기를 휘날리면서 달려갈 준비를 끝내고 있는 기마(騎馬)들처럼 보였다.

나는 정문 안내원이 가르쳐준 대로 첫 번째 건물로 다가갔다. 차를 세우고 사무실 안으로 들어가 임 차장을 찾았다.

"어떡하죠. 아직 회의가 안 끝났는데요. 오신다는 연락은 받았습니다만."

젊은 차장은 회사 마크가 새겨진 푸른색 점퍼를 입고 있었다.

"한 실장님이 회의가 끝날 때까지 공장 내부를 시찰시켜 드리라고 했는데 괜찮으시겠습니까."

출발하기 전에 임 차장은 내게 안전모를 권했다.

공장은 몇 개의 단위공장으로 나뉘어 있었다.

엔진의 주물을 생산하는 주조공장, 자동차의 차체를 구성하는 부품을 생산하는 프레스공장, 자동차의 심장이라고 할 수 있는 엔진을 생산하는 엔진공장, 자동차의 주요 부품인 보디와 캐빈을 찍어내는 금형공장, 승용차의 보디 및 화물차의 캐빈 등 주요 차체를 도장하는 도장공장, 그리고 엔진공장으로부터 엔진, 도장공장으로부터 캐빈 및 보디 등 수만 가지의 각종 부품들이 집중되어 자동차가 조립되는 조립공장이었다.

내가 가장 흥미를 느낀 곳은 조립공장이었다. 3백 미터에 가까운 컨베이어가 거대한 공장 내부를 돌아가는 동안 수만 가지의 부품들이 조립되고 결합되어 신차 이카로스가 완성되어 나오고 있었다. 마치 하나의 정자(精子)로부터 인간이 탄생되듯 수만 개의 부품들이 합쳐져 마침내 현대인들의 말인 승용차가 탄생되는 것이다.

그것은 하나의 경이였다.

차야말로 현대문명의 꽃이며 과학문명의 총아라는 사실을 나는 불과 5분 만에 한 대씩 생산되는 공장 내부에서 뼈저리게 느낄 수 있었다.

서둘러 조립공장을 나오자 그가 말하였다.

"방금 회의가 끝나셨답니다. 실장님이 사무실에서 기다리고 계십니다."

사무실에서는 한기철이 나를 기다리고 있었다.

"그럼 회장님의 숙소로 함께 가실까요."

수평선 너머로 이미 해가 졌는지 선혈과 같은 붉은 노을이 수술대 위에 마취된 환자의 혼수상태처럼 번져가고 있었다.

우리는 공장의 내부를 깊숙이 가로질러 바다 가까이 가장 가늘게 뻗어내린 육지의 끝부분인 곶〔岬〕 쪽으로 다가갔다.

그곳은 땅의 끝부분이었으므로 삼면이 모두 바다였다. 바다를 메워 만든 간척지에는 마치 종합운동장 같은 스타디움이 건설되어 있었다. 웬 경기장이 공장 내부에 마련되어 있는가, 의아해 하였지만 자세히 보니 그것은 거대한 트랙이었다. 신차를 개발할 때마다 자동차의 성능을 테스트하기 위해서 만들어놓은 주행시험장인 모양이었다.

"이곳입니다."

자갈밭으로 이루어진 주차장에 이르자 한기철이 말하였다.

"이곳이 돌아가신 회장님의 숙소입니다."

한기철이 가리키는 주택을 바라보았다. 김 회장의 숙소라고는 생각할 수 없을 정도로 작고 낡은 단층 주택이었다. 원래는 밝은 페인트칠을 한 주택이었는데 바닷바람의 영향으로 빛이 바래 잿빛으로 변색되어 있었다.

"하지만 실제로 저 집은 회장님의 숙소가 아니라 살림집이라고 말할 수 있을 것입니다. 회장님은 해마다 연초에는 이곳에 와서 새해를 보내면서 새로운 계획을 세웠습니다. 그럴 때 회장님의 유일한 취미는 저기 보이는 주행시험장에서 직접 차를 몰고 트랙을 달려가는 일뿐이었습니다."

바다를 향해 만들어진 창문에 커튼이 굳게 드리워져 있어 내부가 보이지 않았다. 주택 앞으로 땅을 골라 정원이 만들어져 있었지만 그 흔한 정원수 하나 심어져 있지 않았다. 거친 바닷바람에 비틀어진 소나무들만 서 있을 뿐이었다. 한때 정원에 잔디를 심었던 흔적이 보였지만 서친 바닷바람의 짠 염기(鹽氣)로 대부분 죽어버린 듯 검은 흙만 보였다.

유일하게 멋을 부린 것이라곤 바다가 가장 잘 보이는 곳에 비치파라솔 한 개가 꽂혀 있는 것이었다. 그 파라솔의 빛깔이 유난히 현란해서 주위의 풍경과 부조화를 이루고 있었다. 한거울이어서 접어두면 좋으련만 시도 때도 없이 펼쳐져 있는 파라솔 밑으로 접으면 의자가 되고 펼치면 누울 수 있는 간이의자가 한 개 놓여 있었다.

"회장님이 이곳에 머무르실 때는 동네 아주머니 한 분이 와서 식사를 해주고 살림을 도와주곤 했습니다. 회장님은 혼자서 이곳에 머무르기를 좋아하셨습니다."

그는 미리 사무실에서 준비해온 듯 주머니에서 열쇠를 꺼냈다.

바다를 향해 만들어진 창문 위에 무슨 팻말 같은 것이 눈에 띄었다. 바다의 직사광을 막는 차양 아래로 나무로 만든 현판이 내걸려 있었다.

그 현판에는 다음과 같은 글씨가 씌어 있었다.

'戒盈堂(계영당)'

오래된 고목의 나무등걸을 베어내고 파내린 후 그 자리에 먹물을 입혀 만든 널조각이었다.

한기철의 말대로 이 초라한 주택이 김 회장이 가장 사랑하던 당우(堂宇)임이 확실하다면, 저 현판에 쓴 이름이야말로 김 회장 자신이 지은 당호(堂號)임이 분명할 것이다.

그런데 저 현판에 쓴 당호의 뜻은 무엇인가.

'戒盈堂'

굳이 그 뜻을 직역하자면 가득 채움을 경계하는 집'이란 뜻이 아닌가.

나는 손을 들어 그 현판을 가리키며 말하였다.

"저 말의 뜻은 무엇입니까."

한기철은 내가 가리킨 손끝을 바라보았다.

"글쎄요. 솔직히 말씀드려서 난 저곳에 저런 현판이 내걸려 있었던 것도 모르고 있었습니다. 회장님은 이 집을 '계영당'이라고 불렀을지는 모르지만 저희들은 이 집을 '청송대(靑松臺)'라고 부르곤 했지요."

수평선 위의 하늘을 붉게 물들이던 저녁노을도 차츰 사라져가고 어둠이 빠르게 밀려오고 있었다. 바람에 실린 갈매기들이 머리 위로 꾸룩꾸룩 울음소리를 내면서 종이연처럼 날아갔다.

"자, 들어가실까요."

한기철은 열쇠를 구멍 속에 넣어 비틀었다. 찰카닥, 자물쇠가 열렸다. 아직도 잔광이 남아 있어 시야가 밝은 바깥과는 달리 실내로 들어오자 앞을 분간할 수 없을 정도로 어두웠다.

"가만 있자, 여기 어딘가에 스위치가 있었는데."

혼잣말을 하면서 한기철이 벽을 더듬었다. 그러다 마침내 스위치를 발견하였는지 딸깍 하는 소리가 나고 이어서 반짝이며 실내의 등이 켜졌다.

불이 켜지자 거실의 모습이 한눈에 들어왔다. 평범한 실내의 풍경이었다. 손님을 맞는 소파가 한 세트 놓여 있었고, 벽면에 만들어진 붙박이장에는 몇 권의 책이 꽂혀 있었다. 대충 책의 제목을 훑어보았지만 교양서적은 전혀 없고 모두 전문서적들이었다.

집도 주인을 잃으면 차츰 무너져가는 것일까. 실내에는 냉랭한 한기가 감돌고 있었다.

한기철은 서둘러 창문의 커튼을 열어젖혔다. 땅거미가 내리고 있는 저녁바다 위로 아직 완전히 사라지지 않은 낙조의 잔광이 남아 있어, 창문으로 쏟아져 들어오는 황금의 노을빛이 눈이 부실 정도였다.

낡고 초라한 외양의 모습처럼 집의 내부도 지극히 검소하였다. 멋을 부리기 위한 가구나 장식품은 전혀 보이지 않았다. 있는 물건들은 지극히 생활에 필요한 도구뿐이었다. 다만 소파에서 맞은편 쪽에 대형 TV수상기 세 대가 나란히 놓여 있었다. 연달아 놓여 있는 세 대의 TV는 집안의 분위기와 어울리지 않는 이질적인 것이었다.

"회장님에겐 이상한 버릇이 있으셨습니다. TV를 즐겨 보시지는 않았지만 스포츠중계나 뉴스 시간은 꼭 챙겨서 보시곤 하셨습니다. 그럴 때면 한 프로그램에 집중하시지 않고 한꺼번에 모든 방송국의 프로그램을 동시에 보시는 습관을 갖고 있었습니다. TV수상기가 세 대 나란히 놓인 것은 바로 그런 이유 때문입니다."

활짝 열린 창문을 통해서 찬 바닷바람이 폭포처럼 쏟아져 들어오고 있었다.

"회장님의 침실로 들어가실까요."

그는 다시 주머니에서 열쇠꾸러미를 꺼내었다. 만일을 생각해서 방마다 안전장치가 마련되어 있는 것 같았다.

방문을 열고 김 회장의 침실로 들어섰을 때도 방안은 캄캄하였다. 벽면을 더듬어 다시 스위치를 올리자 깜박깜박거리다가 불이 켜졌다.

방안은 거실보다 더욱 협소하였다.

이 방이 기업 총수가 일주일에 하루는 반드시 잠을 자고 가는 방 일까 싶게도 작았다.

벽에는 붙박이 옷장이 만들어져 있었고, 한 사람이 잘 수 있는 침대가 덩그렇게 누워 있었다. 그리고 바닷가를 향해 책상과 걸상이 놓여 있었고, 책상 위에는 작은 방과는 어울리지 않게 큰 지구본 하나가 놓여 있었다.

"선생님께서 부탁하신 임상옥의 책이 발견된 곳이 바로 이 책상 속에서였습니다."

나는 그가 가리킨 손가락 끝을 눈으로 좇아보았다. 그 책상 머리맡 스탠드 옆에 무슨 조그마한 토기 하나가 있었다. 진흙과 같은 황토로 구워낸 평범한 고배였다.

하지만 그 잔을 본 순간 나는 직감적으로 그 잔이 바로 한기철이 말하였던 그 잔임을 알 수 있었다.

과연 잔은 옆부분이 삼분의 일 가량 깨어져 있었다. 한눈에도 매우 단단한 잔이었는데 잔이 이렇게 깨진 것은 실수해서 떨어뜨린 것이 아니라 일부러 깨뜨린 것 같은 느낌을 주고 있었다.

화려하진 않지만 그렇다고 초라해 보이지도 않았다. 아니, 오히려 얼핏 보면 단순해 보였지만 전체적인 모습은 자연스럽고 기품까지 있어 보였다. 깨어지지만 않았어도 고가의 골동품임에는 틀림이 없었다.

나는 이것이야말로 김 회장이 북한의 김일성 주석을 통해 임상옥의 후손들로부터 직접 구해온 유물임이 틀림없다고 결론내렸다. 김 회장에게 있어 임상옥은 평생을 통해 사숙했던 스승이었다. 그 스승의 저서를 책상 속에 넣어 보관하고 있었다면 스승의 유물도 가장 눈에 잘 띄는 책상머리에 보관하고 있었을 것이다.

임상옥이 쓰던 물건임에 틀림이 없다면 이 잔은 임상옥이 《가포집》에서 스스로 고백했던 '나를 낳아준 사람은 부모이지만 나를 이루게 해준 것은 그 하나의 잔(生我者父母 成我者一杯)'이라는 문장 속에 나오는 바로 그 잔일 것이다.

나는 그 잔을 들어 내부를 들여다보았다. 술을 따라 먹는 술잔인지, 아니면 차를 따라 먹는 찻잔인지 용도는 불분명하였지만 무심코 들여다본 잔의 내부에는 무슨 흔적 같은 것이 남아 있었다.

　나는 확인해보기 위해서 스탠드 불을 켰다. 스탠드의 밝은 불빛 속에서 들여다본 그 흔적은 일부러 새겨넣은 것 같은 몇 개의 문장이었다.

　그러나 워낙 그 글씨가 작았으므로 밝은 스탠드 불빛으로도 그 글자를 판독할 수 없었다. 다행히 책상 위에 놓인 볼펜이나 만년필을 꽂아두는 연필통 속에 확대경 하나가 꽂혀 있는 것을 발견할 수 있었다.

　나는 확대경을 꺼내어 그 글자를 읽어보았다.

　첫 번째의 한자는 계(戒) 자였다. 그러나 두 번째의 글자는 제대로 보이지 않았다. 시선을 집중해서 호흡을 멈추고 들여다보자 마침내 두 번째의 글자를 판독할 수 있었다. 그것은 영(盈) 자였다. 나머지 두 개의 글자는 단숨에 읽을 수가 있었다.

　그것은 기(祈) 자와 원(願) 자였다.

　이를 합쳐서 읽어보면 다음과 같다.

　'戒盈祈願'

　그러나 술잔에 새겨진 글자는 그뿐만이 아니었다. 연이어서 또 다른 글자가 새겨져 있었는데 안타깝게도 글자의 배열상 두 개의 문자는 깨진 부분에 새겨져 있어 잔이 깨어져나갈 때 함께 떨어져 나가 박락(剝落)되어버린 모양이었다. 나머지 두 개의 글자는 다음과 같았다.

그것은 동(同) 자와 사(死) 자였다.

그러므로 전체적인 문장을 정리해보면 다음과 같이 된다.

'戒盈祈願 ○ ○ 同死'

그 순간 나는 심장이 멎는 것 같은 충격을 느꼈다. 아니 이럴 수가.

잔을 쥔 내 손이 와들와들 떨리는 모습을 보자 놀란 한기철이 걱정스런 목소리로 내게 물었다.

"왜 그러십니까. 어디가 편찮으십니까."

"아, 아닙니다."

나는 헐떡이면서 대답하였다. 그러나 손쉽게 흥분을 가라앉힐 수가 없었다.

이것은 기적이다. 어쩌면 이런 일이 구체적인 현실로 나타날 수가 있는가.

나는 깨진 잔을 들어 조심스럽게 살펴보았다. 그 순간 떨어져나간 조각에 새겨져 있던 두 개의 문자가 무슨 글자인가를 알아낼 수 있었다.

그것은 여(與) 자와 이(爾) 자의 두 자였다.

그러므로 다시 한번 전체적인 문장을 정리해보면 다음과 같다.

'戒盈祈願 與爾同死(계영기원 여이동사)'

그 뜻을 직역하면 다음과 같은 내용이다.

가득 채워 마시지 말기를 바라며 너와 함께 죽기를 원한다.'

이 뜻은 도대체 무엇을 말하고 있음인가. 가득 채워 마시지 말라(戒盈祈願)'는 뜻은 쉽게 알 수 있다. 문자 그대로 이 잔에 술이건, 차건, 무엇이건 가득 채워서 마시지는 말라는 뜻이다. 그러나 너와 함께 죽기를 원한다(與爾同死)'란 뜻은 무슨 내용인가. 그대와 함께 죽기를 바란다에서 그대(爾)는 도대체 누구를 말함인가.

그보다도, 어째서 이런 기적이 일어날 수 있단 말인가.

이 깨어진 잔이야말로 임상옥의 유물인 '계영배(戒盈杯)'인 것이다.

임상옥은 이 잔을 스스로 계영배라고 이름짓고 언제나 어디서나 소중하게 지니고 다니지 않았던가.

그러나 계영배에 대한 이야기는 어디까지나 야사(野史)에만 나오고 있는 일종의 민담으로 실제로는 존재하지 않았던 민화(民話) 속의 전설에 불과한 것이다.

그러나 전설 속에 나오는 계영배가 이처럼 실제로 존재하고 있지 아니한가. 임상옥의 후손에 의해 소중하게 가보로 전해져 내려오던 바로 그 계영배가 이처럼 야사의 심연에서 정사(正史)의 표면으로 떠오르고 있지 아니한가.

석숭 스님이 임상옥의 미래에 닥칠 세 번의 위기를 점지하고, 그 위기를 벗어나는 비기(祕器)로 전해준 바로 그 잔.

계영배(戒盈杯).

이 잔이 바로 그것이었다.

임상옥은 이 잔의 이름을 스스로 계영배라 작명하고 평생 이 잔을 소중하게 가지고 다녔다. 그리하여 마침내 이 계영배야말로 임상옥이 고백한 바로 그 '하나의 잔(一杯)'이었던 것이다.

나는 김 회장의 집으로 들어오기 직전 창문 위에 내걸린 현판에 새겨진 당호를 떠올렸다.

계영당(戒盈堂).

김 회장은 유일한 보금자리의 초라한 처마 밑에 자신이 지은 당호를 나무널판에 새겨 이를 내걸었다.

그렇다면.

김 회장은 이미 이 계영배의 비밀을 알고 있었다. 이 깨진 평범한 잔에 숨겨진 엄청난 비밀. 임상옥을 구사일생하게 한 이 계영배의 모든 비밀을 꿰뚫어 보고 있었던 것이다.

'가득 채움을 경계하는 집'이라는 당호를 스스로 지어 그 현판을 처마 밑에 내걸음으로써 계영배에 얽힌 임상옥의 교훈을 자신의 경영철학으로 삼고 있었던 것이다.

나는 좀체로 흥분한 마음을 가라앉힐 수가 없었다. 그러한 내 마음을 알아차린 한기철이 묵묵히 지켜보고 있다가 오랜 침묵 끝에 말하였다.

"이 깨진 잔이 아주 중요한 유물이라도 되는 모양이지요."

"글쎄요."

아직 구체적인 계영배에 얽힌 비밀을 밝혀내지 못하였으므로 나는 애매하게 대답할 수밖에 없었다.

"어쨌든 이 잔을 제가 빌려 가겠습니다."

나는 그 잔을 가방 속에 집어넣었다. 창밖은 완전히 어두워져 있었다. 젖힌 커튼 너머로 어둠 속에 갇힌 짐승처럼 울부짖는 파도의 고함소리만 들려오고 있었다.

"어떻게 할까요."

방안을 뒤져보는 일을 끝내자 한기철이 말했다.

"이제 모든 일이 끝났으니 어디 가서 식사라도 하고 함께 올라가시지요."

"좋습니다."

내가 대답하자 한기철이 말을 하였다.

"공장에서 가까운 곳에 작은 어촌이 있습니다. 주로 공장에서 일을 하는 생산직 사원들을 상대로 형성된 어촌인데 제법 회가 싱싱하고 먹을 만합니다. 그곳에 가서 간단히 식사 겸 반주를 하시지요."

어둠과 함께 해풍이 기승을 부리기 시작하였는지 집 밖으로 나서자 벌떼 같은 바람의 입자들이 한꺼번에 일어서서 소나무숲과 집을 할퀴고 있었다. 소나무숲 사이로 빠져 스쳐가는 바닷바람 소리가, 페달을 밟은 풍금소리처럼 위잉— 위잉— 하고 들려오고 있었다.

그날 밤.

한기철과 나는 어촌의 자그마한 횟집에서 밤늦게까지 술을 마셨다. 처음에는 차를 타고 집으로 돌아올 것을 염려해서 술을 마시지 않았지만 오늘 밤은 공장 안에 있는 숙소에서 함께 잠을 자고 내일 아침 일찍 올라가자는 한기철의 유혹에 넘어간 나는 작정하고 술을 마시기 시작하였다. 도저히 술을 마시지 않고 그냥 맨송맨송한 정신으로 앉아 있을 수가 없었기 때문이다.

원래는 바다에서 고기를 잡아 생활을 하던 제법 큰 어항이었는데 공장이 들어서고 난 뒤 많은 어부들이 다른 곳으로 떠나버리고 난 듯 황량한 어촌이었다. 바다 가까이 횟집들이 줄지어 서 있었다. 주로 공장에서 일하고 있는 생산직 근로자들을 상대로 해서 술집이자 밥집을 겸하고 있었다. 회사 마크가 새겨진 푸른 점퍼를 입은 청년

들이 곳곳에 모여 있었다. 어둠을 밝힌 알전구들이 가게들의 입구를 환하게 만들어 어촌의 정취를 돋보이게 하고 있었다. 방파제 너머로 횟집에 생선을 대주는 고깃배들이 정박해 있었고, 방파제를 때리는 파도의 포말이 안개비처럼 어항을 적시고 있었다.

우리가 들어간 횟집은 한기철의 단골집인 모양이었다. 가게 앞 수족관에서 횟감으로 요리할 생선을 미리 고르고 나서 한기철은 음식점 주인에게 뭐라고 귓속말을 하였다.

"우리 둘이서만 앉아서 멋쩍게 술을 마실 수는 없잖아요. 좀 계셔보세요. 재미있는 일이 생길 겁니다."

한기철이나 나나 술을 급하게 마시는 편이었다. 권커니 잣거니 소주 한 병이 금세 비었을 무렵 방파제 앞길로 오토바이 한 대가 나타났다. 헬멧을 쓴 젊은이가 음식점 앞에 오토바이를 세웠고 뒷좌석에서 여인 하나가 내렸다. 여인을 내려주고 청년은 다시 오토바이를 타고 사라졌다.

키가 크고, 한겨울인데도 짧은 치마를 입은 젊은 여인이 우리에게로 다가왔다. 여인은 보자기로 싼 물건을 들고 있었다. 여인은 사무적으로 와서 사무적으로 말하고 사무적으로 앉은 다음 사무적으로 보자기를 풀었다. 그러자 보자기 안에서 보온병 하나와 잔 두 개가 나왔다. 여인은 보온병에 들어 있는 커피를 잔에 따르기 시작하였다.

"커피를 시키셨어요."

나는 이해가 가지 않아서 어리둥절한 표정으로 물었다.

"물론입니다. 커피부터 마시는 게 술꾼들의 주도(酒道)가 아닙니까. 이리 와 앉아라. 네 이름이 뭐지.”

“이향란이에요.”

여인은 사무적으로 대답하였다.

“가명 말구 본명이 뭐냐니까.”

짓궂게 한기철이 캐물었다.

“이향란이 제 본명이에요.”

젊은 여인은 사무적으로 대답하였다. 그러자 한기철은 껄껄 소리 내어 웃었다.

“맞아 맞아. 향란이면 어떻고 향단이면 어때. 자, 술이나 한 잔 마시시지.”

여인이 따른 커피는 아무도 마시지 않고 대신 술잔부터 채웠다. 여인은 주면 주는 대로 단숨에 술을 마셨다. 나이는 젊은데 세파에 지친 얼굴을 하고 있었다. 눈과 코, 입술 어느 곳 하나 성한 데가 없이 모두 뜯어고친 얼굴이었다. 그러나 비록 세파에는 지쳐 있었지만 젊은 나이가 주는 낙천적인 명랑함이 술기운이 들어가자 곧 드러나기 시작하였다.

술이 들어가자 여인의 몸에서 공식적인 태도가 갑자기 사라졌다. 여인은 한기철의 어깨를 손으로 때리며 오빠라고 아양을 떨었다. 오빠라는 호칭이 싫지 않은 듯 한기철은 그럴 때마다 술잔을 부딪치며 술을 마셨다.

어느 정도 주기가 오르자 한기철이 여인에게 노래 부를 것을 권하였다. 미리 음식점 주인에게 노래를 부르는 여인을 골라 주문했는지 여인은 노래를 시키자 서슴지 않고 노래를 부르기 시작하였다.

"사아공에의 배엣노래에 가아무울거리이며 사암하악도오 파도오 기입피이 스머드느은데에…."

여인이 노래를 부르자 한기철은 젓가락으로 식탁을 두드리기 시작하였다.

그제야 한기철이 왜 티켓을 끊고서라도 다방에 있는 젊은 여인을 불러왔는지 그 이유를 알 수 있을 것 같았다.

음식점 창문 밖으로 검은 밤바다의 파도가 연신 으르렁거리고 있었고, 시간이 늦었는지 서성이던 근로자들의 모습도 사라져버린 텅빈 어항. 거리를 밝히기 위해 내건 안전등의 흐린 불빛만이 막장같이 캄캄한 바다를 밝히고 있었다.

스산한 바닷바람과 유령과 같은 파도소리를 뚫고 노래 부르는 여인의 목소리야말로 모든 것이 스러지고 모든 것이 죽어가고 있는 이 바다의 공동묘지 속에서 유일하게 생명력을 지니고 살아 있는 것만 같았다. 여인이 '남자는 배, 여자는 항구' 하고 노래 부르면 실제로 남자는 배, 여자는 항구 같았다. 여인이 '나팔꽃보다 짧은 사랑아, 속절없는 사랑아' 하고 노래 부르면 실제로 사랑이 나팔꽃 같고, 사랑이 속절없는 짓 같았다. 여인이 '사랑 때문에 침묵해야 할 나는 당신의 여자, 그리고 추억이 있는 한 당신은 나의 남자' 라고 노래 부르면 아아 그렇구나, 추억이 있는 한 나는 당신의 남자로구나 하고 머리가 끄덕여졌다.

한기철도 노래를 부르기 시작하였다. 평소에 보던 그의 모습이 아니었다.

"넓고 넓은 바닷가에 오막살이 집 한 채, 고기 잡는 아버지와 철

모르는 딸 있네. 내 사랑아 내 사랑아 나의 사랑 클레멘타인…."

그는 거의 악을 쓰면서 노래를 부르고 있었다. 그것은 노래가 아니라 절규이자 발악이었다.

나는 들고 온 가방 속에서 깨어진 잔을 꺼냈다. 계영배. 나는 그 잔을 식탁 위에 올려놓고, 그 속에 소주를 따랐다. '가득 채움을 경계하는 잔'이란 이름 그대로 그 잔에는 술을 가득 채울 수가 없었다. 깨어져 있어 가득 채우면 술이 밖으로 흘러나왔기 때문이었다.

그때였다.

술을 따른 잔을 물끄러미 들여다보던 나는 놀라운 사실을 발견할 수 있었다. 그것은 잔 속에 새겨져 있던 깨알같이 작은 글자들이 물에 부풀어오른 듯 확대되어 크게 보인다는 점이었다. 육안으로 판독할 수 없을 만큼 작은 글자여서 확대경을 통하지 않고서는 그 문장을 읽을 수 없을 정도가 아니었던가. 그러나 술로 잔을 채우자 빛의 굴절로 깨알같이 작은 문장들이 선명하게 드러나 보이는 것이었다.

'계영기원(戒盈祈願)'

나는 취한 눈을 부릅뜨고 술잔에 어리는 첫 번째 문장을 들여다보았다. 나머지 문장은 깨어진 술잔의 떨어져나간 부분에 새겨져 있었으므로 단지 두 자의 글자만 남아 있을 뿐이었다.

'…동사(同死)'

나는 혼잣말로 중얼거렸다.

가득 채워 마시지 말기를 바라며 너와 함께 죽기를 원한다.'

그렇다. 이 잔은 석숭 스님을 통해 임상옥에게 내려진 비기이다. 이 잔은 다시 임상옥에게서 2백여 년 만에 김기섭에게 전해졌다. 그리고 마침내 김기섭에게서 내게까지 내려온 것이다. 마치 계주경기에서 주자들이 바통을 터치하듯.

여인과 한기철은 일어서서 함께 노래를 부르면서 부둥켜안고 춤을 추고 있었다.

젊은이들이 즐겨 부르는 빠른 템포의 노래였다.

"쿵따리 샤바라 빠-빠-빠-빠 쿵따리 샤바라 빠-빠-빠-빠-빠-빠……."

한기철은 눈을 감고 악을 쓰면서 노래를 따라 부르고 있었고 여인은 여인대로 몸을 흔들며 춤을 추고 있었다. 넓은 음식점의 실내에는 세 사람뿐으로 우리는 함께 어울리고 있었지만 결국은 모두 혼자였다. 여인은 여인대로 제 흥에 겨워 춤을 추고 있었고 한기철은 한기철대로 제 기분에 취해서 마치 격렬한 투쟁을 벌이는 노동자처럼 주먹을 휘두르며 노래를 부르고 있었다. 나는 그들과 상관없이 계영배에 술을 따라 자작하고 있었다.

술을 많이 마셔서 몹시 취해 있었지만 이상하게도 정신은 명료하게 맑았다.

마음속으로 하나의 상념이 끊임없이 떠오르고 있었다.

석숭 스님은 속세로 떠나는 임상옥에게 최대의 위기를 물리칠 비기로 이 계영배를 선물로 주었다. 그러나 석숭이 임상옥에게 주었을 때 이 잔은 한군데도 깨지거나 파손되지 않은 온전한 잔이었다. 또한 임상옥은 이 잔을 소중하게 간직하고 있었으므로 함부로 보관하여 이처럼 깨트릴 정도의 과오를 범하지 않았을 것이다.

그러나 결과적으로 이 잔은 깨어졌다. 깨어져도 삼분의 일 가량이 파손될 정도로 무참하게 깨어진 것이다.

밤이 깊었는지 부둣가의 불빛도 하나씩 둘씩 꺼져가고 있었다. 그새 기승을 부리던 바닷물도 썰물로 돌아서서 파도소리가 재갈을 물린 듯 잦아들었다. 찾는 사람들이 끊긴 듯 어촌도 파장을 보이고 있었다. 파도소리가 잦아들자 신기하게도 미친 듯 날뛰던 해풍도 함께 스러들었다. 언제 그런 광기를 부렸냐는 듯 시치미를 뗀 말끔한 바다 위로 눈부신 월광이 부서지고 있었다.

잦아든 파도처럼 여인과 한기철도 가라앉아 남은 술을 서로 나눠 마시고 있었다.

나는 계영배를 들여다보면서 생각하였다. 이 계영배가 석숭 스님의 예언대로 임상옥을 마지막 위기에서 벗어나게 해준 것이 아니라 이 잔이 깨어질 수밖에 없었던 숨겨진 사연이 임상옥을 마지막 위기에서 벗어나게 해준 것이 분명하다.

마찬가지로 이 계영배가 임상옥을 전에도 없고 앞으로도 없을 전무후무한 거부로 만들어준 것이 아니라, 이 계영배가 깨어질 수밖에 없었던 그 사연이 임상옥을 조선 최대의 무역왕으로 만들어주었을 것이다.

미리 약속이 되었던지 달빛이 가득한 푸른 방파제 둑길 위로 젊은 여인을 태워다주었던 헬멧을 쓴 청년이 아까부터 오토바이를 타고 와서 발동을 걸고 있었다. 일부러 젊은 여인에게 사인으로 보내는 듯 부르릉부르릉 엔진소리를 요란하게 내뿜고 있었다.

"갈 사람은 가야지."

선선히 지갑을 꺼내 티켓값을 지불하면서 한기철이 한바탕 잠에서 깨어난 사람처럼 중얼거렸다.

"안녕히 계세요. 잘 놀았어요."

여인은 사라졌다.

우리는 묵묵히 창문을 통해 그 여인이 몽환적인 푸른 달빛 속에서 오토바이의 뒷좌석에 타는 모습을 지켜보았다. 여인이 한 손으로 사내의 허리를 휘감자 기다렸다는 듯 투투타타 투투타타— 오토바이가 굉음을 울리며 사라졌다. 우리는 말없이 소주병에 남은 술을 서로의 잔 속에 따랐다. 간신히 한 잔씩을 채우고 술은 떨어졌다.

싱싱한 회임을 나타내 보이기 위해 일부러 살아 있는 생선의 모가지를 올려놓은 접시 속에서 꿈벅이던 생선의 눈도 이미 잠들어 있었다.

우리는 마지막 잔을 채워 마시고 일어섰다. 밤하늘엔 엄청나게 큰 달이 떠 있었고 월광이 잔잔한 바다 위에 일렁이고 있어서 바다는 마치 거대한 꽃밭과도 같았다.

남자는 배, 여자는 항구.

좀 전에 들었던 여인의 노래를 떠올리면서 나는 통속적으로 중얼거렸다.

그래, 이제 또다시 떠날 때가 되었다. 항구를 떠나는 배처럼.

2

인사동 거리는 사람들로 붐비고 있었다.

봄철을 맞아 각종 전시회가 열리고 있는지 골목의 전신주마다 플

래카드가 내걸려 있었고 전시장을 알리는 포스터들이 나부끼고 있었다. 화랑들과 골동품상, 낡은 고서들을 취급하는 전문책방들과 솜씨를 낸 카페들과 한옥들이 밀집되어 있는 인사동 골목은 낡아서 어딘지 퇴락하고 있는 느낌이 들지만 그 나름대로의 운치를 지니고 있었다.

박재정(朴在正)이 경영하고 있는 '고예관(古藝館)'은 인사동에서도 후미진 골목 안에 자리잡고 있었다. 유난히 햇빛이 비치는 양지쪽으로 난 쇼윈도에는 낡은 민화 몇 점이 전시되어 있었다. 사계의 전문가로 알려진 박재정의 점포 치고는 작고 소박하였다.

문을 열자 문에 걸린 종이 딸랑딸랑 울렸다. 눈부신 봄볕이 흘러넘치는 바깥에서 어두운 실내로 갑자기 들어선 탓일까, 어디가 어디인지 분간이 가질 않았다.

"어서 오세요."

누군가 나를 반기는 소리가 났다.

맑은 여인의 목소리였다.

좁은 실내는 골동품으로 가득 차 있었고 그 구석진 자리에 여인 하나가 차를 마시며 앉아 있었다. 햇볕 쪽으로 평상이 놓여 있었고 그 평상 위에서는 작은 화분 속의 꽃들이 낡은 골동품 속에서 비현실적인 화려한 빛깔로 번득이고 있었다.

나는 여인에게 내가 찾아온 용건을 말하였다. 그러자 여인은 "잠깐 기다리세요"라고 말한 다음 내실로 사라졌다.

나는 의자에 앉아서 이 골동품 상점에 찾아온 목적을 잠시 생각하였다.

김기섭 회장의 자동차공장 안 숙소에서 본 계영배.

나는 그 잔에 새겨진 '계영기원 여이동사(戒盈祈願 與爾同死)'란 여덟 개의 글자, 즉 '가득 채워 마시지 말기를 바라며 너와 함께 죽기를 원한다'란 내용의 글자를 통해 그 술잔이 전설이나 야담 속에 등장하고 있는 임상옥의 그 유명한 계영배란 확신을 갖게 되었다.

그러나 과연 그러한가.

그 깨어진 술잔이 전설 속에 나오는 계영배에 틀림이 없을 것인가.

나는 그 계영배가 진품인가 아닌가의 진위 여부를 판별해볼 필요가 있었다.

수소문 끝에 소개받은 사람은 TV 같은 곳에서 공개적으로 골동품 가격을 매기는 사람이며, 골동품 감정에 뛰어난 심미안을 가진 것으로 소문이 난 박재정이란 사람이었다. 박재정이 사계의 권위자라는 사실을 소개해준 대학 후배는 누누이 강조하고 있었다.

"기다리고 계십니다."

사라졌던 여인이 다시 나타나 나를 안내하였다.

안으로 난 쪽문을 열자 작은 내실이 나타났다. 그 안에 박재정이 앉아 있다가 나를 맞았다.

낡은 한옥을 개조해서 만든 상점 겸 살림집이었는지 작은 내실의 천장 위로 서까래가 그대로 지나가고 있는 것이 보였다.

나를 안내해준 여인은 아마도 박재정의 부인인 모양이었다. 여인이 녹차를 가져오기를 기다려 우리는 뜨거운 차를 함께 나눠 마셨다.

오랜 침묵이 흐른 뒤 박재정은 이윽고 입을 열어 말하였다.

"물건은 갖고 오셨습니까."

"갖고 왔습니다."

나는 들고 온 가방 속에서 계영배를 꺼냈다.

내가 잔을 내밀자 그는 두 손으로 그 잔을 받았다. 그는 두 손에 흰 장갑을 끼고 있었다.

그는 잔을 유심히 들여다보았다. 다행히 거리 쪽으로 작은 창이 하나 나 있었고 그곳으로 눈부신 봄햇살이 흘러들어 오고 있었으므로 광량은 충분하였다. 육안으로만 잔을 들여다보던 박재정은 무엇인가 발견하였는지 확대경을 찾아들고 잔을 면밀하게 다시 들여다보기 시작하였다.

한복을 입고 있어 나이가 들어 보일 뿐 나보다 연하의 모습이었다. 젊은 사람이 어떻게 골동품 감정 같은 부문에서 제일인자가 될 수 있을까, 하고 나는 생각하였다.

이윽고 감정이 끝난 듯 박재정은 잔을 탁자 위에 내려놓았다.

"무엇을."

박재정은 놓아두었던 찻잔을 들어 다시 한 모금 마시면서 나를 쳐다보았다.

"무엇을 아시고 싶으십니까."

"우선 이 잔이 언제쯤 만들어졌을까 그 연대를 알고 싶습니다."

"아마도 한 2백 년 정도는 되었을 것입니다."

박재정은 대답하였다.

나는 안도의 한숨을 쉬었다.

임상옥은 1779년에 출생하여 1855년에 숨을 거뒀다. 지금으로부터 2백여 년 전의 인물인 것이다. 그러므로 계영배가 2백여 년 전에 만들어졌다는 박재정의 감식은 정확한 것이다. 이 깨진 술잔이 임상옥의 진품일 가능성이 높아지는 것이다. 그러나 그것으로 모든 것이 끝난 것은 아니다.

"그렇다면 이 잔을 만든 곳은 어디입니까."

"이 잔이 만들어진 곳은."

박재정이 녹차를 마시면서 천천히 말을 이었다.

"아마도 경기도 광주군 일대에 있었던 분원일 것입니다. 당시 광주군 일대에는 사옹원(司饔院)이라는 관원이 있었습니다. 일종의 관영 사기제조장(官營沙器製造場)인 셈이었지요. 국가가 필요로 하는 관어용(官御用) 도자기들은 국가가 직접 담당하여 전국의 명인들을 경기도 광주에 집합시킨 후 그곳에서 직접 사옹원의 임무 아래 임금이 쓰거나 혹은 궁중에서 쓰는 그릇들을 만들도록 하였습니다. 이 잔은 그곳에서 만들어진 특산품 중의 하나임이 분명합니다."

박재정은 흰 장갑을 낀 손으로 소중하게 술잔을 들고서 낮은 소리로, 그러나 확신에 가득 찬 목소리로 말을 이었다.

"당시 광주 지방에서는 사옹원에서 번조소(燔造所)를 만들어 왕궁용 사기그릇을 조달하는 수공업장을 설치하고 있었는데 여기에는 종8품직의 봉사가 번조관(燔造官)으로 파견되어 직접 사기그릇의 생산을 독려하였습니다. 기록에 의하면 숙종 20년 그러니까 1694년의 경우에는 1년에 천3백 죽의 사기그릇이 궁중에 납품되었다고 합니다. 여기에서 말하는 한 죽은 열 개의 그릇이므로 일년간 납품되는 그릇은 모두 만3천여 개의 엄청난 숫자였을 것입니다."

"그렇다면."

나는 물었다.

"이 그릇은 그렇게 생산된 만3천여 개의 그릇 중 하나라고 말할 수 있겠습니까."

"그렇지는 않습니다."

박재정은 머리를 흔들었다.

"기록에 의하면 당시 사옹원에 소속된 사기장(沙器匠)이 380명이었다고 전해지고 있습니다. 이들은 철저히 분업이 되어 각자 맡은 일에만 충실하고 있었는데, 예를 들면 작업 감독을 맡은 변수(邊首)와 성형을 맡은 조기장(造器匠), 굽는 일을 하는 마조장(磨造匠)과 보조를 맡은 건화장(乾火匠), 제조를 맡은 수비장(水飛匠), 연토(鍊土)를 맡은 연장(鍊匠), 수정(修正)을 맡은 참역(站役)과 번조(燔造)를 맡은 화장(火匠), 번조 책임장인 부호수(釜戸首)와 번조 살핌을 맡은 감화장(監火匠), 화공인 화청장(畵靑匠)과 유약조합(釉藥調合)을 맡은 연정(鍊正)과 시유(施釉)를 하는 양수장(養水匠), 제품의 선별을 맡은 파기장(破器匠) 등입니다. 이처럼 엄격하게 분업화된 가운데 사기장들은 평생 불만 때는 일, 평생 물레질하는 일로 지내는 사람들이었으므로 누구나 자기 분야에 있어서는 달인들이라고 말할 수 있었을 것입니다. 하지만 이 그릇은 엄격히 말해서 광주분원에서 만들어진 그릇임에는 분명하지만 그렇다고 관어용으로는 보이지 않습니다. 왜냐하면 대부분의 관어용들은 궁중에서 쓰이는 그릇임을 알리는 표시 같은 것이 되어 있는 데 반해 이 그릇에는 그러한 표시가 보이지 않습니다. 따라서 이 그릇은 당대 최고의 명인 중 한 사람이 관어용과는 상관없이 자신의 개인 창작품으로 만든 물건임에 틀림이 없을 것입니다."

박재정은 말을 이었다.

"내가 이 그릇이 관어용이 아니라고 보는 또 다른 이유는 그릇 안쪽에 글씨가 새겨져 있다는 점입니다. 그 글자는 모두 여섯 자였습니다. 처음 넉 자는 계영기원(戒盈祈願)이었는데 나머지 두 글자는 동사(同死)였습니다. 원래는 여덟 자가 새겨져 있었던 것 같습니다. 불행하게도 잔이 깨어져나간 부분에 그 글자들이 새겨져 있었던 모양입니다. 이 그릇은 분명히 광주분원에서 제작된 물건이지만 관어용은 절대로 아닙니다. 궁중에서 쓰여질 그릇에 사사로운 개인의 낙서가 새겨진 그릇이 납품될 리는 없기 때문이지요. 사기장들은 대부분 한여름에만 모여서 궁중용품을 만들고 나머지 한 철에는 사발, 대접, 접시 등 사제품들을 만들어 직접 육로로 혹은 배를 타고 전라도, 경상도, 강원도 산골지방으로 돌아다니면서 물건을 팔았는데, 당장 돈 없는 농가에는 외상으로 나눠 주었다가 가을이 되면 곡식으로 받거나 현금으로 받아서 돈을 벌기도 했습니다. 그러므로 이 잔은 당대 제일의 명장이 자신의 창작품으로 만든 특산품일 가능성이 높습니다."

박재정은 잠시 말을 끊고 자신의 찻잔에 뜨거운 녹차를 더 따랐다. 이야기를 하는 도중에 찻물이 식었던 모양이었다. 나는 다시 물어 말하였다.

"솜씨는 어떻습니까."

"한마디로 말해서."

뜨거운 찻물을 한 잔 마시고 나서 박재정은 말을 이었다.

"최고의 솜씨를 가진 사람의 작품입니다. 그러나 아쉬운 점은 그릇이 작고 또한 깨어져 있다는 점입니다."

"골동품으로서의 가치는 어떻습니까."

나는 그가 TV 같은 곳에서 골동품과 같은 물건들을 직접 감정해 주고 시청자들을 위한 흥밋거리로 가격을 매겨주고 있음을 잘 알고 있었으므로 호기심 어린 목소리로 물었다.

"글쎄요."

박재정은 얼굴에 미소를 띄워 올렸다.

"깨어진 물건이라서 특상품이긴 하지만 골동품으로서의 가치는 없습니다."

"만약 깨어져 있지 않았다면요."

"글쎄요. 그렇다 해도 그렇게 많이 값이 나갈 수는 없습니다. 2백 년밖에 안 된 조선 후기 때의 물건이고, 작은 술잔에 불과한 물건이라서."

"만약 값을 매긴다면 얼마를 매기실 수 있겠습니까."

나는 짓궂게 물었다. 그러자 박재정은 소리를 내어서 웃었다. 소리를 내어 웃음을 보인 것은 그것이 처음이자 마지막이었다.

"…지금 농담을 하고 계십니까."

"아닙니다."

나는 다소 정색을 했다.

"값을 알고 싶은 것은 진심입니다. 그렇지 않다면야, 어째서 내가 박 선생님을 소개받아 이렇게 직접 물건을 들고 찾아뵈러 왔겠습니까."

그러자 박재정은 대답하였다.

"이 물건은 값으로 치면 만원도 되지 않습니다. 만약 깨어지지 않았다면 한 이십만원은 되겠지요. 하지만 이 물건이 어떤 개인에게는 억만금을 준대도 바꿀 수 없는 값진 물건일 수도 있겠지요. 가령 이 물건이 조상 대대로 물려오는 사연 깊은 가보이자 유산이라면 그 값어치를 따질 수가 없는 것이 아니겠습니까."

만원. 불과 만원도 되지 않는 깨어진 잔. 그러나 이젠 분명해졌다. 이 잔이 2백여 년 전, 광주의 분원에서 만들어졌다는 박재정의 말이 분명하다면 이 잔은 임상옥의 계영배임에 틀림이 없는 것이다.

나는 계영배를 두 손으로 들면서 박재정을 쳐다보았다.

"잔에 새겨진 계영기원이란 말은 무슨 뜻일까요."

그러자 박재정은 대답하였다.

"글쎄요. 이런 뜻이 아닐까요. '가득 채워서 마시지 말기를 바란다.' 아마도 이 잔을 만든 사람은 이 그릇을 자신의 휴대용 잔으로 사용했던 것 같습니다. 술을 마실 때마다 가득 채워 마시지 말자는 경구를 보면서 술을 절제하고 적당히 마시려 했던 것 같습니다."

"그럼 나머지 두 글자 동사란 말은요."

내가 묻자 박재정은 대답하였다.

"글쎄요. 깨어진 부분에 두 글자가 더 있었던 것 같아서요. 글자의 뜻을 모르겠습니다."

"그 깨어진 부분에 어떤 글씨가 새겨져 있었던 것 같습니까."

나는 따져 물었다. 그러나 박재정은 애매하게 웃으면서 말하였다.

"글쎄요. 너무 어려운 부분이라서."

"혹시."

나는 정면으로 박재정을 쳐다보았다.

"그 깨어진 부분에 여이(與爾)란 말이 새겨져 있었던 것이 아닐까요. 따라서 뒷부분의 문장은 여이동사(與爾同死), 즉 너와 함께 죽겠다는 뜻이 아닐까요."

"그렇게 보시는 무슨 뚜렷한 이유라도 있습니까."

박재정의 질문은 당연한 것이었다. 깨어진 부분에 새겨져 있던 글자를 여이(與爾)로 추정하여 온전한 문장을 여이동사, 즉 너와 함께 죽겠다고 해석하는 내 의견은 그의 입장에서 보면 매우 위험하고, 임의적인 해석이었다.

그렇다면 박재정은 야사에 나오고 있는 그 유명한 계영배의 이야기를 모르고 있는 것일까.

"혹시."

나는 물었다.

"임상옥이란 인물을 알고 계십니까."

박재정은 아무런 대답 없이 찻잔에 뜨거운 녹찻물을 따라 천천히 들이켰다.

"글쎄요."

짧은 침묵 끝에 박재정은 대답했다.

"조선조 말의 의주 태생이었던 거상 임상옥을 말씀하시나요."

"그렇습니다."

"그분이 쓰시던 계영배란 술잔에 대해서는 들어보신 적이 없습니까."

여전히 애매한 표정으로 박재정은 말을 받았다.

"저로서는 처음 듣는 이야기입니다."

나는 순간 그의 탁자 위에 놓인 깨어진 잔, 그의 소견으로 보면 2 백여 년 전, 관어용의 그릇들을 만들던 사용원 소속 광주분원에서 만든 특상품이지만 값어치로 보면 깨어져 만원도 나가지 않는 보잘 것없는 그 잔이 바로 임상옥이 평생 갖고 다니면서 스스로를 경책(警責)하였던 전설 속의 그 잔임을 말하고 싶은 충동을 간신히 억제하였다. 골동품 감식의 전문가인 박재정의 눈에는 이 깨어진 술잔이 만원도 채 못 되는 하찮은 유물쯤으로 보일지도 모른다.

그러나 임상옥에게 있어 이 깨어진 계영배는 스승 석숭 스님으로 부터 물려받은 비기이며 이 비기를 통해 일생일대의 위기를 벗어나게 되는 것이다. 그뿐인가. 임상옥은 이 계영배를 통해 전무후무한 조선왕조 최대의 거상이 될 수 있었으며 젊은 시절 맹세하였던 대로 '하늘 아래 제일의 상인'의 꿈을 이룰 수 있었던 것이다.

"그렇다면."

다시 뜨거운 녹차를 마시면서 박재정이 나를 쳐다보며 물었다.

"이 깨어진 잔이 임상옥과 무슨 관련이라도 있는 술잔인 모양이지요."

"글쎄요."

나 역시 애매하게 대답하였다.

이것으로 됐다고 생각하였다. 박재정의 명쾌한 분석을 통해 이 깨어진 술잔이 임상옥의 계영배임이 백 퍼센트 확증된 셈인 것이다. 이것으로 박재정을 소개받아 그를 만나러 온 소기의 목적은 충분히 이루었다고 나는 생각하였다.

"고맙습니다."

나는 탁자 위에 놓인 계영배를 다시 가방 속에 넣고 일어섰다.

박재정은 나를 상점 문 앞까지 바래다주었다. 상점을 나와 골목 길을 빠져나오면서 나는 담배를 한 대 피워 물었다.

이제 남은 것은.

담배의 연기를 가슴 깊숙이 빨아들이면서 중얼거리며 말하였다.

임상옥에게 그 계영배가 어떻게 일생일대의 마지막 위기를 물리쳐주었는가 그 미스터리를 밝히는 일인 것이다.

이제 남은 것은 석숭 스님이 예언하였던 임상옥이 맞이한 세 번째의 위기로 뛰어드는 일이다. 죽을 사 자로 첫 번째의 위기를 벗어난 임상옥은 솥 정(鼎) 자로 홍경래의 난에서 비껴서서 마침내 멸문지화를 벗어나게 된다. 계영배는 어떻게 임상옥의 세 번째 위기를 벗어나게 하였던 것일까. 아니, 임상옥에게 닥쳐온 세 번째 위기의 정체는 과연 무엇이었던가.

이렇게 해서 임상옥에 대한 추적은 또다시 시작되었다.

제6장 호사다마(好事多魔)

1

1832년 임진년. 순조 32년.

임상옥은 곽산군수로 제수되었다.

한갓 장사꾼으로서는 이례적인 일이었다. 임상옥은 일찍이 신미년에 일어난 홍경래 난 때 수성의 공으로 국가로부터 오위장의 벼슬을 받았으나 이를 사양하고 부임하지 아니하였으며 또한 신사년에는 변무사를 수행하여 연경에 들어가 공을 세워 완영중군의 벼슬을 받았으나 역시 이를 사양하고 부임하지 않았다.

그러나 곽산군수로 제수된 것은 임금이 직접 내린 특지였으므로 임상옥이 마다할 수 없었다. 이를 사양하면 어명을 거스르는 일이었던 것이다.

곽산은 원래 정주군에 속한 작은 고을로 홍경래의 반란군이 수세에 몰리자 정주성으로 후퇴하여 4개월 동안이나 치열한 공방을 벌였던 반역향이다.

홍경래의 난이 끝난 지 벌써 20여 년이 흘러갔지만 아직 곽산은 그 처참했던 반란의 후유증에서 벗어나지 못하고 있었다.

이때 임상옥의 나이는 54세로서 그는 인생의 절정에 있었다.

임상옥이 곽산군수로 재임하고 있을 무렵 있었던 일화 하나가 오늘날까지 남아 전하고 있다.

임상옥이 곽산군수로 부임하자 사랑방에는 언제나 사람들로 들끓고 있었다. 임상옥으로부터 돈을 빌려 달라는 청탁을 하기 위해서 찾아온 사람들이 대부분이었다.

어느 날 임상옥이 사랑방에 들어가자 공교롭게도 세 사람의 낯선 손님이 나란히 앉아 있는 모습을 보았다. 임상옥이 찾아온 목적을 묻자 세 사람은 동시에 대답하였는데 한결같이 '돈을 빌려 달라'는 청탁이었다. 그러자 임상옥은 물어 말하였다.

"돈을 빌려서 뭘 하려는가."

그러자 한 사람이 대답하였다.

"장사를 해서 돈을 벌려 합니다."

임상옥은 나머지 두 사람에게 똑같이 물어보았다.

"돈을 빌려서 뭘 하려는가."

나머지 두 사람도 똑같은 대답이었다. 빌린 돈으로 장사를 해서 돈을 벌려 한다는 내용이었다. 순간 임상옥은 세 사람을 물끄러미 바라보더니 한참 후에 너털웃음을 웃으며 말하였다.

"헛허허. 세 사람 모두 장사를 해보시겠다니 오죽 좋은 생각들이오. 좋소. 그럼 바로 지금 세 사람 모두에게 각각 한 냥씩을 빌려드리겠소. 이 한 냥을 가지고 나가서 닷새 후에 각자 재주껏 장사를 해서 이문을 남겨서 돌아오시오. 그 이문을 남기는 태도를 보아서 원하는 대로 돈을 빌려드리겠소이다."

임상옥은 처음 보는 사람들에게 모두 공평하게 돈 한 냥씩을 내주면서 말하였다.

그로부터 닷새 뒤. 과연 돈 한 냥씩을 빌려간 세 사람이 한날 한시에 임상옥을 찾아왔다. 맨 먼저 함경도에서 찾아온 상인에게 임상옥이 물었다.

"그래 이문을 얼마나 남기셨소."

그러자 함경도 상인이 말하였다.

"저는 그 한 냥으로 짚을 샀습니다. 짚을 사서 짚신을 다섯 켤레를 삼아 날마다 장에 나가서 팔았습니다. 그랬더니 하루에 한 켤레씩 팔아 하루에 한 푼씩 남았습니다."

그는 주머니에서 닷푼을 꺼내놓으며 말하였다.

"이렇게 해서 다섯 푼을 남겨왔습니다."

두 번째의 사람은 평안도 사람이었다. 그에게도 임상옥이 물어 말하였다.

"그래 이문은 얼마나 남겼소."

그러자 평안도 상인이 대답하였다.

"예, 저는 그 돈 한 냥으로 대나무와 창호지를 사다가 하루에 종이연 다섯 개를 만들었습니다. 마침 설날 대목이라 금방 다 팔았습니다. 닷새 만에 여기 본전 한 냥을 제하고도 이문이 한 냥 남았습니다."

닷새 만에 본전 한 냥을 제하고도 이문을 한 냥 남겼으니 대단한 성공이었다. 임상옥은 나머지 한 사람, 황해도 사람에게 물어 말하였다.

"손님은 한 냥으로 뭘 하셨소이까."

그러자 그 사람은 시큰둥한 표정으로 대답하였다.

"대인어른께오서는 한 냥으로 도대체 무슨 장사를 할 수 있다고 생각하십니까."

"그렇담 아무런 이문도 남기지 못하셨단 말이오."

"준 돈 한 냥으로 술을 마셨나이다. 아홉 푼으로 하루 종일 술을 마시다 보니 한 푼이 남았습니다."

"그 한 푼으로 뭘 하셨소."

"한 푼으로 백지 한 장을 샀습니다."

"백지를."

임상옥이 의아한 표정으로 머리를 갸우뚱거리며 물었다.

"백지를 한 장 사서 무슨 장사를 하셨소이까."

그 사람은 크게 웃으며 말하였다.

"그까짓 종이 한 장으로 장사는 무슨 장사를 했겠습니까. 주막에서 먹과 붓을 빌려 그 백지에 소지(所志)를 썼습니다."

"무슨 내용의 소지였소."

"…내가 이제부터 절간에 들어가 사서오경을 좀 읽겠으니 의주부윤 나리께서는 글 읽는 동안에 쓸 비용을 좀 변통해주십사 하는 내용이었습니다."

"그랬더니요."

"부윤 나으리께서 돈 열 냥을 보내주셨습니다. 그래서 이렇게 가져왔나이다."

황해도 사람은 주머니에서 돈 열 냥을 꺼내 임상옥 앞에 내놓았다.

한 사람은 한 냥으로 짚신을 엮어 다섯 푼을 벌었으며, 한 사람은 종이연을 만들어 한 냥을 남겼으며, 나머지 한 사람은 기발한 방법으로 열 냥을 구해온 것이다.

소지.

예로부터 관부에 올리는 소장을 소지라 하였다. 다른 말로는 백활이라고도 하였는데 당시 사람들의 생활 가운데 일어난 일 중에서 관부의 결정과 도움을 필요로 하는, 오늘날의 진정서와 같은 것이다. 소지를 수령이나 관계 관부에 올리면 해당 관원은 내용을 살펴본 뒤 그 소지에 대한 판결을 내리게 되어 있는데 이를 '뎨김'이라 하였다. 황해도 사람은 이 기발한 방법을 통해 의주부윤에게서 열 냥을 얻어내었던 것이다.

한 냥을 빌려주어 닷새 동안에 무슨 방법으로든 이문을 남겨오라는 임상옥의 일차 관문의 결과는 엉뚱하게 내려졌다.

즉, 임상옥은 짚신을 삼은 사람에게는 백 냥을, 종이연을 만든 사람에게는 2백 냥을 빌려주고, 소지를 올렸던 사람에게는 서슴없이 천 냥을 빌려주었다.

임상옥은 세 사람에게 돈을 빌려주면서 각자 차용증을 쓰도록 하였다. 그러고 나서 이렇게 말하였다.

"이 돈을 가지고 가서 일년 동안 재주껏 장사를 하여 보시오. 정확히 일년 뒤 오늘 이 자리에서 만나기로 하겠소."

세 사람은 돈을 빌려 가지고 뿔뿔이 흩어졌다. 이를 지켜보던 선비 하나가 임상옥에게 물어보았다.

"대인어른께오서는 어째서 짚신을 삼은 사람에게는 백 냥을 주시고, 종이연을 만든 사람에게는 2백 냥을 주셨습니까."

그러자 임상옥은 대답하였다.

"짚신을 만든 사람은 꼼꼼해서 절대로 낭패를 보지는 않을 것입니다. 그러나 장사는 한 푼으로 한 푼을 버는 행위는 아닙니다. 그것은 씨앗을 뿌려 씨앗을 거두는 농사꾼이나 하는 일입니다. 그러므로 그 사람은 굶어 죽지는 않겠지만 절대로 부자는 되지 못할 것입니다. 예로부터 '부지런한 사람은 굶어죽지는 않지만 큰 부자는 되지 못한다'는 말이 있습니다. 그래서 백 냥만 빌려주었던 것입니다."

"그러면 어째서 종이연을 팔아 한 냥을 남긴 사람에게는 2백 냥을 빌려주셨습니까."

"종이연을 만들어 판 사람은 짚신을 삼아 판 사람보다 머리가 좋습니다. 그는 마침 섣달 대목이라 아이들이 종이연을 갖고 논다는 시기를 적절하게 이용하였습니다. 그는 시기를 살필 줄 아는 눈을 가졌습니다. 그러나 장사는 한 치 앞의 때를 살피다가는 낭패를 보기 마련입니다. 때를 살피는 장사꾼은 한때 성공할지 모르나 언젠가는 그 때를 타서 실패할 수도 있습니다. 그러므로 때를 살피는 장사꾼은 부자가 될 수도 있지만 하루아침에 쫄딱 망할 수도 있습니다. 부자가 되어도 거부는 되지 못합니다. 또한 그는 장사를 상술에만 의지하려 합니다. 장사는 절대로 기술이 아닙니다."

"그렇다면."

그 선비는 이해가 가지 않는 표정으로 임상옥에게 물었다.

"그렇다면 어째서 백지 한 장을 사서 부윤에게 소지를 올렸던 그 허황된 사람에게는 천 냥을 빌려주셨습니까. 그는 돈을 벌려고 땀을 흘리지도 않았습니다. 그는 아무것도 하지 않고 술만 마신 게으른빠진 사람이 아닙니까."

선비의 신랄한 비판에 임상옥이 대답하였다.

"내가 그 손님에게 천 냥을 꿔준 것은 그가 돈에 집착하지 않았기 때문이오. 돈으로써 돈을 벌려 하는 사람은 절대로 돈을 벌 수 없습니다. 돈은 사업을 하다 보면 저절로 따라오는 것이지 돈을 좇으면 사업은 망하게 되어 있습니다. 그러므로 예부터 '돈은 계집과 같다' 하였습니다. 계집이란 예뻐하면 예뻐할수록 앙탈을 부리고 화를 부르게 되어 있는 법입니다."

그로부터 일년 뒤. 정확히 만나기로 했던 바로 그날, 세 사람은 다시 임상옥의 사랑방에 모여 앉았다. 짚신을 만들어 팔았던 사람이 빌린 돈 백 냥과 그에 따른 이문까지 갚으며 말하였다.

"저는 빌려주신 돈으로 대장간을 열었습니다. 평생 해본 짓이 풀무질이니 다른 장사는 해볼 수가 있어야지요. 그동안 시우쇠를 다루며 온갖 연장을 만들어 장마다 돌아다니며 팔았습니다."

"손님은 그동안 뭘 하셨소."

임상옥은 종이연을 만들어 팔던 사람에게 물었다. 그러자 그는 대답하였다.

"저는 빌려주신 돈으로 바닷가를 돌아다니며 소금과 건어물을 사서 내륙지방으로 들어가 되팔아서 그 돈으로 농산물과 약초들을 샀습니다. 그 농산물과 약초들을 전국 각지에 팔아 큰 이문을 남겼으며 이제는 점방을 다섯 곳이나 열어놓고 있습니다. 이 모든 것이 다 대인어른의 은덕 때문이나이다."

임상옥은 마지막으로 백지를 사서 부윤에게 소지를 올렸던 엉뚱한 사람을 쳐다보았다. 그는 다른 두 사람과는 달리 행색이 엉망이었다.

"손님은 그동안 무슨 장사를 하였소이까."

그는 대답하였다.

"보다시피 빈손으로 찾아왔습니다. 그냥 도망칠까도 생각했습니다만 대인어른과 맺은 굳은 약속이라 도망칠 수가 없었습니다."

"…도대체 무엇을 어떻게 하였길래."

임상옥이 묻자 그 사내는 대답하였다.

"…대인어른께오서 주신 돈 천 냥을 갖고 저는 평양으로 갔습니다. 말장사나 한번 해볼까 했었지요. 그런데 우연히 어떤 기생년에게 홀딱 반했습니다. 사내가 기왕 기생오입을 하는데 야금야금할 수도 없고 해서 그 기생년 구멍이 얼마나 큰지 그 구멍 속에 은전을 넣어보기 시작하였습니다."

그 사내는 얼굴색 하나 변하지 않고 말을 계속하였다.

"그런데 그 기생년 구멍이 얼마나 큰지 한 달도 채 못 되어 천 냥이란 돈이 모두 그 구멍 속에 들어가는 것이 아니겠습니까. 들어가는 것은 물론 흔적도 없이 사라져버린 것이 아니겠습니까. 내 참 세상에 깊네깊네 해도 여인의 구멍같이 깊은 것은 처음 보았소이다."

"그래서요."

임상옥이 묻자 그는 대답하였다.

"약속한 날짜는 다가오고 해서 기생년에게 그동안 쌓던 정분을 봐서 노잣돈이라도 달라 하였더니 겨우 다섯 냥을 주길래 그것을 받아서 이렇게 대인어른을 찾아왔나이다."

"그렇다면 꿔간 돈은 어떻게 하시겠는가."

"갚을 돈이 있어야 갚지요. 하는 수 없이 대인어른 댁에서 머슴일이나 하면서 품앗이로 갚을까 하나이다."

예로부터 난봉꾼이란 마음잡아봤자 사흘이라고 남의 돈 천 냥을 갖고 장사를 하겠다던 놈이 이 모양이니 애초부터 글러버린 녀석이었다.

사랑방에 앉아 있던 사람들은 모두 숨을 죽이고 임상옥의 다음 행동을 지켜보고 있었다. 임상옥은 담담한 표정으로 물어 말하였다.

"그럼 앞으로 무엇을 하겠는가."

"다시 한번 기회를 주신다면 장사를 해서 돈을 벌고 싶습니다."

실로 파락호다운 대답이었다. 그러나 임상옥은 그 말에 개의치 않고 이번에는 2천 냥을 사내에게 내주더니 다음과 같이 말하였다.

"이 돈으로 다시 장사를 하여 보시게나. 정확히 일년 뒤 오늘 돈을 갚기로 하고."

사내는 날름 임상옥이 주는 돈을 받아들고는 그 즉시 사랑방을 떠나버렸다. 옆에서 끝까지 이를 지켜보고 있던 선비 하나가 물어 말하였다.

"도대체 그에게 돈을 빌려주어 무엇을 어떻게 하시려는 것입니까. 그는 주색잡기에 능한 한갓 난봉꾼에 지나지 않습니다. 그는 틀림없이 빌려주신 그 돈으로 술을 마시면서 그 기생년의 치마폭으로 돌아갈 것입니다."

임상옥이 껄껄 웃으며 대답하였다.

"글쎄요. 옛말에 이르기를 참새는 눈앞의 담장 밖에 모이만 떨어져 있어도 지지배배 춤을 추면서 몰려들지만, 대붕은 한 번 먹으면 5년 동안 먹이가 없어도 아예 제자리에 꿈쩍 않고 앉아서 움직이지 않는다고 합니다."

임상옥은 다시 말을 이었다.

"일찍이 장자(莊子)는 말하였소. 북주의 바다에는 곤(鯤)이란 고기가 있는데 그 크기는 몇천 리가 되는지 헤아릴 수가 없다고 합니다. 이 고기가 변하여 붕새(鵬)가 되는데 그 붕새의 크기 또한 몇천 리가 되는지 아무도 짐작하여 아는 사람이 없소이다. 이 붕새는 전혀 움직이지 않으나 한 번 마음먹고 날 것 같으면 그 날개 벌린 모습은 마치 하늘에 드리운 구름과도 같다, 그리하여 제해(齊諧)란 사람은 이렇게 말하였습니다. '붕새가 남쪽 바다로 옮겨갈 때에는 날개를 벌려 구천 리가 되는 수면을 치고, 거기서 일어나는 엄청난 선풍을 타고 날개를 흔들면서 구만리 장천에 올라간다. 그리하여 여섯 달이나 걸려서야 남녘 바다에 깃들어 쉬게 된다'고 말입니다."

"그러하면."

선비가 다시 물었다.

"대인어른께서는 그 난봉꾼이 대붕이라도 된다고 말씀하시는 것입니까."

임상옥이 껄껄 웃으며 말하였다.

"나 같은 참새가 어찌 대붕의 속마음을 알겠습니까."

임상옥은 어쩌면 사내의 행동에서 자신의 옛 기억을 떠올렸을지도 모른다. 갓 스물 넘은 청년시절 임상옥은 이희저를 따라간 색주가에서 우연히 천하의 절색이었던 장미령을 만나지 않았던가. 살려달라는 여인의 애원을 물리치지 못하고 갖고 있던 모든 돈 5백 냥을 털어 여인의 몸값을 지불하였고, 그 길로 의주의 상계에서 추방되어 장돌뱅이로 전락하지 않았던가.

결국 전화위복이 되어 고관의 부인이 된 장미령을 통해 연경의 상계를 장악할 수 있었던 임상옥이고 보면 그 사내의 엉뚱한 행동이 어쩌면 자신의 과거를 떠올리게 했을지도 모르는 일이다.

어쨌든 사람들은 기다렸다.

모두들 일년 뒤 약속한 날짜에 2천 냥을 다시 빌려간 그 사내가 돌아오기를 기다렸다. 그러나 그는 그 날짜에 돌아오지 않았다. 일년이 지나고 2년이 지나고 3년이 지나도 그의 그림자는 얼씬거리지도 않았다.

천하의 임상옥이 협잡꾼에게 사기당했다는 유쾌한 소문이 의주성 내에 파다하게 퍼져나갔다.

그런데 수년 뒤 까마득히 잊어버리고 있던 그 난봉꾼이 다시 임상옥 앞에 나타났다.

"대인어른, 그동안 평안하셨습니까."

"아니, 자네가 웬일인가. 이게 몇 년 만인가."

"예에, 정확히 8년 만입지요."

"그동안 어떻게 지내었는가."

임상옥이 묻자 그는 대답하였다.

"그간의 사정 얘기는 차차 드리기로 하고 대인어른께 또다시 한 가지 부탁이 있어서 찾아왔습니다."

"부탁이라니."

임상옥이 짐짓 놀란 표정으로 물어 말하였다.

"또다시 돈을 꾸어달라는 부탁은 아니겠지."

"헛허허, 설마 그럴 리가 있겠습니까."

"그러하면."

"소 열 마리에 튼튼한 달구지를 채워주시고 이를 부릴 일꾼 열 명만 불러주십시오."

"무엇에 쓰려고 그러는데."

"묻지 말고 열흘만 기다려주십시오."

임상옥은 두말 않고 그 사내가 시키는 대로 달구지를 채운 소 열마리와 이를 부릴 일꾼을 딸려 보내었다. 사내는 이들을 거느리고 어디론가 사라졌다.

다시 의주성민들에게 소문이 번져나갔다. 임상옥이 세 번씩이나 그 팔난봉꾼에게 사기협잡을 당했다는 소문이었다.

그러나 그로부터 정확히 열흘 뒤.

그 사내는 의주에 나타났다.

빈 달구지로 떠났던 수레들이 모두 가득가득 인삼으로 채워져서 돌아온 것이다. 모두 6년근으로 질 좋은 인삼이었다.

"이게 도대체 무엇인가."

놀란 임상옥이 물어 말하였다. 그 사내가 웃으며 말하였다.

"천하의 대인어른께서 모르시나이까. 인삼이 아니나이까."

"아니, 소 열 마리에 모두 인삼을 싣고 왔단 말인가."

"아, 인삼이 아니면 도라지를 캐어서 싣고 왔단 말입니까."

소의 달구지에 한 가득 짐을 실은 것을 '바리'라고 부른다. 인삼한 바리에 대충 잡아서 만 냥, 소 열 마리의 달구지에 가득가득 인삼이 실렸으니 열 바리는 족히 되는 엄청난 양의 인삼이었다. 돈으로따져봐도 10만 냥이 넘는 천문학적 금액이었다. 그 많은 인삼을 임상옥에게 내놓은 후 그 사내는 말하였다.

"이 모두가 대인어른의 인삼이나이다. 실로 8년 만에 빚을 갚게되었나이다."

사내의 말처럼 그는 임상옥의 빚을 8년 만에 갚은 것이다. 그것도 처음에는 천 냥, 두 번째는 2천 냥, 모두 3천 냥을 빌려갔던 사내는 8년 만에 10만 냥의 거금으로 불려 갚게 된 것이다.

"그동안 도대체 무슨 일이 있으셨나, 한번 말씀하여 보시게나."

술상을 차려서 대접하자 사내는 호탕하게 술을 마신 후 입을 열어 말하였다.

"8년 전 대인어른이 빌려주신 2천 냥을 갖고 저는 다시 평양으로그 기생을 찾아갔나이다. 오냐, 저는 결심했습니다. 그 기생년의 구멍이 얼마나 큰지 내 한번 끝장을 보리라 하고 말입니다. 그래서 2천 냥을 갖고 그 기생방에 틀어박혀 다시 일년 동안 살았습니다. 대인어른과 약조하였던 날짜가 다가왔지만 일년 동안 그 기생년의 구멍 속에 들어갔던 돈은 모두 천 냥이 넘었나이다. 하지만 여전히 그 구멍의 깊이를 헤아릴 수가 없었나이다. 그래서 하는 수 없이 대인 어른과의 약조 날짜를 어길 수밖에 없었나이다. 저는 나머지 천 냥도 그 기생의 치마폭에 쏟아붓기 시작하였습니다. 다시 일년이 흘러갔는데 여전히 구멍의 끝은 보이지 않았으며 어느 날 남은 돈을 세어보니 백 냥이 채 되지 않았습니다. 그래서 저는 정신을 차리고 생각했습니다. 이러다간 패가망신은 물론이고 남의 돈 등쳐먹는 협잡꾼이 되겠다고 생각했습니다. 저는 그 길로 평양에서 길을 떠나 개성으로 갔습니다. 남은 돈 백 냥으로 무엇을 할까 생각하다가 마침내 한 가지 생각을 떠올리게 되었습니다."

황해도 사람은 호탕하게 술을 마시며 말하였다.

"무슨 생각을 떠올렸단 말인가."

임상옥이 묻자 사내는 대답하였다.

"남은 돈 백 냥으로 인삼 씨를 사기로 결심했던 것입니다. 인삼씨를 사고 보니 서 말 정도가 되었습니다."

"인삼 씨를 사서 무엇을 하고 싶은 생각이었는데."

술좌석에 참석했던 박종일이 도저히 궁금해서 못 견디겠다는 듯 채근하여 말하였다.

"얼른 속시원하게 털어놓으시게나."

"인삼 씨 자루를 둘러메고 저는 강원도 삼척군으로 찾아갔나이다. 태백산에 이르러 사람들이 아무도 살고 있지 않은 심심산중으로 들어갔습니다."

사내는 말을 이었다.

"심심산중으로 들어간 저는 이 골짝 저 골짝을 찾아다니며 북쪽 응달을 골라 바람 잡듯 인삼 씨를 뿌렸나이다. 그랬더니 완전히 빈털터리가 되었습니다. 하는 수 없이 그 길로 평양으로 올라가 그 기생년의 집으로 갔습니다. 그 기생년은 저를 반갑게 맞이하였으나 한 푼도 없는 거렁뱅이임을 눈치채자 괄시하기 시작하였나이다. 그래서 제가 말하였습니다. 너도 이젠 이팔청춘도 아니니 얼마 안 가 퇴기가 되거나 병들어 늙게 될 것이다. 그러니 너에게도 이젠 기둥서방이 필요한 나이가 되었다. 물론 그 기생년은 코웃음만 쳤나이다. 그러나 실제로 그 기생도 늙어 찾아오는 사람이 없자 저를 기부(妓夫)로 맞아들여 전 명색이 그 기생년 기둥서방이 되었나이다. 우리는 평양 성밖으로 나아가 주막집을 차렸는데 그 기생년은 창을 부르며 지나는 나그네들을 유혹하고 저는 그 뒷바라지를 하면서 세월을 보냈나이다. 그러다 보니 문득 8년의 세월이 흘러갔나이다."

사내는 예전의 청년 모습이 아니었다. 자신의 말대로 술과 여자, 그리고 세상 풍파에 젖어 어느덧 중년의 나이로 접어들고 있었다.

"그러자 정신이 번쩍 들었습니다. 전 그 길로 대인어른을 찾아와 달구지를 채운 소 열 마리와 일꾼 열 명을 빌려달라고 말하였던 것입니다. 대인어른은 계속 속았음에도 불구하고 세 번이나 저를 믿어주셨습니다. 저는 일꾼들을 몰고 6년 전 갔었던 태백산으로 찾아갔나이다. 여전히 태백산 심심산골은 사람은커녕 짐승들도 드나들지 않는 첩첩산중이었습니다. 찾아가 보니 뿌렸던 인삼들이 모두 잘 자라서 거대한 인삼밭을 이루고 있었습니다. 그 인삼들을 캐서 이렇게 보다시피 싣고 돌아온 것입니다."

사내는 자랑스럽게 말하였다.

"대인어른께서는 천하의 인삼군자가 아니십니까. 그러니 캐어온 인삼의 질은 어떠한지 아실 것이 아니겠습니까."

인삼의 품질은 6년근을 최고로 친다. 더구나 그 인삼은 인적이 드문 태백산 산중에서 사람의 손때를 타지 않고 바람과 비로 자생되었으므로 거의 산삼에 가까울 정도로 약효가 뛰어난 극상품이었다.

"그러하니 대인어른께오서는 캐어온 인삼의 값이 얼마 정도라고 생각하십니까."

"글쎄."

임상옥이 대답하였다.

"소달구지 한 바리에 만 냥은 되겠으니 모두 합해서 10만 냥 정도는 될걸세."

사내가 물어 말하였다.

"제가 대인어른께 빚진 돈을 얼마만큼 생각하면 되겠습니까."

임상옥이 껄껄 웃으며 말하였다.

"그만두시게나. 이 모든 인삼은 자네 인삼이니 모두 자네 것일세. 나는 원금만 받으면 그만이네."

사내는 소리쳐 말하였다.

"무슨 말씀을 하시는 겁니까. 대인어른의 돈으로 이런 장사를 하였으니 이것이 어찌하여 소인의 인삼일 수 있겠습니까. 모두 대인어른의 인삼이나이다."

곁에서 보던 박종일이 거들어 말하였다.

"저 사람의 말도 일리는 있습니다. 돈은 분명 형님의 돈이 맞고 장사는 저 사람이 했으니 인삼은 분명 저 사람의 것입니다. 그러니 이렇게 하시지요. 반반씩 나눠 가지십시오."

박종일의 말에 두 사람은 합의를 보았다. 임상옥이 5만 냥을 지불하여 인삼을 사들이는 것으로 정확히 반씩 나눠 가졌던 것이다. 임상옥은 큰 사람을 꿰뚫어 봄으로써 3천 냥으로 5만 냥을 벌어들이는 최고의 장사를 한 것이며 그 사내 역시 임상옥을 만남으로써 장사를 성공시켜 큰 부자가 될 수 있었다. 이는 평소에 '상즉인(商卽人)', 즉 상업이란 결국 사람에게 투자하는 것이라는 상업철학을 갖고 있던 임상옥의 상도(商道)가 적중되었음을 가르쳐주는 일화였다.

5만 냥을 받고는 곧바로 길 떠날 채비를 차리고 있는 그 사내에게 임상옥이 물어 말하였다.

"이제는 어디로 가시려는가."

그 사내는 웃으며 말하였다.

"아직 끝내지 못한 일이 있습니다."

"그것이 무엇인가."

"아직 그 기생년의 구멍을 다 헤아려보지 못하였습니다. 이제 5만 냥의 거금이 생겼으니 그 치마폭 구멍에 도대체 얼마만큼 돈이 들어가야 끝장을 볼 수 있을까, 한번 부딪쳐 보겠나이다."

"그래서 또다시 평양으로 가시겠다는 말인가."

"그렇습니다. 마침 그 기생년이 늙어 퇴기할 때 돈이 없어 대비정속(代婢定屬)을 들이지 못하고 물러나왔나이다. 가는 길로 예쁜 계집아이 하나 사들여서 기적(妓籍)에서 빼줄까 하나이다."

대비정속.

기녀들은 병들거나 늙어 퇴기할 때 자신을 대신하여 젊은 계집을 들여놓는 것이 보통이었다. 이를 대비정속이라 하였다. 돈이 없는 기녀들은 자신의 딸이나 조카딸을 들여놓는 수도 있었고 돈이 있는 기녀들은 농가들을 돌아다니며 버린 계집아이를 사서 대신 들여놓고 속신(贖身)을 하여야만 비로소 기적을 벗고 양민이 될 수 있었던 것이다.

5만 냥을 갖고 자신의 말대로 그 기생을 찾아가 구멍을 끝까지 헤아려 보겠다며 사내가 돌아간 후 사람들이 임상옥에게 물어 말하였다.

"대인어른께오서는 그 사람에게 세 번을 속으셨습니다. 처음에는 천 냥을 꿔주셨으며 두 번째는 다시 2천 냥을 빌려주셨습니다. 세 번째는 소 열 마리와 일꾼 열 사람까지 빌려주셨습니다. 어째서 세 번이나 그 난봉꾼을 믿었습니까."

사람들이 묻자 임상옥이 대답하였다.

"예로부터 중국에서는 외국인과 장사를 하는 행상을 고행 혹은 고홍[公行]이라고 부르고 있습니다. 이들 고행들은 장사를 하는 데 있어 두 가지의 철칙이 있었소. 그 하나는 '성(誠)'이며, 또 하나는 남을 속이지 않는 것(不欺)'이었소. 중국에서 상인들은 성실과 속이지 않음을 '하늘의 길(天道)'이라 하여 중요한 덕목으로 보았소이다. 중국에서 근세 최고의 거부였던 번현(樊現)은 다음과 같은 말을 남겼소. '누가 천도를 믿기 어렵다고 말하는가. 나는 남으로 강회(江淮)에 이르고 북으로 변경의 끝까지 갔지만 도둑맞거나 병으로 쓰러질 근심이 없었던 것은 하늘이 내가 속이지 않음을 잘 알고 계시기 때문이다. 무역을 할 때 사람은 속임을 계획하고 있으나 나는 속이지 않음을 계획으로 삼고 있다. 그러므로 나는 날로 이익이 나는데 다른 상인들은 날로 손해만 난다. 누가 천도는 믿기 어렵다고 말했던가' 라고 말이오. 여러분들은 그 사내가 나를 세 번이나 속였다 말하였지만 실은 나를 속인 것은 아니오. 그는 주색에 빠졌으나 내게 거짓말을 한 것은 아닙니다. 비록 그 사람은 '성실한 상인'은 못 되었을지 몰라도 '남에게 거짓말을 한 사람'은 절대로 아닙니다."

말을 끊고 나서 임상옥은 붓을 들어 듬뿍 먹을 묻힌 후 종이 위에 문장을 써내렸다.

'惟不欺二字 可終身行之(유불기이자 가종신행지)'

문장을 쓰고 나서 임상옥이 둘러앉은 선비들에게 물어 말하였다.

"이 문장의 뜻이 무엇인지 아시겠지요."

한 선비가 대답하였다.

"오직 속이지 않는다는 두 글자만이 일생을 마칠 때까지 행하여도 좋으리라."

임상옥이 고개를 끄덕이며 말하였다.

"이 말을 남긴 사람은 옛 중국 북송 때의 정치가이자 학자였던 범중엄이었습니다."

임상옥이 말을 이었다.

"흔히 장사는 온갖 수단을 가리지 않고 저울을 속이고, 물건값을 속여서라도 이문을 남기는 직업이라고 생각하기 쉽소이다. 때문에 예부터 사람들은 장사꾼을 '간상배'라고 불러왔던 것입니다. 그러나 상업에 있어 천도는 범중엄의 말처럼 '남을 속이지 않음'에 있는 것이오. 남을 속여서 일시로는 이익을 남겨 재미를 볼 수는 있을 것이오. 그러나 남을 속이면 절대로 큰 상업을 이룰 수 없는 것이오. 왜냐하면 남을 속여서는 절대로 신용을 얻을 수 없기 때문이오. 신용이야말로 장사에 있어 최대의 자본이요, 재물인 것입니다."

임상옥은 다시 말을 이었다.

"또 한 가지, 상업은 '끊임없이 변화'하는 것이오. 그러므로 끊임없이 변화하는 미래를 꿰뚫어 보고, 나아갈 때와 물러갈 때를 판단해야 하는 것이오. 첫 번째로 한 냥을 가지고 짚신 다섯 켤레를 만들어 다섯 푼을 번 사람은 장사꾼을 하느니 차라리 농사꾼을 하는 게 좋은 사람이었을 것입니다. 왜냐하면 '한 푼 들이면 한 푼 남고, 두 푼 들이면 두 푼이 남는다'는 것은 장사꾼의 철학이 아니라 '콩 심은 데 콩 나고, 팥 심은 데 팥 난다'는 농사꾼의 철학이기 때문이오. 장사꾼들은 '콩 심은 데서 팥이 나고, 팥을 심은 데서 콩이 나는 것'을 만들어내는 것이기 때문입니다. 그런 의미에서 농사는 일년의 운수를 보는 '천운적' 요소가 더 강하고, 장사는 '인운적' 요소가 더 강한 직업이라고 말할 수 있을 것입니다. 그리고 두 번째로 종이연을 만들어 섣달 대목을 본 그 장사꾼은 과연 때를 잘 살필 줄 아는 안목을 갖고 있었소이다. 생각했던 대로 바닷가에서 소금을 사다가 내륙지방에서 팔아 큰돈을 벌었고, 내륙지방에서는 농산물과 약초들을 구해다가 바닷가에서 팔아 자신의 말처럼 점포를 다섯 개나 여는 성공을 거두었소. 그러나 그는 그 이상의 재물을 얻지 못할 것이오."

임상옥은 한마디로 잘라 말하였다. 듣고 있던 선비들이 의아해서 다시 물어 말하였다.

"어째서입니까. 그 상인은 성실할 뿐 아니라 남을 속이지도 않았고, 또한 대인어른과의 약속을 어기지도 않았습니다."

임상옥이 입을 열어 말하였다.

"그 사람은 이익이 있는 곳을 좇아다니는 사람이오. 그는 비가 오면 우산을 만들고, 비가 그치면 나막신을 만들어 파는 사람이오. 그는 눈앞의 이익만 살펴서 상술에 의존하고 있는 장사꾼입니다."

다시 임상옥이 말하였다.

"큰 장사꾼은 비가 오거나 말거나 우산을 만드는 사람이며, 나막신을 만드는 사람이오. 왜냐하면 비가 오거나 눈이 오는 것은 자연의 한 현상일 뿐이기 때문인 것이오. 현상을 좇아다니는 사람은 시세를 좇아다니거나 유행을 좇아다니다가 제 꾀에 넘어가 무너질 것이오. 따라서 큰 장사꾼은 최소한 5년 후의 장래를 내다보는 계책을 세울 줄 알아야 하는 것이오. 세 번째 장사꾼은 비록 술과 계집에 빠진 난봉꾼이긴 하였지만 6년 뒤를 내다보고 인삼씨를 구해다가 태백산 심심산중에 뿌림으로써 마침내 10만 냥이라는 거금을 얻을 수 있었던 것이오. 옛말에 이르기를 '가장 현명한 사람은 가장 어리석은 사람이다'라고 하였소이다. 《사기》의 '화식열전(貨殖列傳)'에서도 이르기를 '물이 깊으면 고기가 그곳에서 생겨나고 산이 깊으면 짐승이 그곳으로 달려가고 사람이 부유하면 인의가 부차적으로 따라온다'고 하였소. 무릇 돈을 벌려는 사람은 돈을 좇아다닐 것이 아니라 자신의 마음을 물과 산처럼 깊이 파고 담으면 고기와 짐승처럼 자연 그곳에서 부귀가 생겨날 것이오."

임상옥이 말을 마치자 귀기울여 듣고 있던 선비 하나가 소리를 내어 웃으며 말을 받았다.

"'물이 깊으면 고기가 저절로 생겨난다'는 사마천의 말은 과연 옳습니다."

"그러한가."

"그 기생년의 구멍이 얼마나 깊은가 그 사람은 계속 그 구멍 속에 돈을 집어넣어 보았다고 하지 않았습니까. 그러니 이렇게 말하여야 옳을 것이 아니겠습니까."

선비는 크게 웃고 나서 종이 위에 다음과 같이 써내렸다.

'穴深而貨生之 淫深而財往之(혈심이화생지 음심이재왕지)'

선비가 쓴 문장은 임상옥의 말을 빗대어 한 것으로 다음과 같은 뜻이었다.

'구멍이 깊으면 자연 돈이 그곳에서 생겨나고, 여인의 음부가 깊으면 자연 그곳으로 재물이 달려간다.'

좌중은 순간 유쾌한 웃음으로 흘러넘쳤다.

이 일화를 통하여 임상옥의 상업철학을 엿볼 수 있다. '성실'과 '남을 속이지 않음' 그리고 '미래를 내다보는 눈'이야말로 임상옥을 통해서 배울 수 있는 상도일 것이다.

임상옥이 곽산군수로 재직하고 있을 때 그의 사업은 번창일로에 있었으며 자신을 찾아왔던 세 사람의 장사꾼에 얽힌 일화에서 엿볼 수 있듯이 사람과 인생을 보는 그의 안목은 최고조에 이르고 있었다.

그러나 이처럼 상업은 날로 번창하고 한갓 비천한 상인의 신분으로 후에는 귀성부사로까지 제수될 정도로 벼슬길까지 승승장구하여 무소불능(無所不能)의 경지에 이른 임상옥에게 느닷없이 마가 들기 시작하였다.

예부터 호사다마(好事多魔)라 했던가. 좋은 일이 많으면 역시 재앙을 일으키는 마가 승하다는 말이 맞는 모양이었다.

불교에서 내려오는 설화 중에 다음과 같은 것이 있다.

어떤 보살의 집안에 예쁜 여인 하나가 손님으로 찾아왔다. 하룻밤을 재워줄 것을 부탁하는 그 여인에게 집주인은 '무엇을 하는 사람인가' 하고 물었다. 그러자 그 여인은 대답하였다.

"나는 집에 복을 갖다주는 천신입니다. 재물과 부귀와 장수를 주는 천신입니다."

집주인은 그 여인을 맞아들이며 말하였다.

"어서 들어와 얼마든지 쉬십시오."

여인을 맞아늘이자 또 다른 여인 하나가 문을 두드리며 말하였다.

"나는 집에다 재앙을 가져다주는 악신입니다."

그 주인은 추악하게 생긴 그 악신에게 말하였다.

"악신은 들어오지 마십시오."

그러자 그 여인은 말하였다.

"우리는 쌍둥이 형제입니다. 천신 혼자만 받아들일 수는 없습니다. 천신이 있는 곳이면 나도 함께 들여야만 하는 것입니다."

불교에서 내려오는 설화의 내용처럼 천신이 있는 곳이면 악신의 재앙 역시 함께 존재하는 것일까. 승승장구하던 임상옥에게도 결정적인 장애가 다가온다. 바로 석숭 큰스님이 예언하였던 세 번째의 마지막 위기가 다가온 것이다.

이때의 기록이 《조선왕조실록》에 나와 있다.

《조선왕조실록》에 임상옥의 이름이 나오는 것은 오직 한 번뿐인데 바로 이러한 임상옥의 위기를 암시하고 있다.

곽산군수에서 귀성부사로 제배(除拜)된 임상옥에 대해서 지변사(知邊事)는 다음과 같은 내용으로 논척하였다.

"어제 도정(都政)에서는 곽산 전 군수 임상옥을 귀성부사에 제배하였습니다. 임상옥은 작년에 만부(灣府)의 수재(水災) 뒤 의연(義捐)의 재물을 낸 공로로 본사(本司)의 회계(回啓)로 인해 외직(外職)에 조용(調用)하라는 승전(承傳)을 받게 된 것입니다."

회계. 이 말은 임금이 내린 하문(下問)에 대해서 조사하고 심의하여 상주(上奏)함을 뜻하는 말로, 이 문장을 통해 임상옥이 순조의 각별한 사랑을 받았음을 알 수가 있다.

승전이라는 것은 '임금의 뜻을 전하는 말'로 임상옥이 곽산군수에서 귀성부사로 제배되었던 것은 순조의 특지에 의함이었던 것을 미뤄 짐작할 수 있다.

그러나 비변사의 논척은 다음과 같이 이어지고 있다.

"…그러나 다만 생각하건대 부사와 군수는 승의(陞擬)에 관계되는데 임상옥은 전임 곽산군수로서 직접 섣달의 전회(殿會)에서 중고(中考)에 들었습니다. 불과 몇 년 사이에 졸지에 군수에서 부사로 발탁하는 예는 일찍이 없던 일이니 고적(考績)을 무겁게 여기고 윤

간을 신중하게 하는 뜻에도 어긋나는 일이나이다. 그러므로 해당 정관(政官)은 추고(推考)하고 임상옥에게 새로이 제수된 직임은 청컨대 개차(改差)하소서."

이러한 내용을 조정에 보냈던 지변사들은 당시 비변사에 속한 관리들로 주로 국경의 국방을 맡아 보던 사람들이다. 이들은 신분을 감추고 국경지방을 돌아다니며 방위태세를 살피는 일종의 암행어사 노릇까지 맡아하고 있었다. 이들이 비국(備局)을 통해 올린 논척에서 임상옥을 바꿔달라고 아룀으로써 임상옥이 처했던 당시의 위기상황을 미뤄 짐작할 수 있다.

물론 그렇게 된 데에는 당시 임금이 순조에서 헌종으로 바뀌었던 정권교체기 탓도 있지만 비변사의 의견이 받아들여져 귀성부사로까지 제수되었던 임상옥의 벼슬이 하루아침에 취소되었던 것이다.

이때의 기록이 실록에 간단하게 남아 있다.

'…비국의 상소는 윤허(允許)되었다. 임상옥은 귀성부사에서 개차되었다.'

윤허. 임금이 허락함을 뜻하는 말.

그렇다면 임상옥은 불과 몇 년 사이에 군수에서 부사로 중임되는 것은 전례가 없던 일이니 이를 바꿔 달라는 단순한 상소문에 의해 귀성부사에서 밀려나버릴 수밖에 없었단 말인가.

아니다. 《조선왕조실록》에 실려 있는 이 기록은 하나의 암시에 지나지 않는다.

임상옥은 하루아침에 귀성부사에서 개차되었을 뿐 아니라 지변사들에 의해 감옥에까지 갇히게 되었다.

역사의 기록 뒤에 숨겨진, 임상옥에게서 관직을 삭탈하게 한 그 정확한 이유는 과연 무엇이었던가.

그 이유 중의 하나는 임상옥 스스로《가포집》서문에 자서하였던 내용처럼 자신이 태어난 의주읍내 삼봉산 아래 지은 대하(大廈) 때문이었던 것이다.

임상옥은 이렇게 말하였다.

"…남들은 이것을 궁궐과 같다고 생각하는 모양이나 나는 몇 개의 서까래를 엮어서 조석으로 아버님의 묘소를 바라보는 장소를 만들었던 것뿐이다."

임상옥이 몇 개의 서까래를 엮어서 지었을 뿐이라는 집은 그러나 국경을 돌아다니는 암행어사의 눈으로 보면 한갓 변경의 거부가 짓고 살기에는 지나친 호화주택으로 비춰질 우려가 있었다.

당시 국법으로는 양반세도가의 집이라 해도 그 규모와 평수가 일일이 정해져 있던 바, 비록 그 평수를 초과하지는 않았을지라도 지나치게 크고 호화로운 임상옥의 집이 비변사의 눈에 거슬렸을 것이다.

그보다도 임상옥이 비변사의 눈총을 받게 된 데에는 결정적인 이유가 있었다.

인생의 황금기인 절정에서 임상옥을 추락하게 한 마(魔)는 과연 무엇이었을까. 곽산군수에서 하루아침에 옥에 갇히는 죄수가 되어버린 결정적인 이유는 호화주택을 지음으로써 국법을 어긴 표면상의 이유보다도, 겉으로 드러나지 않은 숨겨진 사연 때문이었다.

숨겨진 사연.

그것은 한 여인 때문이다.

임상옥에게 찾아온 제삼의 위기. 석숭 큰스님이 예언하였던 마지막 위기를 불러온 숨겨진 여인은 과연 누구였던가. 천하의 무역왕 임상옥이 자신이 가졌던 그 모든 재산과 그 모든 명예, 그 모든 권력까지도 포기하고 그 모든 부귀와 맞바꾸려 하였던 여인. 그 숨겨진 여인은 과연 누구였을까.

그 숨겨진 비사는 임상옥이 곽산의 군수로 부임하였던 1832년 초봄에서부터 비롯되었다.

2

그 무렵 순무사(巡撫史) 일행이 변경을 돌아다니며 순행하던 차에 곽산을 찾아올 것이라는 소식이 들어왔다. 순무사는 왕명을 받은 특사로 막강한 힘을 가진 일종의 어사이기도 하였으므로 지방관아에서는 이들을 접대하는 일이 큰일 중의 하나였다.

연회를 앞두고 관아에 딸린 관기들을 점고(點考)하는 일도 지방 수령의 중요한 일이었다.

관아에 딸려 가무와 탄금을 하던 관기들을 일패(一牌) 기생이라고 총칭하였는데 잔치나 연회에서는 반드시 술자리의 흥을 돋우기 위해 이들 역할이 필요했던 것이다. 이들을 '말을 할 줄 아는 꽃' 이라는 의미로 해어화(解語花) 혹은 화류계(花柳界)라고 부르기도 했었다. 특히 의주의 기생들은 치마무검(馳馬舞劍)이란 가무로 유명하였다.

곽산의 관아에는 열두 명의 관기가 있었다. 대부분 남편이 있는 유부기들로 나이가 많았으나 그중 한 여인이 유독 젊고 눈에 띌 정도의 미인이었다.

평생을 술을 좋아하였으나 여인과는 어느 정도 거리를 두고 있던 임상옥이었지만 눈에서 비늘이 떨어질 정도로 미인이었다.

"네 이름이 무엇이냐."

임상옥이 묻자 젊은 기생은 대답하였다.

"송이(松伊)라 하나이다."

목소리도 부드럽고 행동거지에도 품위가 있었다. 나이는 올해로 스무 살이라 하였다. 그러나 무엇보다도 임상옥이 그 젊은 관기를 인상적으로 보았던 것은 왠지 낯이 익었기 때문이었다. 분명히 처음 본 얼굴이었으나 낯이 설지 않고 수십 차례 만난 사람처럼 친숙하였다.

그 당시 관기들은 양민도 못 되는 천민 중의 하나였다. 노비와 마찬가지로 기적에 올려지면 평생 천민이라는 굴레에서 벗어날 수 없었다. 《경국대전》에 이르기를 '관원은 기녀를 간할 수 없다'고 명문화되어 있었지만 관기는 지방수령이나 관료들의 위안 대상으로 수청을 드는 것이 의무였다.

일찍이 젊은 시절 잠깐 불문에 들어 승려생활을 했던 습관이 몸에 밴 탓이었을까, 임상옥은 술을 좋아하였지만 여색은 멀리하고 있었다. '영웅은 호색'이라 하였으나 임상옥은 천하의 절색, 장미령의 몸을 샀음에도 몸에는 손 하나 대지 않는 미덕을 보이지 않았던가. 그때 그의 나이 이미 스무 살 초반 한창 피가 끓고, 정욕이 불불을 때가 아니겠는가.

그러므로 한갓 천인에 불과한 젊은 기생이 낯설지 않고 눈에 익다는 사실이 임상옥 스스로도 믿을 수가 없었다.

내가 뭘 착각하고 있는 것이 아닐까, 하고 임상옥은 곰곰이 생각해보았다. 그 젊은 기생이 처음 본 사람이 아니라는 확신이 생각하면 할수록 분명해지고 있었다.

몇날 며칠을 고민하던 임상옥은 아전을 불러 물어보았다.

"이보게 이방."

아전이 허리를 굽혀 대답하여 말하였다.

"말씀하십시오, 사또 나으리."

임상옥은 궁금했던 모든 것을 이방에게 물어보았다. 그 송이란 기생이 어떻게 기적에 올랐으며 어미는 무엇을 하였던 사람인가 하는 신상에 관한 질문이었다.

아전은 대답하여 말하였다.

"나으리, 신이 알기에는 송이의 어미는 기생이 아니옵고 노비였던 것으로 아나이다. 하오나 송이를 낳고 나서 다섯 살 될 무렵 죽어버린 것으로 알고 있나이다. 그래서 송이는 남편을 가진 유부기였던 산홍의 양녀로 들어갔나이다. 산홍이 올해로 병들어 늙고 퇴기할 때 자신의 양딸인 송이를 대신 대비정속 시켜놓았나이다."

"그렇다면."

임상옥이 물어 말하였다.

"그 송이란 기생은 올부터 기적에 올랐단 말이냐."

"그러하나이다, 사또 나으리."

"그러하면."

임상옥이 다시 물어 말하였다.

"그 송이란 기생의 아비는 누구였더냐."

이방은 황공하여 몸을 굽신거리어 말하였다.

"사또 나으리, 그 송이란 기생의 어미는 물론 아비도 원래는 노비가 아니었나이다."

"노비가 아니었다니."

"아뢰옵기 황공하오나 송이의 어미는 물론 아비 역시 양민이었나이다."

"양민의 딸이 어찌 기생이 될 수 있단 말이냐."

임상옥이 묻자 이방은 대답하였다.

"그것은 송이의 아비가 대역죄를 저질렀기 때문이나이다. 결국 송이의 어미는 그 죄로 인해 비적으로 떨어져 내려와 노비가 되었고, 송이는 관기가 되어버릴 수밖에 없었나이다."

"아비가 대역죄인이었다구. 도대체 무슨 죄를 지었단 말이냐."

이방의 말은 사실이었다.

조선 초기 대역죄인이었던 사육신(死六臣)의 처자들을 신하들에게 노비로 나누어 주었던 것이 대표적인 예로, 가장 극단적인 예는 광해군 무렵 인목대비의 친정어머니를 제주감영의 노비로 삼았던 사실일 것이다. 고려시대에는 근친상간의 금기를 범한 상서예부시랑 이수(李需)의 조카며느리를 기생의 적에 올려 유녀(遊女)로 삼았던 것처럼 조정에서는 역신들의 처자들을 노비로 삼거나 기생으로 삼는 일이 왕왕 있었던 것이다.

"아뢰옵기 황공하오나 송이의 아비는 평서대란 때 난을 일으킨 대역죄인이라 알려져 있나이다."

평서대란. 이는 20년 전에 일어났던 홍경래의 난을 가리키는 용어였다.

"신은 그 정도까지만 소문으로 전해들었을 뿐 상세한 것은 더 이상 알지 못하고 있나이다. 그동안 벌써 20여 년의 오랜 세월이 흘렀사옵고, 모두 신이 부임하기 전의 일이라 신은 황공하옵게도 잘 모르는 일이나이다."

벌써 20여 년의 세월이 흐른 것이다. 10년이면 강산이 변한다고 하지 않았던가. 20년이라면 두 번이나 강산이 변할 만큼 오랜 세월이 흐른 것이다.

그로부터 며칠 뒤.

곽산에서는 순무사 일행을 위한 연회가 벌어졌다. 관아에 소속된 관기들이 총동원된 대연회였다. 순무사는 당대의 세도가 김조순 인척이었던 김명도였다. 김조순은 인척을 변경의 국방태세를 감지하는 순무사로 파견함으로써 자신의 세력을 지방으로까지 팽창시키려는 야심을 보이고 있었다.

그날 연회장에서 최고의 인기는 단연 젊은 기생 송이였다.

송이가 모든 사람의 넋을 빼앗은 것은 빼어난 미모뿐 아니라 뛰어난 춤솜씨 때문이었다.

흔히 기녀들은 각각 지방적 특색으로 독특한 춤과 노래를 익히고 있었다. 예를 들어 안동의 기생들은 송대학지도(誦大學之道)란 창을, 함흥의 기생들은 송출사표(誦出師表)란 노래를, 평양의 기생들은 창관산융마시(唱關山戎馬詩)란 노래를, 영흥의 기생들은 창용비어천가(唱龍飛御天歌)라는 노래를, 제주의 기생들은 주마지기(走馬之妓)라 하여서 말타고 노는 기예를 각 지방적 특색의 장기로 삼고 있었는데, 의주를 비롯하여 곽산 등 변경에서는 치마무검이라 하여 말을 타고 춤을 추는 검무를 장기로 삼고 있었던 것이다.

송이는 홀로 검무(劍舞)를 추었는데 그 춤솜씨 역시 일품이었다. 아마도 자신의 양어미인 산홍에게 춤을 전수받은 모양이었다.

임상옥은 송이의 춤솜씨를 바라보면서도 그 여인의 표정과 몸짓, 그리고 말하는 태도와 몸을 움직이는 행동거지 모두가 분명히 낯이 익다는 사실을 재삼 확인할 수 있었다.

임상옥으로서는 전혀 이해할 수 없는 일이었다. 어째서 생면부지 기생의 모습이 저토록 낯이 익고 친숙하게 느껴질 수 있을까.

연회가 파했을 때 임상옥은 은밀히 송이를 따로 불러들였다. 무릎을 꿇어앉은 송이에게 임상옥은 물어 말하였다.

"네가 일찍이 나를 본 적이 있었더냐."

송이가 대답하였다.

"나으리를 어찌 천한 계집인 제가 뵈온 적이 있겠나이까."

임상옥이 다시 물었다.

"네 이름이 무엇이냐."

"송이라고 말씀드리지 않았나이까."

"아니 기생 이름 말고, 네 원 이름이 무엇이었더냐."

"미천한 관기의 신분으로 이름이 어찌 있었겠나이까. 성도, 이름도 처음부터 없었나이다."

임상옥은 쉽게 물러서지 않았다.

"비천한 관기라 할지라도 아비 어미가 있었을 것이 아니겠느냐. 하찮은 강아지라 할지라도 아비 어미가 있는 법이거늘, 하물며 사람에게 아비 어미가 없을 것이겠느냐."

그러자 송이는 대답하였다.

"저의 어미는 산홍이나이다."

"산홍이라면 퇴기가 아니겠느냐. 산홍은 너를 낳은 어미가 아니라 너를 기른 어미가 아니겠느냐."

"저는 모르겠나이다."

송이는 머리를 흔들며 대답하였다.

"저를 낳은 어미가 누구인지, 저를 낳은 아비가 누구인지 저는 알지 못하나이다. 제가 알고 있는 것은 제 어미가 산홍이라는 것 말고는 아무것도 없나이다."

아전의 말처럼 송이를 낳은 어미가 다섯 살 무렵 죽고 그 딸을 대신 관기였던 산홍이가 키웠다면 송이는 자신의 어미에 대한 기억은 전혀 갖고 있지 못하였을 것이다. 그뿐 아니라 대역죄인으로 죽은 자신의 아버지가 누구인지, 그런 사실 역시 전혀 모르고 있을 것이다.

아무런 소득 없이 송이를 보내고 난 뒤에도 임상옥은 쉽게 잠들 수가 없었다. 분명히 송이에게는 전생의 인연이랄까, 부정하려야 부정할 수 없는 숙연(宿緣) 같은 것을 느꼈기 때문이다. 내 반드시 이를 밝혀내고 말리라, 임상옥은 결심하였다.

그 다음날 임상옥은 아전을 은밀히 따로 불러 말하였다.

"송이의 어미 산홍이 지금 어디서 무엇을 하고 있는지 알고 있느냐."

아전이 대답하였다.

"알고 있나이다. 산홍은 이제 나이가 들어 기생에서 물러나 성밖에서 주막을 차리고 주모 노릇을 하고 있나이다."

"그 주막집이 어디에 있는지 알고 있는가."

"알고 있다마다요. 산홍은 남편이 있고 아이가 셋이나 딸린 유부기인데 산홍의 남편이 신과 친하여 이따금 찾아가 함께 술을 마시는 사이이나이다."

"그럼 앞장서라."

임상옥이 말하였다. 예, 하고 아전이 놀랐으나 임상옥이 아랑곳하지 않고 말을 이었다.

"우리가 지금 산홍의 주막집으로 찾아가는 것은 너와 나 단둘만의 비밀이니 네가 함부로 입을 놀려 이를 발설할 시에는 엄중히 문책하여 벌을 내릴 것이다. 그러니 마땅히 입을 무겁게 하고 신중을 기하도록 할지어다."

"여부가 있겠습니까."

아전은 앞장서고 임상옥은 뒤를 따랐다. 아무리 변방이라고는 하지만 그 고을에서의 지방수령은 임금과 다름없는 존재다. 그 원님인 사또가 아전 하나만을 거느리고 일개 주막집의 주모를 찾아가는 일은 몹시 드문 일이었다.

해질 무렵이었다.

주막은 능한산성 앞 장터에 있었다. 마침 장이 열리고 있었는지 주막은 사람들로 들끓고 있었다.

예로부터 곽산은 바다가 가깝고, 또한 깊은 산까지 끼고 있어 특산물이 많이 있었다. 삼〔麻〕, 자초(紫草), 자연석(紫硯石) 등과 바다에서 나는 은어, 밴댕이, 숭어, 넙치, 새우, 굴 등의 집산지로 장이 열리면 이를 사고팔려는 장사꾼들로 장터는 흥청이고 있었다.

산홍의 주막은 '酒(주)' 자를 써붙인 창호지를 바른 등을 내어놓고 있었고 주막을 알리기 위해서 쇠머리와 삶은 돼지머리를 좌판 위에 늘어놓고 있었다.

주막은 꽤 커서 행상들이나 나그네들이 잘 수 있는 방들이 여러 개 있었으며 이들이 몰고 다니는 말과 소, 당나귀들도 맡아주기 위해서 따로 마구간이 마련되어 있을 정도였다.

마침 장이 파할 무렵이어서 주막집은 한층 바빠지고 있었다. 비록 임상옥이 관복을 벗었다고는 하지만 행색이 벌써 남다른 곳이 있었으므로 술청에는 앉지 못하고 귀한 양반손님이 오면 따로 맞는 특실로 안내되었다.

주막에서 파는 술은 탁주와 소주가 주종이었으나 특별한 손님이 오면 방문주(方文酒)라 하여 향기를 넣은 특주가 따로 나오곤 하였다.

임상옥은 잠자코 이방을 상대로 술부터 마시기 시작하였다.

해가 지자 떠날 사람은 떠나고 남을 사람만 남아 주막은 어느 정도 정리가 되었다. 그러자 이방은 중노미를 불러 주모를 데려오라 말하였다. 큰 주막에서는 안주를 굽거나, 공짜 안주를 집어먹는 사람들을 감시하며 허드렛일을 하며 시중드는 아이를 중노미라 부르고 있었다.

잠시 후, 주모 산홍이가 나타났다. 한때 기생을 하였다고는 하지만 이제는 완연한 아낙의 모습이었다. 그녀는 임상옥이 이런 주막집에 드나드는 손님이 아니라는 것을 한눈에 알아보았다.

　"양반 나으리께오서 이처럼 누추한 주막에는 어인 일로 행차하시었소."

　산홍은 땋아서 한 바퀴 틀어올린 트레머리에 빨간색의 팥잎댕기를 하고 있었다.

　이미 전주가 있는 듯 불그레 상기한 얼굴로 거침없이 산홍이가 묻자 이방이 황급히 말하였다.

　"귀한 양반어른이시다. 어느 안전이라고 말을 함부로 하시는가."

　이방이 꾸짖어 말하였으나 산홍은 산전수전 다 겪은 퇴물답게 능청스레 대꾸하여 말하였다.

　"귀한 양반어른이시라면 나랏님이라도 행차하셨는가."

　이방이 불그락푸르락하였으나 임상옥이 눈짓으로 이를 막아세웠다.

　"내가 이처럼 주모를 찾아온 것은 다름 아닌 양딸 송이에 대해 물어볼 말이 있어서네."

　"그런가. 난 또 양반 나으리께오서 이 산홍의 겨드랑이나 비단속곳을 구경하러 오신 줄 알았는데."

　걸쭉한 입담이었다.

　산홍의 입담에는 유래가 있다.

　주모들은 주로 겨드랑이 가래의 길이가 2.35센티미터밖에 안 되는 이른바 '동그레저고리'란 짧은 저고리와 '주릿대치마'를 입고 있는 것이 보통이었다. 주릿대치마란 치마를 바로 여미고 그 오른쪽 자락을 앞으로 돌려 가슴에 닿을 듯 말 듯 치켜올려 입고 허리띠를 매는 방법으로 이렇게 치마를 입으면 자연히 속곳이 노출되기 마련이었다.

주모들은 이따금 짧은 저고리 사이로 겨드랑이의 은근한 치모를 보여주거나 속곳을 노출시킴으로써 오가는 행객들의 시선을 성적 매력으로 유혹하였다.

"우선 술이나 한 잔 주고 이야기를 시작하는 게 어떻겠소이까, 양반 나으리."

산홍은 잔부터 내밀었다.

이방이 그 빈 잔에 술을 가득 따라주었다.

산홍은 꿀꺽꿀꺽 단숨에 술을 비웠다. 잔에 남은 술찌꺼기를 척— 하니 마당에 던져버리며 혼잣말처럼 말하였다.

"아이구 가슴이야, 가슴이 답답해서 내 못살겠네."

아직 늦은 봄이라 더위가 몰려들 때가 아니었지만 산홍은 울화가 치밀어 못 참겠다는 듯 팔을 한짝 들어올리고 일부러 보라는 듯 드러난 겨드랑이 안쪽을 향해 펄쩍펄쩍 소리가 나도록 손부채질을 하기 시작하였다.

벌컥벌컥 단숨에 술잔을 비우고 나서 산홍은 그 빈 잔에 술을 가득 따라 임상옥에게 주면서 말하였다.

"고맙게도 잔을 한 잔 받았으니 노래 한 곡 부르리다."

산홍은 구성진 목소리로 권주가를 부르기 시작하였다.

불로초로 술을 빚어

만년배(萬年盃)에 가득 부어 비나이다.

남산수(南山壽)를 약산동대(藥山東臺)

어즈러진 바위꽃을 꺾어

주(籌)를 놓으며 무궁무진 먹사이다…

비록 나이가 들어 퇴기라 하지만 아직도 창에는 일가견이 있었
다. 임상옥이 흥이 돋아 산홍의 권주가에 얼씨구 얼씨구 하면서 가
락을 넣었다.

분위기가 무르익어 찾아온 목적을 차치하고라도 주흥이 도도하
기 시작하였다. 한바탕 신바람이 나도록 춤에 노래에 장단에 놀고
나자 산홍이 이마에 밴 땀을 수건으로 닦으며 물어 말하였다.

"그래, 양반 나으리께오서 내 딸 송이에 대해 뭔가 물어볼 말이
있어 찾아오셨다 하였으니 말씀하여 보시오."

임상옥은 진지한 표정으로 송이를 낳은 어미가 누구이며 언제 어
떻게 죽었는가를 아는 대로 말해보라고 부탁을 하였다.

잠자코 이를 듣던 산홍이가 벌떡 자리에서 일어나며 말하였다.

"난 또 송이에 대해 양반 나으리께오서 알고 싶어 찾아오셨다 하
여 송이를 소실로 삼아 속신(贖身)이나 시켜줄 줄 알았는데, 아닌 밤
중에 봉창 두드리는 소리를 하시는가. 아따, 난 그만 가겠소."

산홍이가 일어서자 아전이 뜯어말리며 말하였다.

"앉아, 앉으시게."

아전은 미리 준비하였던 은전을 술상 위에 소리가 나도록 엎어놓

으며 말하였다.

"나으리께오서 속신이야 못 시켜줄망정 그 값은 후하게 쳐준다고 말씀하시었네. 그러니 앉으시게나."

산홍은 흘깃 술상 위에 놓인 은전을 보았다. 한눈에도 상당한 거금이었다. 산홍은 자리에 도로 앉았다. 자기 손으로 술잔에 술을 가득 따라 또다시 벌컥벌컥 들이켜고 나서 한숨 쉬듯 말하였다.

"나으리, 묻고 싶은 것이 있으면 뭣이든 물어보시오. 이 산홍이년 가죽배 위로 타고 넘어간 남정네가 누구누구인지 그 성명 석 자만은 빼놓고 모든 걸 다 말씀드릴 터이니."

임상옥이 비로소 입을 열어 물었다.

"송이의 어미가 어떤 사람이었소."

산홍은 긴 담뱃대에 불을 붙여 뻐끔뻐끔 연기가 나도록 빨고는 한참을 정신나간 사람처럼 어둠이 내린 바깥을 내다보다가 한숨을 쉬면서 말하였다.

"…이년이 송이의 어미를 처음 만난 것은 한 20년 되었나이다. 그때가 어느 핸가 정확히 기억되지는 않지만 한바탕 온 나라에 난리가 났던 바로 그때였나이다. 그때 이년의 나이는 열넷인가 열다섯이었고 고향은 철산이었는데 집안이 찢어지게 가난하여서 아비가 방물장수에게 팔아넘겨 그 길로 기생어미 홍매의 양딸로 들어갔다가 기생으로 나섰던 바로 그해였나이다…."

산홍은 넋두리를 하듯 말을 이어 내려갔다.

"…바로 그해 봄인가, 여름인가에 어느 날 한 아낙이 관노로 들어 왔었나이다. 소문에 듣자 하니 난리 때 죽은 대역죄인의 부인이었다고 하는데 한눈에 보기에도 여염집 아낙은 아닌 듯싶고, 손은 섬섬옥수에 자태 또한 고와서 공노비가 되기에는 어울리지 않았던 여인이었나이다. 신공으로 관아에서 나오는 대소 빨래는 물론 때에 맞춰 음식을 차리는 선상노비였는데 하는 짓이 영 서툴러 무진 애를 먹곤 하였나이다. 나이는 대략 스물대여섯 정도로 보였는데 남편이 능지처참당해 죽고, 있던 자식들도 모두 뿔뿔이 흩어져 노비로 팔려간 뒤끝이라 혼이 나간 사람처럼 보였나이다. 내가 그 아낙과 친해진 것은 어느 날 밤 우연히 뒷산에 올라갔다가 나뭇가지에 목을 매어 죽으려던 여인의 모습을 내 눈으로 본 뒤부터였나이다. 달밤에 뭔가 나뭇가지에 대롱대롱 매달려 있어 처음에는 귀신인가, 도깨비인가 하였나이다. 달려가 보았더니 바로 그 아낙이 목을 매고 축 늘어져 있었나이다. 밧줄을 풀어 끌어내리고 보니 이미 숨이 끊어져 있던 것 같은데, 온몸을 주무르고 차디찬 우물물을 온몸에 끼얹었더니 아낙은 숨이 돌아와 울기 시작하였나이다. 왜 자신을 살려주었느냐고, 되레 나를 원망하더이다. 그리고 나서 울며 말하기를 난리통에 지아비가 죽은 것은 견딜 수 있으나 다섯이나 되는 아이들이 모두 노비로 팔려나가 하나는 역노비가 되었으며 또 하나는 공노비가 되었는데 나머지 세 명은 어디로 팔려나갔는지 알 수가 없으니 살아서 무엇을 하겠느냐고 울며 하소연하더이다. 그래 내가 말을 하였소이다. 관노나 관기나 어차피 공천(公賤)이니 사람의 목숨이라고는 말할 수가 없지만 그래도 살아서 목숨을 부지하고 있어야만 언젠가는 팔려나간 자식들을 만날 수 있을 것이 아니겠느냐고 타일렀나이다. 그 일이 있고 나서 아낙은 나를 동생처럼 생각하였고 나 역시 그 아낙을 언니처럼 생각하였나이다. 그래서 우리 두 사람은 친자매처럼 가깝게 지내기 시작하였나이다."

산홍은 말을 끊었다. 그녀는 다시 뻐끔뻐끔 담뱃대를 빨았다. 푸른 연기가 피어올랐다. 아전이 산홍의 빈 잔에 술을 따라주었다. 산홍은 말없이 술잔을 들어 마시고는 다시 그 술찌꺼기를 마당에 휙— 하니 버리고 나서 한숨을 쉬고는 말을 잇기 시작하였다.

"…그러던 어느 날 믿기지 않는 일이 벌어졌나이다. 그 아낙의 배가 불러오기 시작하였던 것이나이다. 그 대역죄인으로 죽은 지아비의 씨가 그 아낙의 뱃속에서 자라고 있었던 것이나이다. 그 아낙은 기가 차서 말하였나이다. 아들을 보아도 노비가 될 것이고 딸을 낳아도 계집종이 될 터인데 아이를 낳아서 무엇을 하겠소, 하며 뱃속의 아이를 떼느라 무진 애를 썼나이다. 간장을 대여섯 사발을 먹기도 하고 일부러 댓돌 위에서 굴러떨어지기도 하였나이다. 뱃속의 아이를 숨이 막혀 죽게 하기 위해 일부러 복대를 칭칭 감아 조이기도 하였지만 아이는 무럭무럭 자라 배가 남산만해졌나이다. 이듬해 겨울, 그 아낙은 아이를 낳았는데 낳고 보니 계집아이였나이다."

"그 계집아이가 송이였단 말이냐."

뜸을 들이며 장타령이라도 하듯 말을 하는 산홍의 태도에 성미 급한 아전이 참지 못하고 끼어들어 물어 말하였다.

"…그 계집아이가 송이였나이다. 그 아낙은 계집아이를 낳고 나서도 돌보지 않았나이다. 배가 고파 울어도 젖을 먹이지 않았으며, 실제로 언젠가는 아이의 목을 졸라 죽이려고까지 하였나이다. 내가 간신히 뜯어말렸는데 아낙은 이렇게 말을 하였나이다. 이 모진 세상에 모진 목숨으로 태어났으니 차라리 사는 것이 죽는 것보다 못한 목숨이다. 그래서 송이는 제 어미보다는 내 양어미인 홍매의 품에서 더 많이 자랐나이다. 그러던 어느 날 한밤중에 그 아낙에게 한 사내가 찾아왔는데 알고 보니 근수노였던 그 아낙의 아들이었나이다. 관원의 몸종으로 팔려나가 있던 그 아들이 제 어미가 보고 싶어 도망쳐서 찾아온 것이었나이다. 그러나 만난 것도 잠깐, 도망쳐와 제 어미를 만난 지 불과 하루 만에 아들은 잡으러 온 관원들에 의해 붙잡혔으며 아들이 끌려간 뒤부터 그 아낙은 정신이 나가 실성하고 말았나이다. 사람도 알아보지 못하였고 심지어는 자기가 낳은 딸 송이도 알아보지 못하였나이다. 아낙은 붙잡혀간 아들뿐 아니라 뿔뿔이 흩어져 어디에 있는지도 모르는 아이들의 이름을 부르며 온 산과 들을 맨발로 헤매고 다녔나이다. 미친 관노를 누가 돌봐주겠나이까. 그해 여름 장마가 들어 강물이 불었을 때 그 아낙은 강변에서 물에 퉁퉁 불어 죽은 시체로 발견되었나이다. 장례는 내 어미인 홍매와 내가 함께 치러주었는데 그냥 거적때기로 둘둘 말아 햇빛이 잘 드는 산마루에 봉분도 없이 파묻어 주었나이다. 그때 내 나이가 스물한 살이었고 송이의 나이는 겨우 다섯 살이었나이다."

밤이 깊어가자 장터는 완전히 철시되고 주막도 가라앉고 있었다. 늙은 개 하나만 어슬렁거리며 주막을 돌아다니고 있을 뿐이었다. 술청 어디에서 술 취한 취객 하나만 큰소리로 뭐라고 떠들고 있을 뿐 사위는 적적하고 고즈넉하였다.

산홍은 다시 말을 잇기 시작하였다.

"하루아침에 어미까지 잃어 천애고아가 된 송이를 나는 내 양딸로 삼기로 결심했나이다. 어차피 노비의 딸로 태어나 천노(賤奴)가 되어 살다가 죽을 바에는 기생년의 딸이 되는 게 낫다고 생각했기 때문이었나이다. 기생년의 팔자가 화류계라 하더라도 양반의 부녀자처럼 비단옷에 노리개를 할 수 있는 팔자이기도 하며 잘하면 사대부와 눈이 맞아 면천하거나 기적에서 빠져나갈 수도 있기 때문이었나이다. 송이라고 이름지은 것은 내가 아니라 내 어미인 홍매였나이다.”

잠자코 듣기만 하던 임상옥이 입을 열어 말하였다.

“그 송이를 낳은 어미는 그렇다 치더라도 송이를 낳은 아비는 도대체 누구란 말이냐.”

“모릅니다, 나으리.”

산홍은 머리를 흔들며 말하였다.

“송이의 아비가 난을 일으킨 대역죄인이란 말을 들었사오나 그가 누구인지 그 이름이 무엇인지는 알지 못하나이다. 송이의 어미도 그에 대해서는 입조차 벙긋하지 않았나이다.”

“그러하면 송이의 어미가 어디에서부터 흘러왔다고 말하지 않았더냐.”

“그것도 말하지 않았나이다. 송이의 어미는 자신에 관한 모든 사연은 일체 털어놓지 않았었나이다. 자취도 없이 사라져 죽었사오나 단 한 가지 흔적만을 남기고 떠났나이다.”

“그게 무엇이냐.”

산홍은 머리를 풀어 자신이 꽂고 있던 비녀를 임상옥에게 보여주었다.

"이것은 송이를 낳은 어미가 내게 준 물건이었나이다. 난리 뒤에 모든 것을 다 빼앗기고 노비로 팔려왔지만 머리에 꽂은 비녀 하나만은 빼앗기지 않았다고 송이의 어미가 내게 말하였나이다. 그리고 그 소중한 물건을 내게 선물로 준다고 말하였나이다. 송이를 낳은 어미는 죽어 아무런 흔적도 없사오나 이 비녀 하나만 유품으로 남아 전하고 있을 뿐이나이다."

임상옥은 산홍이 꺼낸 그 비녀를 손으로 집어들어 보았다. 그것은 한마디로 귀한 물건이었다. 예로부터 계급사회에서는 존비, 귀천, 상하의 구별이 분명하였으므로 서민계급의 아녀자들은 다만 나무, 뿔, 뼈와 같이 단순한 재료로 만든 비녀를 사용하는 것이 보통이었다.

그러나 그 비녀는 매죽잠(梅竹簪)이라 하여 은과 산호로 만들어진 고급 비녀였다. 이렇게 화려한 수식이 있는 비녀는 반드시 양반 집안의 반가(班家)의 부녀자들만 사용할 수 있는 노리개였던 것이다.

이런 비녀는 노리개뿐 아니라 후손에게 물려주는 가보적인 성격까지 띠고 있는, 일종의 아녀자의 정절을 뜻하고 있던 물건이었다.

"…언젠가는."

산홍이 한숨을 쉬면서 말을 이었다.

"송이에게 이 비녀를 물려줄까 하나이다. 지금까지 송이에게 제 어미가 어떻게 죽었으며 누구의 자식으로 어떤 연유에 의해 기생년이 되었는가 하는 이야기는 입도 벙긋하지 않았으나 언젠가 서방이라도 만나 시집을 가게 되면 머리를 얹을 때 쓰라고 이 비녀를 물려주면서 모든 사실을 다 말해줄까 하나이다. 그때까지만 이년이 이 비녀를 보관하고 있을 것이나이다."

짧은 침묵이 왔다.

주막집의 늙은 개가 손님들이 마시다 버린 술찌꺼기를 혀로 핥으면서 어슬렁거리며 집 안팎을 오가고 있었다. 잠자코 담배를 빨던 산홍이 다시 입을 열어 말을 이었다.

"비록 이년이 송이의 양어미라 하오만 원래 찢어지게 가난하였던 천민이었고 송이는 비록 대역죄인의 딸이라고는 하오만 양반의 집 딸이었으니 송이가 내 딸이라고 하는 것은 어불성설이지요. 이년이 술과 노래를 모두 가르쳤사오나, 하나를 가르치면 열을 알고 모르는 것이 없는 총기가 있는 아이나이다."

산홍이 임상옥의 술잔에 술을 따르며 말을 하였다.

"나으리, 내 딸 송이가 비록 기생이긴 하오나 올해로 이년이 늙고 병들어 관기에서 물러나올 때 이 양어미를 대신하여 기적에 올라 기생이 되었으니 아직 처녀 중의 생처녀임에 틀림이 없나이다. 그러나 이제 내버려두면 이놈저놈이 집적거리고, 오는 신관 사또들마다 수청 들고, 벼슬아치들이 올 때마다 몸을 주고 그러다 보면 주막집 술사발처럼 이가 빠지고 깨어질 것이 뻔하나이다."

산홍이 은근히 임상옥을 쳐다보면서 다정스레 말을 하였다.

"그러하니 나으리, 더 이상 늦기 전에 우리 송이를 데려다가 정속이나 하여 주시오. 그리되면 우리 송이도 기적에서 벗어나 양민이 될 수 있지 않겠나이까."

산홍의 말은 사실이었다.

기생 역시 노비와 마찬가지로 한 번 기적에 올려지면 천민이라는 신분적 굴레를 도저히 벗어날 수 없었다. 심지어 기생과 양반 사이에 태어난 아이라 할지라도 천자수모법(賤者隨母法)에 따라 아들은 노비가 되었으며 딸은 자연적으로 기생이 될 수밖에 없었다. 기생이 기적을 벗어나 양민이 되는 것은 단 한 가지 방법뿐이었다.

속신이라 하여 부자나 양반의 소실이 되는 경우뿐이었다.

"그러하오니, 나으리."

산홍은 부채를 들어 다시 활활 소리가 나도록 부채질을 하고 나서 임상옥을 바라보면서 말을 이었다.

"더 늦기 전에 우리 송이를 데려다가 첩으로 삼아주십시오. 보아하니 점잖은 양반 나으리 같으니 송이를 구박할 것 같지는 않고 내 딸이라서 하는 말이 아니라 송이년이야말로 금지옥엽(金枝玉葉)과 같은 계집아이나이다. 하오니 당장이라도 송이를 데려가시오. 내 많은 돈도 바라지 않고 원한다면 공짜로라도 드리겠나이다. 우리 송이를 소실로라도 들이신다면."

그러자 옆에서 듣고 있던 아전이 참견하여 말하였다.

"어느 안전이라고 주둥이를 함부로 놀리시는가. 우리 나으리께오서 천한 기생년을 들여다가 소실이라도 삼으실 분처럼 보이시는가."

그러자 산홍이가 발딱 일어서면서 말하였다.

"높으신 양반인 줄 알았더니 이제 보니 천하에 몹쓸 불쌍놈들이로구나."

산홍은 좀 전에 받았던 은전을 획ㅡ 하니 술상 위에 던져버리고는 말하였다.

"누구는 태어날 때부터 황후장상의 씨앗으로 따로 태어난다 그러합디까."

산홍은 가래침을 퉤— 하고 마당에 뱉고 나서 소리쳐 말하였다.

"애야, 중노미야."

산홍이가 부르자 심부름을 하는 중노미가 달려왔다.

중노미가 오자 산홍은 말하였다.

"손님들 가신단다. 신발 챙겨드리거라. 그리고 가시는 즉시 소금한 바가지 가져다가 댓돌 위에 뿌리고 마당에도 뿌리거라."

임상옥과 아전은 그 길로 주막을 나왔다. 나온 것이 아니라 쫓겨나온 셈이었다.

"나으리."

지등을 들고 앞서 걸으며 어둠을 밝히던 아전이 변명하여 말하였다.

"기분이 언짢으셨다면 마음을 풀어놓으십시오. 산홍이란 년이워낙에 성질이 험악하고 나쁜 탓에 그리 되었나이다. 전전 사또 계실 때에는 수청 들라는 말에 이를 거질하였다가 볼기까지 맞은 과거가 있을 정도나이다."

"괜찮네."

잠자코 걷던 임상옥이 헛허허 소리를 내어 크게 웃으며 말하였다.

"산홍의 말이 맞네. 태어날 때부터 황후장상의 씨가 따로 없다는말은 틀린 말이 아니네. 잘못한 것은 산홍이가 아니라 자네와 나 두사람일세."

콸콸콸콸.

언덕을 따라 개울이 흘러가고 있었다. 그 개울에서 발빠르게 흘러가는 물소리가 수양버들 아래로부터 들려오고 있었다.

임상옥은 문득 밤하늘에 떠 있는 무성한 별들을 우러러보면서 중얼거려 말하였다.

이것으로 송이의 출생에 대해 더 이상 알아볼 수 없단 말인가. 산홍을 찾아간 것은 그 비밀을 알아보기 위한 것이 아니었던가. 그런데 알아낸 것은 송이의 어미가 어떻게 죽었으며 송이가 어떻게 태어나 어떻게 기생이 되어버렸는가 하는 그 기구한 인생유전일 뿐, 송이의 아비가 어디 살던 누구라는 비밀에 대해서는 전혀 알 수 없었다.

관아로 돌아온 임상옥은 또다시 잠을 이룰 수가 없었다.

밤이 깊어지자 문득 송이의 자태가 눈앞에 어른거리기 시작하였다. 임상옥은 아내와 자식들을 의주에 두고 홀로 곽산에 나와 지방수령을 하고 있었으므로 홀아비 아닌 홀아비 노릇을 하고 있었다.

특히 며칠 전 순무사들이 찾아왔을 때 열린 연회에서 검무를 추던 송이의 모습이 눈앞에 선명하게 떠오르고 있었다.

송이의 나이 이제 겨우 스물.

임상옥의 나이보다 서른 살이나 어려 여인이라기보다는 딸 같은 어린아이가 아닐 것인가.

내가 송이의 신분을 밝히려 함은 송이가 왠지 낯설지 않고 분명 숙연이 있다는 확신 때문인가, 아니면 그러한 인연을 빙자하여 송이를 좀 더 가까이 하고 싶은 노추(老醜) 때문인가.

그 다음날 임상옥은 따로 책방을 불러 말하였다.

"이 관아에 딸린 노비안(奴婢案)이 어디에 보관되어 있느냐."

책방이 대답하였다.

"노비안은 영고(營庫)에 보관되어 있나이다."

노비안이라면 일종의 노비 호적이었다. 원래 노비는 공노비와 사노비로 나뉘어 있었다. 사노비는 사사로이 사고파는 노예로서 이들은 노비문기(奴婢文記)라는 문서에 의해 매매되기도 하고 남에게 양여되기도 하고 상환(相換)되기도 했다. 따라서 사노비들은 이 문서만 없어지면 그 순간 자유인이 될 수 있었지만 공노비들은 달랐다.

공노비들은 예로부터 전쟁의 포로나 특정범죄자 등으로 해서 국가기관에 소속된 공노비였으므로 사사로이 팔거나 함부로 면천(免賤)되어 자유를 얻을 수가 없었다.

조정에서는 공노비들의 호적을 일일이 만들어 이를 따로 보관하고 있었다. 조선에 들어와서는 태조 4년 1395년부터 노비변정도감(奴婢辨正都監)이란 관청을 만들어 모든 공노비들의 호적을 기록하여 이를 보관하고 있었다.

공노비의 경우는 20년마다 성안(正案)을 만들어 비치해 두었으며 3년마다 노비의 생산, 사망 등의 변동사항을 기록하여 지방의 경우에는 수령인 군수가 추쇄하여 이를 관찰사들에게 보고하는 것이 의무로 되어 있었다.

공노비들의 호적인 '노비안'은 일종의 비밀문서이기도 했다. 왜냐하면 노비안이 공노비의 신분을 파악하는 근거로서 국가재정의 필수 불가결한 기존자료라는 점 때문이었다.

따라서 공노비들의 호적인 노비안은 함부로 파기할 수 없을 뿐 아니라 이를 열람하는 것조차도 엄중히 금지되고 있었다.

"그러하면 영고에서 노비안을 찾아오너라."

임상옥의 말에 책방은 놀라 물어 말하였다.

"노비안을 말입니까요."

부임한 지 얼마 안 되는 신관 사또가 영고에서 노비안을 가져오라는 명령을 내리는 일은 전에 없던 일이었다. 당시 노비들은 도망치거나, 교묘하게 숨어버리는 일이 왕왕 있었다. 공노비는 대략 두 종류로 나뉘어 있었다. 입역노비(立役奴婢)와 납공노비(納貢奴婢)로 60세에 이르면 공역(貢役)을 면제하여 주었으나 워낙 일이 고되고 과중하였으므로 도망치거나, 호적을 교묘히 변조하여 탈루시키는 일이 왕왕 있었다.

"몇 번을 말해야 알아듣겠느냐. 노비안을 가져오라고 내 말하지 않았느냐."

"알겠사옵니다, 사또 나으리."

책방은 속히 달려가 영고에서 노비안을 가져왔다. 임상옥은 이를 안아들고 남의 눈을 피해 침전으로 홀로 들어갔다.

노비안에는 관아에 딸려 있는 모든 노비의 명단이 다 기재되어 있었다. 3년마다 변동사항을 조사하여 속안(續案)을 만들었는데 그럴 때면 기존에 쓴 문장 위에 종이를 덧붙여 가필하여 수정하고 있었다.

일일이 종이마다 관인이 찍혀 있었던 노비안은 대부분 이름 석 자에 그의 아비 이름과 살고 있는 주소를 적는 것이 보통이었으나 드물게는 어미 이름과 출생지도 함께 적혀 있기도 하였다.

노비안은 대충 초안(草案), 도안(都案), 대도안(大都案) 등으로 나뉘어 있었다. 초안은 일년 동안 노비의 출생, 도망, 사망 등을 기록한 것이며, 도안은 노비의 근파(近派)를 모두 기록하여 실은 것이며, 대도안은 변동사항을 3회 이상 계속 추적하여 기록한 것이다.

임상옥은 펄럭이며 책장을 넘겨보았다.

문득 적혀 있는 기록 중에 낯익은 이름 하나가 눈에 들어왔다.

송이.

바로 그 젊은 기생의 이름이었다.

임상옥은 그 이름 앞에 썬 생년월일을 살펴보았다.

계유년 정월 출생'

계유년이라면 순조 13년, 바로 홍경래의 난이 진압된 임신년 그 다음해가 되는 것이다. 산홍의 말대로 송이의 아비가 홍경래의 난 때 대역죄인이었고, 그의 어미가 유복자로 낳은 것이 확실하다면 송이의 출생 연도는 정확한 기록이 되는 것이다.

송이의 이름 밑에는 그녀의 변동사항이 따로 기재되어 덧붙여 있었는데 그 내용은 다음과 같았다.

노비에서 적을 옮겨 관기가 되었음'

그 변동사항 위에는 이를 증명하는 관인이 찍혀 있었다.

또한 그 곁에는 다음과 같은 내용이 적혀 있었다.

모(母) 손복실, 정축년 7월 몰'

임상옥은 숨을 죽였다.

송이 어미의 이름이 밝혀진 것이다. 송이를 낳은 어미의 이름은 손복실이었으며 산홍의 말대로 송이의 나이 다섯 살 무렵, 한여름

물에 빠져 비명횡사하였던 사실을 기록은 증명하고 있는 것이다.

그렇다면, 송이를 낳은 아비는 누구인가. 그러나 그 어디에도 그 이름은 기록되어 있지 않았다. 노비의 근파를 기록하는 도안을 살펴보았으나 그 기록은 나타나지 않았다. 다만 송이가 관기였던 산홍에게 입양되어 그녀의 양딸이 되었다는 기록은 따로 명기되어 있었다.

실망한 임상옥은 책을 덮었다.

그 순간 번득이는 영감 같은 것이 떠올랐다.

그것은 송이의 이름을 통해 찾을 것이 아니라 송이의 생모인 손복실의 이름을 찾아보면 그곳에 혹시 기록이 남아 있을지도 모른다는 생각이었다. 생각이 여기까지 미치자 임상옥은 다시 책장을 펄럭이며 이름을 따로 찾아보기 시작하였다.

'손복실'

있었다.

송이를 낳은 생모, 손복실의 이름이 관노들의 명단 속에 분명히 기재되어 있었던 것이다.

그 이름 옆에는 다음과 같은 기록이 적혀 있었다.

'병오년 출생. 정축년 7월 몰'

병오년이라면 정조 10년생이니 그녀는 26세 때 노비가 되었으며 마침내 31세가 되던 해에 겨우 다섯 살 된 어린 딸 송이를 남기고 비명횡사하였던 것이다.

그때였다.

임상옥의 눈을 강렬하게 잡아당기는 그 무엇이 그곳에서 번득이고 있었다.

그곳에는 다음과 같은 글자가 적혀 있었다.

지아비 부(夫) 자였다. 바로 죽은 손복실의 남편, 그러니까 송이의 아비가 누구인지를 확실히 밝혀낼 수 있는 기록이 명기되어 있었던 것이다.

'부(夫) 이희저(李禧著)'

순간 임상옥은 노비안을 떨어뜨렸다. 그는 심장이 터질 것만 같았다. 질식하여 숨을 제대로 쉴 수 없었다.

이희저라면.

임상옥은 헐떡이며 생각하였다.

바로 자신의 오랜 친구였던 그 사람이 아닐 것인가.

임상옥은 간신히 마음의 평정을 되찾았다. 그는 떨어뜨렸던 서첩을 들어 다시 그 장을 뒤져보았다. 그곳에는 다음과 같이 적혀 있었다.

'부 이희저. 가산 사람으로 평란(平亂) 때 홍경래와 더불어 난을 일으킨 내역죄인임. 정주성에서 의병 함의형의 창에 찔려 죽음. 노반 대역죄로 처벌되어 능지처참됨.'

이로써 모든 것이 밝혀진 것이다.

손복실이란 여인이 어찌하여 하루아침에 공노비가 되어 이곳 곽산까지 팔려온 것인가가 명백하게 밝혀졌다. 이희저와의 아이들도 모두 노비로 팔려나가 뿔뿔이 흩어지고 이희저의 부인이었던 손복실이 이곳 곽산으로 팔려올 때에는 불행히도 뱃속에 이희저의 아이를 배고 있었다. 이희저가 능지처참되고 있을 때 송이는 어미의 뱃

속에서 생명을 지니고 하루하루가 다르게 자라나고 있었다. 그리하여 유복자였던 송이는 제 아비의 죽음과 맞바꾸어 새 생명으로 태어난 것이다.

임상옥은 자신의 궁금증이 안개 걷히듯이 한꺼번에 사라지는 것을 느꼈다.

임상옥은 노비들의 호적인 비밀문서 노비안의 서첩을 덮으며 생각하였다.

송이가 이희저의 유복자임이 명명백백하게 밝혀짐으로써 어째서 송이가 낯설지 않고 친숙하게 느껴지고 있었던가 하는 의문점도 한 점의 의혹 없이 밝혀진 것이다.

임상옥은 두 눈을 감았다.

송이는 죽마고우였던 이희저의 친딸인 것이다.

대역죄인 이희저의 딸로 어쩔 수 없이 관기가 될 수밖에 없었던 송이가 임상옥에게는 둘도 없는 친구 이희저가 남긴 단 하나의 유복자인 것인가. 이를 어쩌면 좋을 것인가.

송이는 자신의 출생에 얽힌 이 모든 비밀을 전혀 모르고 있을 것이다. 그녀는 오직 아비가 노비였으며 자신은 관기의 수양딸로 팔려나와 어쩔 수 없이 기생이 될 수밖에 없는 비천한 신분이라고 스스로 체념하고 있을 것이 아니겠는가.

순간.

임상옥의 머리 속으로 번득이며 영감 하나가 떠올라 사라졌다.

이 순간, 저 노비안의 한 장을 찢어버린다면.

임상옥은 노비안을 노려보며 생각하였다.

저 노비안에서 송이에 관한 모든 기록을 찢어내고 이를 감쪽같이 불태워버린다면 송이가 노비임을 증명할 아무런 기록도 없어져 양민이 되어 자유를 얻을 수 있을 것이 아니겠는가.

그러나 임상옥은 머리를 흔들며 생각하였다.

노비안을 불태워버린다 한들 하루아침에 송이가 기생에서 양민으로 탈바꿈하여질 수 있는 것은 아닌 것이다. 저 노비안은 비밀문서이며 중요한 국가 조정의 재정에 필수 불가결한 기초자료이므로 함부로 파기하거나 파손하여 버린다면 문책받아 죄를 묻게 되지 아니하겠는가.

임상옥은 밤을 새우며 계속 생각하고 또 생각하였다.

마침내 하룻밤을 꼬박 새우고서야 한 가지 방안을 생각해낼 수 있었다. 그는 이 방법 한 가지뿐이라고 생각하였다. 더 이상의 방도는 없다고 결론을 내렸다. 이제 남은 것은 이를 실행에 옮기는 것뿐이라고 임상옥은 결심하였다.

임상옥이 하룻밤을 꼬박 새워가며 생각한 끝에 내린 단 한 가지의 방도는 과연 무엇이었던가.

제7장 상사별곡(相思別曲)

1

이른 아침 임상옥은 이방을 불러 봄맞이 연회를 야외에서 열 것을 명령하였다. 곽산의 북쪽에는 신정(新亭)이란 정자가 있는데 그곳은 절경 중의 절경이었다.

마침 봄이 절정이라 온갖 꽃들이 산마다 들마다 만개하고 있었다. 관원들 모두가 참석하였으며 관기들도 모두 가야금과 거문고를 들고 참석하였다. 노비들이 주효(酒肴)를 미리 준비하여 놓았으므로 한바탕 춘흥이 도도하였다.

온갖 공사를 미뤄두고 나와 노는 놀이라 모든 사람들은 곧 흥에 젖어 술에 흠뻑 취하였다. 기생들이 나와서 가야금을 뜯고 노래를 하였다.

예로부터 의주는 평양과 진주와 더불어 유명한 색향(色鄕) 중의
하나였다. 따라서 의주에서만 전해 내려오는 타령 하나가 있었다.
황계사(黃鷄詞)란 타령인데 기생들 모두 가야금을 뜯으며 노래를
부르기 시작하였다. 황계란 문자 그대로 '누런 닭'을 말하는 것으로
님과 함께 잠을 자던 병풍에 그려져 있는 닭의 그림을 가리키는 일
종의 사랑타령이었다.

　　일조(一朝)낭군 이별 후에 소식조차 못 듣는다,

　　아희야 말듣소

　　어찌하야 못 오시나

　　병풍에 그린 황계(黃鷄) 두 날개 둥덩치면

　　날 사이고 꼭꾸야 울제 올라시나,

　　아희야 말듣소

　　황혼 저문 날에 기약 두고 어데로 가고

　　날 아니 와 보시느냐,

　　아희야 말듣소

　　춘수(春水)는 만사택(滿四澤)하니 물이 깊어 못 오시나

　　하운(夏雲)은 다기봉(多奇峰)하니 산이 높아 못 오시나,

　　아희야 말듣소

　　너는 죽어 꽃이 되고 나는 죽어 나비 되어

　　삼춘(三春) 다 진(盡)토록 죽자사자 마셨더니,

　　아희야 말듣소

　　저 달아 보느냐 님 계신 곳

명기(明氣)를 빌려라 나도 보게,
아희야 말듣소
난을 그려 운다마는 적막한 사랑일세
다만 한숨이 내 벗이라,
아희야 말듣소
육관대사(六觀大師) 성진(聖眞)이는
춘풍 석교(石橋) 위에서
팔선녀 데리고 희롱한다,
아희야 지어자 좋을시고.

타령이 무르익자 여기저기서 노래를 따라 부르기도 하고 일어나 덩실덩실 춤을 추기도 하였다. 기생 모두가 가야금을 연주하면서 소리를 맞추어 노래하는 병창이었다.

그러나 뭐니뭐니 해도 연회의 절정은 송이였다. 송이가 칼을 들고 나와 말을 타고 춤을 추는 치마무검을 시작하자 갑자기 좌중은 조용해지고 숨을 죽였다.

그 용모는 물론이거니와 움직이는 손 하나 발 하나의 몸짓 모두가 선녀처럼 아름다웠다.

그때였다.

조용히 앉아서 술만 마시던 임상옥이 벌떡 일어나 어깨춤을 추기 시작하였다. 어느새 등뒤에 옷자락을 집어넣어 곱사처럼 굽은 등을 만들고는 송이의 춤에 발맞추어 덩실덩실 춤을 추기 시작하였다.

지방수령인 사또가 한갓 기생놀이에서 춤을 추는 일은 전에 없는 일이었다. 군수는 그 지방에서 가장 지체 높은 임금과 마찬가지였다. 더구나 새로 부임해온 지 얼마 되지 않은 신관 사또가 아무리 술에 취해 흥이 도도하다 하더라도 관원들 앞에서 그것도 곱사춤을 추는 일은 드문 일이었던 것이다.

얼씨구 얼씨구.

임상옥은 곱사춤을 추면서 송이의 곁으로 다가가서 그녀의 손을 잡았다. 보고 있던 관원들 모두가 함께 웃고, 함께 얼씨구절씨구 하고 박자를 맞추었지만 눈치 빠른 관원들은 모두 새로 온 신관 원님이 관기 송이를 마음에 들어하는 눈치를 곧 알아차렸다.

그날 저녁, 임상옥은 대취하여 가마를 타고 관아로 돌아왔다. 자연 유흥이 파장되어 뿔뿔이 흩어지는데 이방이 따로 송이를 불러 말하였다.

"송이야, 내가 한 가지 묻겠다."

"무슨 말씀이시나이까."

이방이 남의 눈을 꺼리며 조용히 물어 말하였다.

"네가 요즈음 달거리 중은 아니겠지."

달거리는 월경을 이르는 말로 이를테면 부정한 몸은 아니겠지, 하고 묻는 말이었다. 송이가 대답 대신 얼굴을 붉히자 이방은 그러면 됐다, 하는 표정으로 이렇게 말하였다.

"네가 오늘 돌아가면 즉시 목욕재계하고 몸단장 곱게 하고 기다리고 있거라."

"무슨 말씀이시나이까."

송이가 그 말의 뜻을 몰라 수줍게 묻자 이방이 능글맞게 웃으며 대답하였다.

"아마도 오늘 밤 네가 신관 사또에게 수청을 드는 그 첫날밤이 될 것이다."

이방은 신관 사또가 송이에게 마음이 끌리고 있음을 눈치채고 있었다. 송이의 양어미인 퇴기 산홍의 주막에 남의 눈을 피해 암행하였을 때 이방은 이미 신관 사또가 송이에게 마음을 빼앗기고 있음을 알고 있었던 것이다.

오늘 낮 봄맞이 놀이에서 신관 사또는 술에 취해 노골적으로 송이에게 춤을 추며 주책을 부리지 않았던가. 신관 사또 체면에 송이에게 수청 들라고 노골적으로 말만 못할 뿐, 그런 몸짓들은 관원들에게 눈치껏 알아서 하라는 일종의 암시가 아니겠는가.

신관 사또는 아내와 자식들을 모두 의주에 남겨두고 혈혈단신의 몸으로 부임해오지 않았던가. 그러므로 밤이면 홀아비 아닌 홀아비 신세에 적막강산의 객고에 시달리고 있을지도 모르는 일이다.

이방은 자리끼를 들고 임상옥이 누워 있는 숙소로 들어갔다.

"나으리."

이방은 은밀하게 불러보았다. 신관 사또가 잠이 들어 있나, 아니면 깨어 있나 그것을 가늠하기 위해서였다.

"…무슨 일이냐."

술에 취해 곤히 잠들어 있는 줄만 알았던 원님의 입에서 의외로 대답소리가 수월하게 흘러나왔다.

"자리끼를 가져왔나이다. 목이 마르실까 해서요."

"잘했다. 그곳에 두고 가거라."

"나으리."

이방이 다시 은밀한 목소리로 말하였다.

"마르신 것이 어찌 목뿐이시겠나이까."

"그게 무슨 소리냐."

"적적한 야밤에 밤마다 홀로 주무시니 목도 마르시옵고 몸도 또한 마르지 아니하시겠나이까."

"그래서."

벽을 바라본 그 자세 그대로 임상옥이 퉁명스럽게 말하였다.

"나으리."

이방이 허리를 조아리며 말하였다.

"신이 화류 하나를 방에 들이겠나이다. 이미 몸단장 곱게 하고 기다리고 있으라 일러놓았나이다. 그러니 마다하지 마시옵고 객고를 푸시옵소서."

이방의 말이 무엇을 뜻하는가를 분명 알면서도 임상옥은 짐짓 모르는 체하고 말하였다.

"도대체 무슨 말을 하고 있는 것이냐."

그러자 이방이 능글맞게 웃으며 말하였다.

"나으리, 송이에게 오늘 밤 나으리 방에 수청 들라 신이 미리 일러두었나이다. 아마도 오늘 밤이 송이가 머리를 얹는 그 첫날밤이 될 것이나이다."

예로부터 기생들은 얹은머리라 하여서 다리를 넣어 만 머리를 두 가닥으로 나누어 머리에 감아올린 다음 머리끝은 구부려 오른쪽으로 끼우고 댕기를 맺어 아래로 내린 머리모양을 하고 있다. 이를 트레머리 혹은 체머리라고도 하였는데, 관록이 있는 기녀들은 숱이 많아 보이도록 덧들이는 월자(月子)를 넣어서 머리를 한껏 얹어 부풀리는 것이 보통이었다.

송이는 아직 처녀였으므로 귀밑머리의 새앙머리를 하고 있었다.

이방의 말은 송이가 임상옥과 첫날밤을 보낸다면 비로소 머리를 얹어 정식으로 얹은머리를 할 수 있다는 뜻이었던 것이다.

"…쓸데없는 짓을 하고 있구나."

헛기침을 하면서 임상옥이 말하였으나 이방은 이미 사또의 속마음을 꿰뚫고 있었으므로 나는 듯이 방을 나가 송이에게 달려갔다.

이방이 사라지자 비로소 임상옥은 몸을 일으켜 일어나 자리끼를 벌컥벌컥 들이켰다.

이 모든 일들은 임상옥이 곰곰이 하룻밤을 꼬박 새워서 내린 결론 끝에 행한 행동인 것이다. 관기 송이가 이희저의 유복자임이 밝혀진 이상 송이를 구하는 것은 오직 이 한 가지 방법밖에는 없다고 결심했던 것이다.

그때였다.

문밖에서 인기척이 있더니 이방의 낮은 목소리가 들려왔다.

"나으리, 송이 입실이오."

유난히 달 밝은 밤이었다.

창문을 통해 들어오는 달빛이 대낮처럼 밝아 눈이 부실 정도였다. 버선발로 마루를 걸어오는 송이의 그림자 모습이 선연하였다.

임상옥은 짐짓 눈을 감았다. 눈을 뜨고 있다 한들 방안이 상대적으로 어둡고 자신은 빛을 향해 누워 있었으므로 들킬 리는 없지만 차마 눈을 뜨고 있을 수는 없었다. 가만히 문을 열고 누군가 들어왔다. 비록 보지는 않았지만 문을 열고 들어온 것이 송이임에 분명하다는 것은 뭐라고 한마디로 표현할 수 없는 향기 같은 것이 방안으로 스며들어 왔기 때문이다.

"나으리."

문밖에서 짓궂은 이방이 속삭여 말하는 소리가 들려왔다.

"신 물러가나이다. 부디 옥체를 보존하시옵소서."

이방의 예리성이 사라지자 방안은 바늘 떨어지는 소리도 들릴 만큼 조용해졌다. 임상옥은 뛰는 심장소리가 방안으로 번져나갈까 두려웠다. 가끔 침 넘기는 소리까지 천둥소리처럼 들릴 정도였다.

방안에 들어와 앉아 있는 송이의 존재 그 자체만으로도 견딜 수 없는 고통이었다.

한평생을 살아오는 동안 여인의 미태에는 유혹을 느끼지 않던 임상옥이 아니었던가.

그러나 온몸이 폭발할 것 같은 욕망을 느끼며 임상옥은 생각하였다.

송이는 달랐다. 송이를 처음 본 순간부터 임상옥은 이제껏 느낄 수 없었던 열정이 불붙는 것을 느꼈던 것이다. 그러나, 벽을 향해 누웠던 임상옥은 송이가 앉아 있는 방향으로 몸을 돌리면서 생각하였다.

송이가 바로 이희저의 친딸임이 밝혀질 줄이야. 송이가 이희저의 딸이라면 송이는 자신의 친딸이기도 한 것이다.

그러므로 어찌 자신의 딸인 송이를 범할 수가 있을 것인가.

송이를 향해 돌아누운 임상옥은 가만히 눈을 떠 보았다. 손 하나 뻗으면 닿을 그 자리에 송이가 앉아 있었다. 이미 자신의 운명을 받아들인 그 자세로 송이는 숨소리조차 내지 아니하고 앉아 있었다.

문을 통해 흘러들어 오는 대낮 같은 달빛이 송이의 온몸을 적시고 있었다.

그날 밤, 임상옥은 이를 악물고 욕정을 참아내었다.

이윽고 먼 데서 닭이 울 무렵 임상옥은 간신히 잠이 들었고 먼동이 틀 무렵이 되자 이방이 찾아와 소리 낮춰 말하였다.

"나으리, 기침하셨나이까."

그러나 임상옥은 혼곤히 잠이 들어 있어 이를 듣지 못하였다. 원님이 객고를 풀기 위해 관기를 불러들인 밤에는 무엇보다 동이 틀 무렵에 남의 눈을 피해 여인을 불러내가는 것이 원님의 체통에 관계되는 이방의 중요한 임무 중의 하나였으므로 꼭두새벽에 찾아왔던 것이다.

임상옥이 대답 대신 코를 골며 자고 있자 이방은 더욱 소리를 낮춰 말하였다.

"송이야, 그만 나오거라."

밤새 한잠도 자지 못하였던 송이가 조용히 문을 열고 나왔다. 남의 눈을 피해 숨겨 놓았던 신발을 신겨서 이방은 서둘러 침소를 벗어나오다 말고 은근히 송이에게 물어 말하였다.

"어떠하시더냐. 사또 나으리께오서 너를 밤새 사랑하여 주시더냐."

송이는 아무런 대답도 못하고 낯을 붉힐 뿐이었다. 가만히 이 모습을 바라보던 이방이 능글맞게 웃으며 말하였다.

"너는 이제 흥부처럼 호박이 덩굴째 굴러들어온 것이야. 네가 이 담에 고래 같은 기와집에서 정승마님처럼 살더라도 절대로 이 아전 나으리의 은공을 잊어서는 안 될 것이야."

임상옥은 곽산의 수령일 뿐 아니라 천하제일의 거부였다. 송이가 임상옥의 마음에 들었다면 이방의 말대로 흥부네 집 호박이 저절로 덩굴째 굴러들어온 것이다. 그러므로 이담에 고래 같은 기와집에서 정승마님처럼 살더라도 절대로 자신의 은공을 잊어서는 안 될 것이라는 이방의 생색은 당연한 일이었다.

그로부터 며칠 뒤.

임상옥은 또다시 모든 관원을 불러 한바탕의 연회를 벌였다. 신관 사또가 이처럼 자주 연회를 벌이는 일은 전에 없던 일이다.

마침 단오절이 가까웠으므로 단오놀이 겸 물놀이를 하는 연회였다. 옛날 초나라 때 굴원(屈原)이 음력 5월 5일, 즉 단옷날에 멱라수에 빠져 죽었음을 추모하여 물 위에서 배를 건너뛰는 것을 경쟁하는 놀이를 즐기곤 했다. 이 놀이를 경도회(競渡會)라 하였는데 실제로 배를 건너뛰는 놀이라기보다는 단옷날을 맞아 물놀이를 즐기는 야유회였다.

곽산의 북쪽에는 운흥(雲興)이란 곳이 있었다. 이곳은 삼장천이라고 부르는 개울이 휘돌아나가는 절경이었다.

단오절이라 하지만 아직 늦은 봄이었으므로 개울가를 따라 온갖 꽃들이 흐드러져 피어 있었다.

단오절은 수릿날이라고도 불렸는데 해마다 이때면 창포에 머리를 감고 단오굿을 하던 명절이기도 했다.

만사를 제쳐두고 물가로 나와서 그네뛰기를 하면서 노느라 모두들 춘흥이 도도하였다. 눈치 빠른 이방이 임상옥의 곁에 바짝 송이를 앉히고 술시중을 들게 하였는데 시간이 흐를수록 누가 봐도 신관 사또가 송이에게 마음을 빼앗겼음을 눈치챌 수 있을 정도로 임상옥은 송이를 품고 안고 하였다. 얼핏 보면 신관 사또의 체통에 손상이 갈 행동이었다. 그러나 모두들 모른 체하고 있을 뿐이었다.

한바탕 술자리가 무르익자 임상옥이 입을 열어 말하였다.

"옛 고려 때의 명신이었던 김극기(金克己)란 분이 금나라 사신으로 갔다 돌아오는 길에 이곳 운흥을 지나다 노래를 한 수 지었습니다."

임상옥은 벼루와 붓을 가져오게 한 다음 종이 위에 일필휘지로 시를 한 수 적어내리며 말하였다.

"그 노래는 다음과 같소이다."

김극기는 고려 때의 명신으로 뛰어난 문장가였다. 농민반란이 계속 일어나던 시대에 핍박받는 농민들을 적극적으로 옹호하던 양심적인 지식인이기도 하였다.

용만(압록강)에 안장을 풀고 어느 때나 쉴 것인가.

운흥을 지나지 못하여 말은 벌써 지쳤구나.

돌을 녹이고 모래를 찌니 천기가 호되게 더웁고,

강을 건너고 봉우리에 오르니 길이 멀구나.

항양(亢陽:더운 볕)은 정말 번흥부(繁興賦)를 괴롭게 하고,

시원한 비에 부질없이 사조(謝眺:시부에 뛰어났던 南齊의 시인)의
시를 생각하네.
어찌 천리 가는 수레를 잠깐 멈출 수 있으랴.
원님은 숲 아래 술 취해 고꾸라져 있구나.

김극기의 시를 종이 위에 써내리고 나서 임상옥이 말하였다.
"이 시를 있는 그대로 역하여 노래할 수 있는 사람이 있다면 내가
단오부채를 상으로 내리겠소."
해마다 단오절이면 궁중에서는 쑥으로 만든 호랑이인 애호(艾虎)
나 부채 등을 만들어 신하들에게 하사하기도 했다. 이때 만든 부채
를 단오부채라 하였다. 이 부채를 가지고 한여름을 지내면 재액을
물리치고 벽사(辟邪)에 효험이 있다고 알려져왔던 것이다.
임상옥이 단오부채를 하사하겠다고 말을 하자 여기저기서 글깨
나 아는 사람들이 나서서 다투어 한시를 역하기 시작하였다.
그러나 그 시의 끝 문장 '安得暫休千里駕(안득잠휴천리가) 使君
林下醉淋漓(사군림하취림리)'에서는 모두들 말이 막히고 말았다. 이
문장의 뜻은 바로 이러하였기 때문이다.
'원님은 숲 아래 술 취해 고꾸라져 있구나.'
쉬운 문장이었으나 이를 안다고 역하면 술 취해 앉아 있는 원님
인 임상옥을 술주정뱅이로 모욕하는 결과가 되는 것이므로 글깨나
아는 사람들일지라도 짐짓 모른다고 꽁무니를 뺄 수밖에 없었던 것
이다.
"허어."

술 취한 임상옥이 혀가 꼬부라진 목소리로 말하였다.

"이 쉬운 문장 하나도 역하는 사람이 없단 말인가."

그때였다.

술시중을 들고 있던 나이든 기생 하나가 입을 열어 말하였다.

"저희 기생들이 그 문장의 뜻을 알아맞혀도 단오부채를 하사하실 생각이시나이까."

"물론이지."

머리를 끄덕이며 임상옥이 대답하자 그 기생은 이렇게 말하였다.

"송이가 문장을 읽을 줄도 알고 쓸 줄도 아나이다. 송이가 그 뜻을 알고 있을 것이나이다."

사람들의 시선이 송이에게 집중되었다. 믿기지 않는 일이었다. 한갓 노리개에 불과한 송이가 글을 읽을 줄도 쓸 줄도 알고 있다니.

"네가 정녕 이 문장의 뜻을 알고 있단 말이냐."

임상옥이 송이에게 물어 말하였다.

"…알고 있나이다."

송이는 낯을 붉히며 대답하였다. 애당초 그 문장의 뜻을 몰랐을 리가 없었던 선비들은 오히려 좌불안석이었다. 한갓 송이가 그 문장의 뜻을 알아맞히면 그들은 백주에 무식쟁이가 될 것이요, 또한 지체 높은 원님 나으리가 한갓 기생에게 놀림감이 되는 셈이었다.

"헛허허, 그러하느냐. 네가 그 뜻을 알고 있단 말이냐. 그러하면 그 뜻이 무엇이더냐."

송이가 대답하였다.

"그 뜻은 이런 말이 아니나이까. 원님은 숲 아래 술 취해 곯아떨어져 있구나."

좌중은 물을 끼얹은 듯 조용해졌다.

사람들은 송이가 문장을 알고 있다는 것에 놀랐으며 또한 자신들과는 달리 솔직하게 마음을 털어놓은 사실에 경탄을 금치 못하였다. 이 침묵을 깨뜨린 사람은 임상옥이었다.

"헛허허, 헛허허."

임상옥은 크게 너털웃음을 웃으며 붉은색의 주사(朱砂)로 물감 들인 단오부채를 송이에게 내주면서 말하였다.

"갖거라. 약속대로 단오선을 너에게 준다."

송이는 두 손으로 임상옥이 건네는 단오부채를 받아들었다.

그날 연회가 파하고 뿔뿔이 흩어질 때에도 이방은 은근히 송이를 불러 낮은 목소리로 말하였다.

"네가 요즈음도 달거리 중은 아니겠지."

송이가 여전히 대답 대신 얼굴을 붉히자 이방은 이렇게 말하였다.

"돌아가는 즉시 목욕재계하고 몸단장하고 기다리고 있거라. 아마 오늘 밤에도 사또 나으리께오서 너를 불러들일 것이다."

그날 밤.

이방은 자리끼를 들고 임상옥이 누워 있는 숙소로 들어갔다. 임상옥은 여전히 술에 취해 벽을 보고 누워 있었다.

"나으리."

이방은 사또가 잠들어 있는가 어쩐가를 가늠해보기 위해서 은밀하게 불러보았다.

"…무슨 일이냐."

생각지도 않은 빠른 대답이었다. 옳구나, 하고 이방은 쾌재를 불렀다. 신관 사또가 마음속으로 송이를 생각하고 있음이 분명하였다.

"자리끼를 가져왔나이다. 주무실 때 목이 마르실까 하여서요."

"잘했다. 그곳에 두고 가거라."

이방은 시치미를 떼고 머리맡에 자리끼만을 두고 뒷발걸음으로 물러나오는 척하였다. 그러자 벽을 보고 누워 있던 임상옥의 입에서 다급한 목소리가 이어졌다.

"그것뿐이더냐."

느닷없는 말에 이방은 짐짓 모른 체하고 물어 말하였다.

"무슨 말씀이시나이까."

"네가 가져온 것이 고작 자리끼뿐이더냐."

"그러하시면요, 나으리."

다 알고 있으면서도 이방은 능청을 떨면서 딴전을 부렸다. 임상옥이 입맛을 쩝쩝 다시면서 말하였다.

"적적한 야밤에 마른 것이 어디 목뿐이겠느냐."

"그러하시면요, 나으리."

벽을 향해 누워 있던 임상옥이 몸을 돌아누우면서 이방을 똑바로 쳐다보며 말하였다.

"자리끼 옆에 무엇이 놓여 있는가 손으로 더듬어보시게나."

이방은 머리맡을 더듬어보았다. 그곳에는 은전이 한 다발 놓여 있었다. 이방은 임상옥의 속뜻을 금방 알아채릴 수 있었다. 이방은 재빠르게 은전을 챙겨 주머니에 넣었다.

"나으리, 발바닥이 안 보이도록 냉큼 달려오겠나이다. 죽은 자리끼가 아니라 살아 있는 자리끼를 금방 대령해 오겠나이다."

이방은 나는 듯이 송이에게 달려갔다. 남의 눈을 피해 쓰개치마로 머리와 윗몸을 가리고 이방은 송이를 이끌고 임상옥의 침소로 숨어들면서 속삭여 말하였다.

"신관 사또가 완전히 송이 너에게 혼이 나가버렸다. 네 팔자가 하루아침에 정승마님 팔자로 바뀌는 것은 오직 너에게 달려 있다. 무슨 방법을 써서라도 신관 사또의 넋을 빼어버려라. 그래야만 네가 살 수 있을 것이다."

이방은 임상옥의 침소를 향해 낮은 목소리로 말하였다.

"나으리, 송이 입실이오."

송이는 가리웠던 쓰개치마를 벗고 방안으로 들어갔다. 전번과 마찬가지로 방안에는 촛불 하나만 켜져 있을 뿐 어두웠다. 임상옥 또한 여전히 벽을 마주보며 보료 위에 누워 있었다. 송이가 들어와 다음 행동을 못하고 우두커니 서 있자, 비로소 임상옥의 목소리가 들려왔다.

"그곳에 이부자리를 펴거라."

송이는 시키는 대로 이불을 펴서 잠자리를 만들었다. 임상옥의 입에서 다른 말이 흘러나왔다.

"네가 글은 어디서 배웠느냐."

송이는 대답하였다.

"글은 할미였던 홍매에게서 배웠나이다."

"너의 할미 홍매도 관기가 아니었더냐."

"그, 그렇사옵니다."

"관기가 어찌 글을 알 수 있었더란 말이냐."

"그 까닭은 모르옵고, 할미가 글을 읽고 쓰는 법을 가르쳐주셨나이다. 소녀의 이름을 지어준 사람도 할미였나이다."

"참으로 요용타―."

밑도 끝도 없이 임상옥이 탄식하여 말하였다. 긴 침묵이 왔다.

송이로서도 난감한 밤이었다. 그녀의 나이는 이제 스무 살. 여인으로도 과년한 몸이어서 수청을 든다는 것이 어떤 의미를 갖고 있는가를 잘 알고 있었다. 처녀의 몸으로 수청을 든다는 것은 초야를 보낸 후 머리를 얹고 완전히 화류의 기녀로 그 첫발을 들여놓는 것과 마찬가지였다. 어차피 남자들의 노리개로 한평생을 보내야 할 기생의 팔자라면 그 첫날밤을 지방수령인 신관 사또와 함께 보내어 그에게 정조를 주는 것도 나쁘지 않다고 스스로 체념하고 있었던 송이가 아니었던가.

"나으리."

긴 침묵 끝에 송이가 간신히 입을 열어 말하였다.

"불을 끌까요."

송이의 질문에 잠들어 있는 줄 알았던 임상옥이 대답하였다.

"불을 끄거라."

혹― 하고 입김을 불어 불을 끄자 방안은 칠흑처럼 어두워졌다. 전번과는 달리 달빛조차 없는 어두운 밤이었다. 송이는 어찌할 바를 모르고 캄캄한 방 속에 앉아 있을 뿐이었다. 그녀는 옷을 입은 채 두 손으로 깍지껴서 무릎을 안고 앉아 있었다.

불을 끄자 그대로 피로가 몰려들었다. 깜박깜박 몸이 무거워지면

서 잠이 쏟아지기 시작하였다. 송이는 그대로 잠이 들었다. 얼마만
큼 잤을까, 혼곤한 잠 속에서 뭔가 소리쳐 우는 소리를 들었다.

송이는 번쩍 눈을 떴다.

순간 밤이 물러가고 새벽빛이 스며든 낯선 방의 천장이 눈에 들
어왔다. 송이는 소스라쳐 놀라며 벌떡 몸을 일으켰다. 그녀는 본능
적으로 자신의 몸을 손으로 더듬어보았다. 간밤에 입은 옷을 그대
로 입은 채 잠들어 있었다. 새벽 한기에 춥지 말라고 누군가 자신의
몸 위에 이불을 덮어주었던 것이다.

보료 위에는 신관 사또가 여전히 벽을 보고 잠들어 있었다.

송이는 놀란 가슴을 진정시키며 곰곰이 생각해보았다.

누가 나를 이부자리 위에 누인 것일까. 또한 누가 내가 춥지 말라
고 이불을 덮어준 것일까. 그것은 모두 신관 사또가 한 일이 아닌가.

가까운 곳에서 새벽을 알리는 닭의 홰치는 소리가 들려왔다. 좀
전에 깊은 잠 속에서 뭔가 소리쳐 우는 소리에 놀라 깬 것은 바로 닭
의 울음소리임에 분명하였다.

문밖에서 주위를 꺼리는 듯한 인기척이 조심스럽게 들려오더니
곧 이어 이방의 목소리가 들려왔다.

"나으리, 기침하셨습니까."

그러나 임상옥은 대답이 없었다. 그는 코까지 골면서 잠이 들어
있었다.

"송이야, 그만 나오거라."

송이는 버선발끝으로 걸어 방을 나왔다.

쓰개치마로 얼굴과 몸을 가리고서 두 사람은 새벽이슬이 젖은 뜨

락을 가로질러 걸어나왔다. 나오다 말고 이방이 송이에게 은근히 말하였다.

"어떠하시더냐. 나으리께오서 밤새도록 너를 깨물어주시더냐, 아니면 핥아주시더냐."

이방은 벌써 두 번이나 송이를 신관 사또 방에 수청 들였으므로 하룻밤을 자도 만리장성을 쌓는다고, 두 사람 사이에는 깊은 정이 들었음을 기정사실로 받아들이고 있었다.

신관 사또가 기생 송이에게 홀딱 반하였다는 소문은 곧 파다하게 곽산군 전체에 퍼져나가기 시작하였다. 송이가 신관 사또에게 두 번이나 수청 들었다는 사실은 이방만 아는 비밀이었으나, 발 없는 말이 천리를 간다고 어느새 온 성내에 퍼져버렸던 것이다.

아낙네들은 모이면 모이는 대로 숙덕거렸고 남정네들도 모이면 모이는 대로 웅성거렸다. 실로 숙덕거리면 숙덕거리는 대로 즐거운 분홍빛 연사(戀事)가 아닐 것인가.

그러나 결국 이 모든 일들이 임상옥이 미리 생각해 두었던 계략대로 맞아들어가는 것임을 눈치챈 사람이 곽산에 한 명이라도 있었을 것인가.

이러한 소문이 파다하게 곽산군 전체로 퍼져나갔을 무렵, 송이에게 그녀의 양어미 산홍이가 나는 듯이 달려왔다. 그녀는 무엇이 급한지 치맛자락을 부여잡고, 허이허이 숨이 가쁘게 달려와서는 대뜸 송이를 보자 냉수 한 사발을 들이켜며 다짜고짜로 다음과 같이 물어 말하였다.

"송이야, 내 소문에 듣자 하니 신관 사또가 송이 너에게 죽자사자

혼이 나가버렸다니 그것이 사실이냐."

양어미의 호들갑에 침착한 송이가 낯을 붉히며 대답하였다.

"그게 무슨 아닌 밤중에 봉창 두드리는 소리예요."

산홍은 담배에 불을 붙여 뻐끔뻐끔 빨아들이며 말하였다.

"이년아, 온 곽산군 전체에 그 소문을 모르는 사람은 아마 한 사람도 없을 것이다. 신관 사또가 송이에게 넋이 나가 상사병에 걸렸다는 소문을 너는 듣지도 못하였느냐. 그래서 묻는 말인데, 신관 사또가 너에게 벌써 두 번이나 수청 들라 이르셨다는 말이 사실이냐."

송이는 순간 생각하였다.

신관 사또의 방에 두 번이나 수청 들었던 것은 오직 사또 나으리와 이방 그리고 자신만이 아는 비밀인데 어째서 양어미인 산홍이 이를 알고 있는 것일까.

"내 묻는 말에 이실직고하렸다. 내가 이방에게 술을 먹여 직접 내 귀로 들은 말이니 행여 네년이 이 에미를 속이려 하여서는 아니된다."

산홍은 다시 담배를 뻐끔뻐끔 빨고 나서 물어 말하였다.

"그래 다시 묻겠는데, 네년이 신관 사또에게 벌써 두 번이나 수청 들었다는 말이 사실이냐. 또 너에게 홀딱 반한 신관 사또가 단오부채를 하사하셨다는데 그 말이 사실이냐."

송이가 대답하여 말하였다.

"그것을 알아 무엇을 하겠소."

그 순간 산홍이 피우고 있던 담뱃대로 방바닥을 소리가 나도록 내리치면서 소리쳤다.

"이년아, 그것을 알아 무엇을 하겠냐고. 아이구 이 미련한 년아, 그것이 네 생사가 걸린 중대한 일임을 아직도 모르고 있단 말이냐. 이년아, 인생이란 기회가 오면 붙잡아야 하는 법이여. 너도 이 에미처럼 주막집 술사발처럼 이놈저놈에게 넘겨져서 나중에는 이리 이가 빠지고 저리 이가 빠지는 퇴물 노리개로 한평생을 마칠 생각이냐."

그제야 송이는 양어미 산홍이 어째서 부랴부랴 자신에게 달려온 것일까 그 이유를 알아차릴 수 있었다. 송이는 양어미가 묻는 대로 대답을 해주었다.

그간 벌써 두 번이나 신관 사또의 침소에 수청 들러 들어갔던 이야기, 그리고 그동안 벌써 이틀 밤이나 신관 사또의 침소에서 밤을 보낸 이야기 등을 낱낱이 고백하였다.

산홍은 희색이 낙락한 표정으로 웃으며 말하였다.

"그래, 어떠하시더냐. 신관 사또가 너를 사랑하여 주시더냐. 너를 안고 노시더냐, 아니면 너를 업고 노시더냐."

"안지도 업지도 않으셨소."

송이는 낯을 붉히며 대답하였다. 산홍이 신이 나서 자신의 무릎을 소리가 나도록 내리치고는 깔깔 웃으며 말하였다.

"안지도 업지도 않고 노셨다면, 그럼 신관 사또가 너를 배 위에 올려놓고 노시더냐, 아니면 배 아래에 깔아놓고 노시더냐."

노골적인 질문이었다.

송이는 양어미의 질문에 다시 대답하였다. 이틀 밤이나 수청을 들었으나 한 번도 사또가 자신의 몸에 손 하나 대지 않았다는 이야기, 이틀 밤을 꼬박 손 하나 대지 않고 고스란히 온전한 처녀의 몸으로 보내주었다는 이야기를 고백하였다. 산홍이 믿기지 않는다는 표정으로 소리쳐 말하였다.

"무엇이 어쩌구 어째."

기가 막히다는 듯 가슴을 풀어헤치고 활활— 소리가 나도록 부채를 부치고 난 후 말을 이었다.

"그렇다면 아직도 네년이 생처녀의 몸이란 말이냐."

송이로부터 모든 사건의 전말을 전해들은 양어미 산홍은 기가 차다는 듯 한숨을 쉬며 말하였다.

"도대체 이게 무슨 해괴한 일이더냐. 그러고 보면 신관 사또인지 나발인지 고자가 아니더냐. 불알이 없는 내시가 아니더냐. 그러면 이년아, 그냥 가만히 앉아 있다가 잠만 자고 나왔단 말이냐. 아이구 이년아, 그러면 네가 먼저 신관 사또의 불알을 잡아 끌어당겨보지 그랬느냐, 아이구 내 팔자야. 내가 너에게 춤과 노래는 가르쳐주었다만 사내들 녹이는 허리춤질이야 일일이 가르쳐주지 않아도 자연적으로 알게 될 것이라 생각하여서 모른 체하였는데, 아이구 이 미련한 년아. 호박이 덩굴째 굴러들어 왔는데도 사또 방에서 이틀 밤이나 생처녀로 잠만 자고 나왔단 말이더냐."

기가 찬 듯 허이허이 한숨을 쉬고 나서 산홍이 말을 이었다.

"듣자 하니 신관 사또가 조선 팔도에서 가장 돈이 많은 거부란 소문이다. 그러니 하늘이 내려주신 이 기회를 어떻게든 붙잡아야 할 것이 아니겠느냐. 네가 팔자를 고치는 것은 오직 이 한 방법뿐이라는 것을 모른단 말이냐. 기생이 기적에서 벗어나서 양민이 될 수 있는 단 한 가지의 방법이 양민의 소실이 되거나 거부의 첩이 되어 돈으로 대속시키는 방법임을 너 또한 알고 있지 않느냐. 아이구 이년아, 사내놈들이란 계집이 좋아서 죽네 사네 하여도 일단 한번 맛을 보면 곧 싫증을 내고 단물이 빠지면 도망가버리는 것이 속성이니라. 그러하니 신관 사또가 아직 너에게 넋이 나가 있을 때 어떻게 해서든 그를 휘어잡아야 하지 않겠느냐. 그래야만 너도 조선팔도 제일의 거부인지 개나발인지의 소실이 되어 한평생을 호의호식하지 않겠느냐. 그뿐이냐. 네가 기생의 팔자를 벗어나 소실이 된다면 이 에미의 팔자도 하룻밤 사이에 정승마님 팔자로 뒤바뀔 것이 아니겠느냐. 그러니 이년아, 도대체 무엇을 망설이느냐. 수청을 들러 갔으면 수청을 들었어야 할 것이 아니겠느냐. 신관 사또가 수줍음을 타서 체통을 지키면 네가 먼저 옷고름을 풀고 발가벗으면 되지 않겠느냐. 아니면 신관 사또 보고 옷고름을 풀어달라 하면 어느 시러배 아들놈이 이를 마다하겠느냐. 태어날 때부터 고자가 어디 있겠느냐. 그러니 이년아, 방구들이 뜨끈한가 하고 슬며시 이부자리 밑에 손을 넣었다가 슬쩍 신관 사또의 자지를 건드려보지 그랬느냐. 사내놈들의 자지란 방아깨비와도 같아서 건드리면 건드리는 대로 꺼떡꺼떡 일어서는 것을 스무 살 나이 되도록 몰랐었단 말이냐. 아이구 이 미련한 년아, 아이구 이년의 팔자야."

산홍은 무엇이 답답한지 풀어헤친 자신의 앞가슴을 소리가 나도록 쾅쾅 때리면서 넋두리를 하였다.

그러다 문득 무엇인가 생각난 듯 산홍은 자신의 치마를 들추고 속곳을 벗어내렸다. 느닷없는 산홍의 행동에 송이가 입을 열어 말하였다.

"백주 대낮에 옷을 벗어 어쩔 셈이오."

산홍이가 기가 차다는 듯 한숨을 쉬면서 말하였다.

"이년아, 이제부터 사내놈을 녹이는 방법을 직접 가르쳐줄라구 그런다."

산홍은 속곳을 벗어내린 후 가장 은밀한 곳에서 무엇인가를 꺼내었다.

"이년아, 이게 무엇인 줄 아느냐."

송이는 어미가 꺼낸 물건을 쳐다보았다.

그것은 작은 주머니였다. 얼핏 보면 말총으로 짠 주머니처럼 보였다.

"그게 무엇이오."

송이가 묻자 산홍은 의기양양하게 말하였다.

"니 에미가 이 나이 되도록 서방 팔자도 사납고 돈 팔자도 사납지만, 남자 팔자는 좋아서 여태껏 아침저녁으로 뭇 사내가 쉬파리 달라붙듯 니 에미의 곁을 떠나지 않는 것은 모두 요놈의 물건 때문이다. 속살을 한번 맛본 놈이면 오매불망 사족을 못 쓰는 것도 모두 요놈의 물건 때문이지. 이게 무엇이냐 하면 향낭(香囊)이란 것이지."

향낭.

말총으로 짠 향기나는 주머니. 그 주머니는 궁노루의 사타구니에서 분비되는 액을 말린 사향을 넣어두는 향주머니다. 그 향주머니는 보통 왕족들이나 귀족들이 딸을 시집보낼 때 으레 가장 깊은 속곳에 집어넣어 주곤 하던 일종의 미약이었다.

사향의 냄새는 평생 동안 지속되어서 그 여인의 고유한 냄새처럼 인식되기 마련인데 진할 때는 오히려 고약한 인분 냄새처럼 느껴지지만 주머니의 끝을 꼭 여며 매어두면 은은하게 풍겨질 듯 말 듯하여 이 세상에서 가장 향기로운 방향이 되어버린다.

"이 주머니에는 궁노루의 사타구니에서 나오는 사향이 들어 있다. 사내놈들이 제 아무리 인격이 고상하고 학식이 높다 하더라도 이 냄새 한 번 맡으면 오뉴월의 개처럼 헛바닥을 헐떡이며 달라붙게 되어 있지. 들자 하니 황진이가 30년 수도 끝에 생부처가 다된 지족선사를 파계시킨 것도 이놈의 향낭 때문이라고 하던데 내가 이 물건을 네년의 사타구니 속에 달아줄 터이니 어디 한번 보자꾸나. 신관 사또가 과연 이 냄새를 맡고도 그놈의 자지가 요지부동인가, 아닌가 한번 두고 보자꾸나."

실제로 사향 냄새는 합환하는 사람들을 성적으로 흥분시키는 일종의 최음제 역할까지 하고 있었다.

또한 사향은 갑자기 빈사상태에 빠진 사람들에게 사용되는 비상약이기도 하여서 위급할 시에는 남자를 회생시키는 회소약으로까지 사용되는 귀중한 약재이기도 했던 것이다.

"치마를 벗고, 속곳을 벗어라."

산홍은 단호하게 말하였다. 송이가 망설이자 산홍은 채근하여 말하였다.

"뭘 망설이고 있느냐. 치마를 벗어라. 이 에미가 말하지 않았느냐."

송이는 치마를 벗고, 단속곳도 벗었다.

"속속곳도 벗어라."

속속곳이라면 오늘날의 팬티에 해당되는 여인들의 가장 깊은 내의였다. 송이가 속속곳을 벗자 산홍은 강제로 송이의 양 다리를 벌린 후 그곳을 한번 들여다보고는 이렇게 말하였다.

"어디 우리 딸년 옥문을 한번 들여다보자."

놀란 송이가 황급히 두 다리를 오므리자 깔깔 웃으며 산홍이 말하였다.

"무르익을 대로 무르익었구나. 이렇게 무르익을 대로 무르익은 옥문을 제대로 열어보지도 못한 신관 사또인지 나발인지가 도대체 어떻게 생겨먹은 곰배팔이란 말이냐."

산홍은 송이의 속속곳에 자신이 차던 향주머니를 직접 바늘로 꿰어 달아주면서 말하였다.

"내가 이 주머니를 얻은 것은 스무 살 안팎이었다. 청나라에 사신을 갔다오던 관리한테 하룻밤 수청을 들고 얻은 물건이었지. 중국에서도 귀한 물건으로 운남성이나 사천성에서 나는 사향노루의 사타구니에서 얻은 분비물인데 이를 당문자(當門子)라고 부른다고 그 사람은 말하였다. 그 이후부터 이 에미는 그것을 평생 동안이나 차고 다녔었지. 그 이후부터는 평생 니 에미의 옥문은 드나드는 사람으로 단 하루도 빗장을 잠그는 날이 없었더란다. 이놈이 드나들고 저놈도 드나들고, 주인이 드나드는가 하면 머슴도 드나들고, 그러다 보면 시주승도 드나들고, 작년에 왔던 각설이들도 드나들어 아예 오밤중에도 오고 싶은 놈들이면 누구든지 오너라 하고 대문을 활짝 열어놓고 지낸단다."

송이의 속곳에 향주머니를 직접 달아주고 나서 산홍은 말하였다.

"이것을 차고 다닐 때는 주의해서 명심할 것이 있다. 그것은 설혹 네 옥문을 남정네에게 보여줄지언정 이 향낭은 절대 보여주어서는 안 된다는 것이다."

산홍은 말을 이었다.

"이 냄새를 맡은 사내가 이 냄새가 사향노루의 냄새가 아니라 바로 네 몸에서 나는 냄새인 것으로 착각하게 만들어야 하느니라. 남정네들은 의외로 단순해서 이 냄새를 맡으면 송이 네년의 몸에서만 나는 냄새로 알고 있을 것이다. 그러니 절대로 네 목에 칼이 들어와도 이 향주머니는 보여주어서는 안 되느니라."

그리고 나서 산홍은 결론을 내렸다.

"그리고 내 말을 명심토록 하여라. 모든 일에는 때가 있는 법이다. 이제 얼마 안 있으면 신관 사또가 또다시 너를 수청 들라 부를 것이다. 그때가 삼세번이니 마지막 기회인 것이다. 꽃이 필 때도 시절인연이 있는 법이고, 열흘 붉은 꽃은 없는 법이다. 삼세번을 놓치면 신관 사또가 너를 다시는 여자로 보시지 아니할 것이다. 무릇 남녀가 맺어질 때는 처음 만나서 삼세번 안에 다 이루어지는 것이니 세 번을 지나고 보면 서로에게 끌리는 것이 없어지는 법이니라. 두 번이나 네년이 수청 들었음에도 신관 사또가 너를 손끝 하나 건드리지 아니하였음은 신관 사또가 불알 없는 내시거나 고자가 아니라, 그만큼 너를 마음으로 아끼고 마음속으로부터 예뻐하고 있다는 뜻이니라. 그러니 이번이 마지막 기회라 생각하고 치마를 뒤집어엎고 인당수 깊은 물에 풍덩 하고 빠져 죽은 심청이처럼 신관 사또의 품안에 빠져들거라. 마침 신관 사또로부터 단오부채를 하사받았으니 가까이 다가가 부채질을 하여 드리거라. 그래도 안 되면 신관 사또의 이부자리 속으로 파고 들어가거라. 무어라고 나무라시면 그저 울어라. 무릇 사내놈들이란 계집년이 흘리는 눈물에 녹아 흐르는 법이니라. 만지면 반응을 보이되 덥썩덥썩 몸을 내맡기지 말거라. 때로는 토라지고 앙탈도 부리거라. 좋아도 너무 좋아하지 말거라. 그러면 색이 너무 강한 계집으로 느껴질지도 모르니라. 하룻밤을 자도 만리장성을 쌓는다고 몸과 마음을 다해 정성껏 모시거라. 그리고 무엇보다 잊지 말아야 할 것은 그 하룻밤이 네 생사가 걸린 중요한 밤이라는 사실이다. 네가 신관 사또의 혼을 빼놓지 않으면 주막집의 이 빠진 술사발처럼 낡고 깨어진 이 에미와 같이 늙은 퇴기가 되어버릴 것이다."

양어미 산홍이 다녀간 지 며칠 뒤.

해 저무는 저녁녘 이방이 송이에게 다가와 말하였다.

"요즈음 달거리 중은 아니겠지."

송이는 이방의 그런 말이 무엇을 뜻하는가를 잘 알 수 있었다.

"아마도 오늘 밤 사또 나으리께오서 너를 부르실 것이다. 그러니 몸단장 잘하고 기다리고 있거라."

이방의 말을 듣는 순간 송이는 가슴이 뛰었다. 신관 사또가 자신을 또다시 부른다는 이방의 말 한마디에 송이는 낯이 붉어지고, 온몸이 녹아 흐르는 듯한 기쁨을 느꼈다.

두 번이나 한 방에서 함께 밤을 보냈으면서도 손끝 하나 건드리지 아니하였던 신관 사또였지만 이미 송이의 마음속에는 신관 사또에 대한 연모의 정이 자리잡고 있었다. 비록 함께 살을 섞지는 아니하였지만 송이에게 있어 신관 사또는 태어나서 함께 밤을 보낸 첫 번째 외간남자였다.

송이는 부랴부랴 목욕재계부터 하였다. 그녀는 쑥잎을 달인 뜨거운 물을 만들어 그 속에 몸을 넣어 목욕을 하였다.

목욕을 하고 나서 곱게 몸단장을 하였다. 송이의 몸은 잡티나 흉터가 전혀 없는 옥과 같이 희고 투명한 피부였다.

예로부터 우리나라 사람들은 옥과 같이 투명하고 흰 피부를 가진 사람을 귀인이라 생각해오고 있었다. 그래서 많은 여인들은 짓찧은 마늘을 풀에 섞어 얼굴에 골고루 펴바른 후 씻어냄으로써 살갗의 미백효과를 노리곤 하였다. 송이의 얼굴과 피부는 천연적으로 희고, 옥처럼 투명하였다.

보통 기생들은 분대화장을 하고 있었다. 분대화장이라 하면 얼굴에 분을 도포하듯이 하얗게 많이 바르고, 눈썹을 가늘게 가다듬어 또렷하게 그리고, 머릿기름은 반질거릴 정도로 많이 바르는 특징이 있는 진하고 야한 화장법이었다. 이 분대화장을 기생화장이라고도 부르고 있는데, 송이는 이목구비가 또렷하고 피부가 아름다워 굳이 그렇게 짙은 화장을 할 필요가 없었다.

송이는 시분무주(施粉無朱)라 불리는, 분을 약간 바른 뒤 연지는 전혀 바르지 않는 기초화장만을 즐겨 하였다.

산홍이 가르쳐준 대로 사향이 들어 있는 향낭의 주머니 끈을 조금 풀어 냄새가 은은하게 풍겨나올 수 있도록 조정하고 나서 송이는 그 속곳을 여며 입었다.

어미의 말대로 수청을 들러 갔으면 어떻게 해서든 수청을 들어야 하는 것이다. 그래야만 팔자를 고칠 수 있을지도 모르며, 어미의 말대로 신관 사또의 소실이 될 수 있을지도 모르는 일이다.

오늘 밤이 그 마지막 밤인 것이다.

송이는 옷을 입고 마지막으로 거울 앞에 앉아서 머리를 빗었다. 창포물로 머리를 감았으므로 머리에서는 반들반들 윤이 나고 은은한 향기가 풍겨오고 있었다.

오늘 밤이 어미의 말대로 삼세번의 마지막 밤인 것이다. 어떻게 해서든 신관 사또를 유혹하여서라도 인당수에 풍덩 하고 빠져 죽은 심청이처럼 그의 품속으로 빠져 죽어야 할 것이다.

나는 할 수 있다.

거울 속에 비친 자신의 얼굴을 쳐다보며 송이는 자신에게 말하였다.

나는 오늘 밤 신관 사또의 품속에서 심청이처럼 빠져 죽을 수 있을 것이다.

그렇게 생각하자 대뜸 가슴이 붉어지고, 심장이 뛰었다. 그것을 마다할 송이였던가. 비록 대역죄인의 딸이 되어 비천한 관기로 전락하였다고는 하지만 그녀의 핏속에는 이희저의 피가 흐르고 있지 아니한가. 관서지방 제일의 협객이었으며 뛰어난 장사로 그를 당할 자가 없었던 영웅 이희저의 딸이 아닐 것인가.

청년 임상옥을 북경 제일의 유곽으로 데리고 갔던 사람도 바로 이희저가 아니었던가.

그 이희저의 피가 송이의 혈관 속으로 흐르고 있는 한 송이가 비록 여자라고는 하지만 그녀의 핏속에도 풍류가 흐르지 않을 것인가.

이윽고 밤이 깊어지자 발자국 소리와 함께 이방의 목소리가 들려왔다.

"송이 게 있느냐. 있으면 나오거라."

송이는 쓰개치마로 몸과 얼굴을 가리우고 밖으로 나왔다.

밝은 달빛이 넘쳐흐르는 달밤이었다. 어느덧 봄은 가고, 초여름의 계절이었다. 개천을 따라 흐르는 물소리가 첨벙첨벙 들려오고 있었다. 송이는 꿈길을 밟듯 대낮같이 밝은 달빛을 따라 걸어갔다.

"나으리께오서."

관가가 가까워지자 이방이 따라오는 송이를 돌아보며 말하였다.

"오늘은 술도 한 잔 드시지 않고 너를 부르셨다. 나으리께오서 너에게 마음을 두고 계심이 분명하니 잘 모시거라."

이방은 이방대로 사또 나으리가 송이를 부를 때마다 따로 용돈을 두둑이 받으니 좋고, 잘하면 송이가 신관 사또의 소실이 될 만도 하니 그렇게 되면 자신의 팔자도 고칠 수 있어 어쨌든 일거양득이었다.

드나드는 남의 눈을 피해 관가로 들어가는 쪽문을 통해 안으로 들어갔다.

순찰을 도는 순라꾼들이 이따금 오가고 있었는데 가능하면 신관 사또의 체통을 봐서라도 그들의 눈도 피할 필요가 있었기 때문이다.

신관 사또의 방엔 불이 환하게 켜져 있었다.

"나으리."

이미 낯익은 임상옥의 침소 앞에서 이방이 허리를 굽힌 자세로

소리내어 말하였다.

불이 켜진 방안에서 신관 사또의 목소리가 들려왔다.

"누구신가."

"나으리, 접니다요. 이방입니다요."

능글맞게 웃으면서 이방이 굽실거렸다.

"나으리, 송이 입실입니다요."

"들어오라 이르게."

지금껏 송이가 임상옥의 침소를 찾아왔을 때는 항상 촛불 하나만 켜 있어 어두웠으며 임상옥은 술에 취해 늘 보료 위에 누워 벽쪽을 바라보고 있었다. 그러나 오늘은 어느 때와 달리 불이 대낮같이 환히 켜져 있었고 이방의 말대로 술에 취하지 않은 맑은 정신의 목소리였다.

"송이야."

부드러운 목소리로 이방이 말하였다.

"들어가거라."

송이는 쓰개치마를 벗고 마루 위로 올라섰다.

"나으리."

굳이 말하지 않아도 좋을 법할 것을 잘 알고 있으면서도 짓궂게 이방이 한마디 덧붙였다.

"소인 물러갑니다요. 날이 밝은 새벽에 다시 오겠습니다요."

방안에서는 아무런 대답이 없었다. 이방은 키득키득 웃으면서 침소를 벗어나며 기분 좋아 한마디 하였다.

"얼씨구 좋네. 지화자로구나. 신관 사또가 난봉이 났구나."

어쨌거나 우쭐우쭐 걷는 이방의 주머니에서는 걸을 때마다 짤랑 짤랑 은전들이 부딪는 소리가 나고 있었다. 그러므로 신나는 달밤이었다. 그뿐인가. 산홍이년에게 오늘 밤에 양딸 송이가 신관 사또의 침소로 수청 들러 들어갔다 귀띔하여 주면 공술까지 걸판지게 얻어먹을 수 있는 얼씨구 좋은 달밤이기도 했던 것이다.

송이는 신관 사또의 처소 앞에서 잠시 망설였다. 그녀는 낮은 목소리로 말하였다.

"나으리, 송이 입실이오."

안에서 신관 사또의 목소리가 들려왔다.

"들어오라 내 이르지 않았느냐."

송이는 두 손으로 소리가 나지 않도록 방문을 열고는 안으로 들어섰다.

임상옥은 방 한가운데에 앉아 있었다. 방안에는 술상이 마련되어 있었다.

"앉아라."

송이가 머뭇거리자 임상옥이 부드럽게 말하였다.

"오늘은 내가 술 생각이 나서 너를 불렀다."

임상옥은 방문을 활짝 열어젖혔다. 그러자 밝은 달빛이 그대로 방안으로까지 비쳐 들어와 촛불을 꺼도 방안은 한낮처럼 밝을 정도였다.

"술을 따르거라."

임상옥이 술잔을 들어올리면서 말을 하자 송이가 두 손으로 술을 따랐다.

임상옥은 술을 단숨에 들이켰다.

밝은 달빛과 불빛 아래에서 바라보는 송이의 모습은 천하절색이
었다.

항상 사람들이 많이 모인 연회 같은 곳에서 송이를 보았으므로
제대로 송이의 자태를 바라본 적은 없었다. 비록 두 번이나 같은 방
안에서 밤을 보냈다고는 하지만 언제나 흐린 촛불 아래에서 희미한
모습만 보았을 뿐이다.

임상옥은 밝은 달빛 아래에서 고스란히 드러난 송이의 모습을 바
라보며 생각하였다.

송이의 얼굴이야말로 절색이었다.

대역죄인으로 죽어간 친구, 송이의 아버지인 이희저의 모습을 판
에 박아놓은 듯 닮아 있지 않은가. 오뚝한 콧날하며 검고 큰 눈동
자, 눈매까지 이희저를 따다 놓은 것처럼 닮아 있었다.

"너도 한 잔 마시겠느냐."

임상옥은 자신이 마시던 술잔을 송이에게 내밀었다.

"주시니 받겠습니다."

두 손으로 술잔을 받으며 송이가 대답하였다. 임상옥은 송이의
술잔에 술을 가득 따라주었다.

원래 기생에게는 술을 내리지 않는 법이다. 기생들도 간혹 술을
마실 수는 있었지만 자신이 마시던 잔을 물려주는 일은 없었다. 기
생들에게 자신이 마시던 잔을 물려주고, 술까지 따라줄 때는 서로
정분을 나누는 합환주(合歡酒)일 때만 가능한 일이었다.

"제 잔을 받으시오서, 사또 나으리."

송이가 잔을 비우고 나서 그 잔을 다시 임상옥에게 내밀었다. 한 갓 비천한 주제에 자신이 마시던 술잔을 사또 나으리에게 직접 바쳐올리는 것은 생각조차 못할 일이다. 송이에게는 그런 당돌함이 있었다. 그리고 당돌함 역시 아비 이희저로부터 물려받은 성격 그대로가 아닐 것인가.

임상옥은 전혀 개의치 않고 송이의 잔을 받아들었다. 송이는 다시 두 손으로 잔을 채웠다. 한 잔 마신 술에 벌써 취기가 올라 송이의 얼굴은 발그스레하게 상기되어 있었다. 그런 상기된 얼굴이 훨씬 매혹적이었다.

"네가 글을 읽고 쓸 줄 안다고 그러하였더냐."

한 잔, 두 잔 술을 마시고 또 마셔 거나하게 취한 임상옥이 송이에게 물어 말하였다. 송이가 대답하였다.

"조금은 알고 있나이다."

임상옥이 벽에 두른 병풍을 손으로 가리키며 말하였다.

"저 병풍에 새겨진 시를 한번 읊어보겠느냐."

병풍에는 당나라의 시인 만초(萬楚)의 한시가 씌어 있었다. 만초는 잘 알려지지 않은 당대의 시인으로 현재 여덟 수밖에 전해지지는 않지만 그의 시는 워낙 빼어나 후대에 널리 애송되고 있다.

그 시의 제목은 '오일관기(五日觀妓)'로 '단옷날 기생을 보다'라는 뜻을 갖고 있다.

송이는 천천히 그 시를 읊기 시작하였다.

서시(西施)가 봄비단 빤 것도 쓸데없는 말이고

벽옥(碧玉) 아씨 지금에 꽃다움을 다투는데
눈썹 그림 원추리 빛을 빼앗아 가졌고
다홍치마 석류꽃을 시새움하는구나
새 노래 한 곡조는 사람을 황홀하게 하고
취한 춤 두 눈동자 애교머리 살짝 올려
그 누가 오색실로 목숨을 이을 수 있다 했더냐
도리어 오늘로 네 집에서 죽을 터이니.

시를 읊어 나가는 송이의 얼굴에 홍조가 떠오르고 있었다. 따지고 보면 병풍에 새겨진 만초의 시는 바로 자신의 모습을 빗대어 노래하고 있지 아니한가.

일찍이 '서시'는 '봄철에 자기가 짠 얇은 비단을 빨았다'는 고사를 남겼고, '벽옥'은 송나라의 '여남왕(汝南王)'의 첩으로서 16세 때 사내의 마음을 미치게 하였다는 벽옥가(碧玉歌)'를 남길 만큼 천하절색이었다. 신관 사또가 병풍에 쓴 만초의 시를 읊게 하는 것은 바로 자신을 서시나 벽옥보다 더 아름답다고 간접적으로 비유하고 있음이 아닐 것인가.

신관 사또는 송이에 대한 자신의 열정을 은근히 만초의 시를 빗대어 사랑 고백하고 있음이 아닐 것인가.

마지막 종장에 이르러서는 사랑의 표현이 더욱 강렬해진다.

誰道五絲能續命(수도오사능속명)
欲令今日死君家(욕령금일사군가)

이 문장이야말로 송이에 대한 임상옥의 사랑을 격렬하게 표현하고 있음인 것이다.

오사(五絲).

5월 5일 단옷날에 오색실로 팔꿈치를 감으면 장수한다는 의미를 담고 있는 단오절 풍물로 이 시의 뜻은 다음과 같은 것이었다.

그대와 함께 있다면 오색실로 팔꿈치를 감아 장수마저 원치 않는다. 단 하룻밤이라 하더라도 그대와 함께 죽고 싶다는 간절한 사랑을 노래하고 있는 것이다.

송이는 신관 사또가 자신과 함께 죽고 싶을 만큼 자신을 상사불망(相思不忘)하고 있음을 깨달았다.

"네가 어찌 그리 영특하다는 말이냐."

송이가 낭랑하게 병풍에 쎤 만초의 시를 단숨에 읊어내리자 임상옥이 자신의 무릎을 내리치면서 감탄하여 말하였다.

"나으리."

송이는 얼굴을 들고 똑바로 임상옥을 바라보며 말하였다.

"무슨 일이냐."

취한 눈으로 임상옥이 송이를 바라보며 물어 말하였다. 송이가 다소곳이 대답하였다.

"노래 한 곡조 올려드릴까요."

"노래. 그것 좋지."

한껏 기분이 좋아진 임상옥이 고개를 끄덕이며 말하였다. 송이가 노래를 부르기 시작하였다.

…인간 이별 만사 중에 독수공방 더욱 섧다.

상사불견(相思不見)이라 진정 뉘라서 알리 맺힌 시름.

이 정 저 정이라 흐트러진 근심 다 후루쳐 던져두고

자나깨나 깨어지나 임을 못 보니 가슴이 답답….

　

송이가 부르는 노래는 '상사별곡(相思別曲)'이었다. 이 노래는 그 당시 대유행을 보이던 대표적인 가창(歌唱)이었다.

상사별곡은 지은 사람도 알려진 바가 없고, 연대도 미상이었지만 남녀 사이의 순수한 연정을 주제로 한 대표적인 노래였다.

내용은 인간의 이별 만사 중에 독수공방이 가장 섧다는 것으로 시작하여 임을 기다리는 마음과 상사하는 마음을 여러 가지로 묘사한 다음 한 번 죽어지면 다시 오기 어려우니 연정이 있거든 다시 보게 태어나도록 기원하는 것으로 끝나는 대표적인 사랑 노래였다.

그러나 이 노래는 여자의 입장에서 노래한 내방가사였으므로 송이가 이 노래를 부르는 것은 만초의 시로 자신의 연정을 간접적으로 표현한 신관 사또에 대한 화답송이있다.

　

…어린 양자 고운 노래 눈에 암암하고 귀에 쟁쟁

보고지고 보고지고 임의 얼굴

듣고지고 듣고지고 임의 노래

비나이다, 비나이다

하느님께 임 생기라고 비나이다

전생차생이라 무삼 죄로 우리들이 생겨나서

잊지마자 하고 백년기약…

송이의 노래는 청아하고 구슬펐다. 노래의 가사도 그러하거니와 곡조 또한 애절하였다. 가슴을 파고드는 처연함이 있어 듣는 사람의 애간장을 녹이는 듯하였다.

임상옥은 눈을 감고 송이의 노래를 듣고 있었다.

송이 역시 상사별곡을 통해 자신의 상사를 드러내고 있는 것이다.

열린 방문을 통해 휘영청 밝은 달빛은 쏟아져 들어오고 있었고, 하늘 한가운데에는 만월의 보름달이 공중에 걸려 있었다. 송이의 애절한 노래는 온 방안을 맴돌고, 방안을 빠져나가 달빛이 내리깔린 뜨락을 맴돌아 퍼져나가고 있었다.

…만첩청산을 들어를 간들
어느 우리 낭군이 나를 찾으리.
산은 첩첩하고 고개되고
물은 졸졸 흘러 소(沼) 이르소이다.
오동추야 밝은 달에 임 생각이 새로워라.
한 번 이별하고 돌아가면 다시 오기 어려워라.

그날 밤.

술상을 물리고 나서 두 사람은 한 방에 들었다. 술 취한 임상옥은 다시 벽을 보고 보료 위에 누웠고 송이는 옷을 입은 채 방 한구석에 무릎을 안고 앉아 있었다.

오랜 침묵이 흘렀으나 임상옥은 아무런 말도 하지 않았고, 송이 또한 미동도 하지 않았다. 오랜 침묵 끝에 송이가 입을 열어 말하였다.

"나으리, 불을 끌까요."

임상옥의 입에서 수월하게 대답이 흘러나왔다.

"마음대로 하려무나."

송이는 입김을 불어 불을 껐다.

불을 꺼도 달빛이 밝아 방안이 투명하게 보였다. 송이는 이부자리를 깔고 다시 임상옥에게 말을 하였다.

"나으리, 밤바람이 차나이다. 자리를 옮기시오소서."

송이는 술 취한 임상옥을 부축하여 요 위에 누이고 나서 스스로 천천히 옷을 벗었다. 그녀는 아무런 부끄러움도 스스럼도 없었다. 양어미 산홍의 귀띔대로 오늘 밤이야말로 삼세번의 생사가 걸린 마지막 밤이라는 생각도 없었다. 그녀에게는 오직 사랑하는 임과의 하룻밤이었다.

자신이 불렀던 상사별곡의 노래처럼, '보고지고 보고지고 임의 얼굴, 듣고시고 듣고지고 임의 노래' 바로 그 가사처럼, 보고 싶은 임의 얼굴과 듣고 싶은 임의 소리 때문에 송이는 스스로 옷을 벗었던 것이다.

옷을 벗은 송이가 임상옥이 누운 이불 속으로 살며시 들어갔다. 송이의 몸은 불덩어리처럼 뜨거웠고 임상옥의 몸도 역시 불덩어리처럼 뜨거웠다. 그럼에도 임상옥은 손끝 하나 움직이지 아니하였다.

무엇을 망설이고 있는 것일까.

송이는 생각하였다.

뭔가를 고민하고 뭔가를 끊임없이 망설이고 있음이 분명하다. 그렇다면 신관 사또는 만초의 시처럼 '오늘 밤 함께 죽고 싶을 만큼' 나를 원하고 있으면서도 무엇을 꺼리고 있는 것일까.

순간 송이가 임상옥의 손을 잡아 쥐었다.

그녀는 아무런 거리낌도 없었다. 그리고 나서 임상옥의 귓가에 속삭여 말하였다.

"나으리."

임상옥의 손 역시 불덩어리처럼 뜨거웠다. 송이는 속삭여 말을 이었다.

"나으리, 나으리 옆에 누운 제가 야호(野狐)이니까, 아니면 송이이니까."

"그것을 어찌하여 내게 묻느냐."

달뜬 목소리로 임상옥이 물어 말하였다.

"저 역시 제가 사람으로 둔갑한 여우인지, 아니면 송이인지 잘 모르겠나이다. 그러하니 나으리, 제가 만약 송이가 아니옵고 사람으로 둔갑한 여우라면 분명히 제 엉덩이에는 꼬리가 붙어 있을 것이니 한번 만져 확인해 보시겠나이까."

송이는 임상옥의 손을 잡아 자신의 엉덩이의 뒷부분에 슬며시 대어보았다.

참으로 당돌한 태도였다. 임상옥의 손을 직접 잡아 자신의 엉덩이에 꼬리가 있는지 확인해달라고 가져가는 순간 불덩어리처럼 뜨거운 송이의 온몸이 임상옥의 손에 느껴졌다.

"나으리."

송이의 입에서 뜨거운 입김이 쏟아졌다.

"묻겠나이다. 나으리, 제 엉덩이에 꼬리가 있나이까."

"글쎄."

임상옥이 대답하였다.

"아무것도 만져지지는 않는구나."

"그러하면 제가 야호이니이까, 아니면 송이이니이까."

"야호는 아니다. 송이임에 분명하구나."

"그러하면 나으리."

송이의 뜨거운 몸이 임상옥의 품을 파고들면서 다시 물어 말하였다.

"어찌하여 저를 구미호 보듯 하시나이까. 분명히 꼬리가 아니 달린 송이임에도 불구하고 꼬리가 아홉이나 달린 여우로 보듯 하시나이까."

그때였다.

어둠 속에서 느닷없는 고함소리 하나가 일갈하여 임상옥의 뇌리를 후려쳤다.

"네가 도대체 무엇을 망설이고 있단 말이냐."

그와 동시에 어둠 속에서 무엇인가 튀어나와 임상옥의 머리통을 호되게 내리쳤다.

"이놈아, 이 손 안에 무엇이 들어 있느냐."

오랫동안 잊고 있던 석숭 큰스님의 대갈일성이었다.

30여 년 전.

바로 곁에 누워 있는 송이의 아버지인 이희저와 둘이서 연경에 들어가 큰돈을 벌고 이희저의 유혹으로 유곽에 들어가, 절세미인이었던 장미령을 만났을 때 살려 달라고 우는 장미령을 본 순간에도 똑같이 '이놈아, 이 손 안에 무엇이 들어 있느냐'는 석숭 큰스님의 대갈일성을 들었다.

그때 임상옥은 결심했었다.

이 여인을 죽이는 길은 이 여인의 처녀성을 빼앗고, 그녀의 하소연을 모르는 체하는 일이다. 그러나 이 여인을 살리는 길은 이 여인의 몸값을 지불하고 사창가에서 벗어나 자유롭게 하여 주는 일이다.

그리하여 임상옥은 거금 5백 냥을 주고 장미령의 몸을 사서 그녀를 자유의 몸으로 풀어주었던 것이다.

"이놈아, 이 손 안에는 무엇이 들어 있느냐."

바로 그 목소리가 30여 년의 세월을 뛰어넘어 송이와 함께 누워 있는 지금 이 순간에도 벽력처럼 스쳐 지나갔던 것이다.

임상옥은 마음이 편안해졌다.

너는 도대체 무엇을 망설이고 있단 말인가.

송이가 너의 고우 이희저의 딸이라는 사실 때문인가. 그러나 송이는 이희저의 딸이지 너의 친딸은 아니지 않은가. 이 방법이야말로 송이를 살릴 수 있는 유일한 길이 아닐 것인가. 송이를 미천한 관기에서 벗어나 양민으로 만들 수 있는 길은 오직 이 길 하나밖에 없다.

그것은 네가 심사숙고 끝에 내린 계략이기도 한 것이다. 네가 송이를 살릴 수 있는 것은 송이를 소실로 삼는 길뿐이다. 송이를 소실로 삼고 다른 여인을 대속하여 대신 관기로 들여놓은 다음 송이를 양민으로 회복시켜주는 길뿐인 것이다.

이것이 바로 송이를 살리는 활인도(活人刀)이다.

순간 임상옥은 오랫동안 지고 있던 등짐을 내려놓은 듯 마음이 편안해졌다.

임상옥은 몸으로 파고들어 오는 송이의 벗은 몸을 부둥켜안았다.

"내가 어찌 너를 구미호로 보고 있었겠느냐."

그리고 나서 임상옥은 이렇게 말을 이었다.

"나는 오늘 밤 너와 함께 죽고 싶다. 바로 이곳에서 말이다."

일단 마음의 둑이 무너지자 걷잡을 수 없는 격랑이 폭포되어 쏟아졌다.

송이의 나이 스무 살 처녀의 몸이라 하였으나 사랑하는 사람 앞에서 무슨 부끄러움이 있을 것인가. 이미 무르익을 대로 무르익은 농밀한 여인의 몸이 아닐 것인가. 사내의 몸을 처음으로 받아들인다 하더라도 전생으로부터의 숙연은 없을 것인가.

임상옥이 구름이라면 송이는 그대로 비가 되었다. 그리하여 임상옥이 드리우는 곳마다 송이는 그대로 비를 뿌렸다.

"송이야."

열락에 빠질 때마다 신음하여 임상옥이 입을 열어 말하였다.

"나으리."

임상옥이 부르면 좇아 나오듯 송이가 화답하여 말을 받았다. 송이가 다시 열락에 빠져 신음하며 '나으리' 하고 부르면 임상옥이 기다렸다 화답하여 '송이야' 하고 대답하였다. 몸을 섞고 있어 더 이상 가까이 할 수 없을 만큼 함께 있건만 그들은 함께 있는 사람을 확인하기 위해서 자주 그렇게 부르고 하였다.

"송이야."

임상옥이 벌거벗은 송이의 등을 더듬어 쓸어내리며 말하였다.

"송이 네가 어디 있느냐."

"나으리."

송이가 대답하였다.

"바로 나으리 품속에 있지 않으니이까."

"그런데 어찌하여 네가 보이지 않는단 말이냐. 이제 보니 네가 정녕 사람이 아니로구나."

"사람이 아니라면요. 나으리."

"백년 먹은 여우가 아니겠느냐."

"백년 먹은 여우라면 어찌 제 몸에 꼬리가 없겠나이까."

"아니다."

임상옥이 송이의 엉덩이를 쓸어 만지면서 말하였다. 간지럼을 타듯 송이가 깨득깨득 웃으면서 몸을 꼬았다.

"간지럽사옵나이다, 나으리."

"꼬리가 네 엉덩이에 분명히 달려 있지 않느냐."

"아까는 없다고 하시더니 어찌하여 이제는 꼬리가 있다고 하시나이까."

"그러니까 백호(白狐)가 아니겠느냐. 백년 먹은 흰 여우야 한 번 둔갑할 때마다 꼬리가 있다가도 없고, 없다가도 있다 하니, 그러니 네가 정녕 흰 여우임에 틀림이 없으렷다. 그러니 네가 무엇하러 사람이 되어 내 곁으로 찾아왔더란 말이냐."

송이가 임상옥의 벗은 가슴을 손가락으로 가만히 스쳐내리며 말을 받았다.

"소녀가 백여우에서 사람으로 둔갑하여 나으리 곁으로 나타난 것은 한 가지 이유 때문이나이다."

"그것이 무엇이냐."

"사람으로 태어나길 원해서나이다. 소녀의 꿈은 오직 하나, 여우의 몸에서 벗어나 사람의 몸을 받아 환생하여 다시 태어나기를 원하기 때문이나이다."

"네가 여우에서 사람으로 환생하기 위해서는 어떻게 해야 할 것이냐."

"그것은."

송이가 임상옥의 몸을 파고들며 말하였다.

"나으리의 간을 빼어먹는 일이나이다. 소녀가 나으리의 간을 빼어먹을 수 있다면 소녀는 사람의 몸을 받을 수 있나이다."

"그러하면."

임상옥이 가슴을 펼치어 말하였다.

"네 뜻이 정녕 그러하다면 간을 빼어먹으려무나."

"정녕이시나이까."

"정녕 그러하다고 내 이르지 않았느냐. 먹어라. 내 간을 빼어먹어라."

순간 송이가 얼굴을 파묻고 임상옥의 가슴을 핥고 그리고 깨물었다. 임상옥은 신음소리를 내었다.

"소녀는 나으리의 간뿐이 아니라 심장도 빼어먹고, 나으리의 혼백도 빼어먹겠나이다."

송이의 입이 임상옥의 벗은 온몸을 핥고 그리고 깨물었다. 마치 간을 빼어먹는 여우처럼. 임상옥이 흥분하여 다시 몸을 일으켜 송이를 안아 그녀의 몸속에 자신을 찔러넣으며 말하였다.

"네가 백년 먹은 여우라면 나는 무엇이냐."

"나으리는, 나으리는."

송이가 말을 더듬었다.

"무엇이냐고 내 묻지 않느냐."

"소녀가 여우라면 나으리는 승냥이나이다."

"오냐. 네 말이 정녕 그러하다. 나는 승냥이니라."

임상옥은 으르렁거리면서 송이를 부둥켜안았다. 그러기를 하룻밤에 대여섯 번. 두 사람은 한숨도 잠들지 않았다. 두 사람은 그렇게 부둥켜안고만 놀았다. 어떻게 흘러갔는지 눈 깜짝할 사이에 밤이 물러가고, 닭울음소리와 함께 희부연한 새벽빛이 스며들었다.

"나으리, 소녀에게 청이 하나 있습니다."

그것이 무엇이냐고 임상옥이 묻자 송이가 대답하였다.

"저 첫 닭의 모가지를 비틀어 죽여주옵소서."

그때였다.

"…나으리."

이방의 목소리였다.

"…나으리, 기침하셨습니까. 나으리."

그러나 방안에서는 아무런 소리도 들려오지 않았다. 이방은 귀를 기울였다. 숨소리조차 들려오지 않고 있었다. 그는 간밤에 송이의 신발을 품속에 넣고 갔으므로 그것을 댓돌 위에 놓으며 이번에는 송이를 불렀다.

"…송이야."

이방은 주위를 살피며 속삭였다.

"…일어났느냐. 일어났으면 나오거라."

여전히 방안에서는 묵묵부답이었다. 이방은 난처해서 어떻게 할까 잠시 망설였다.

아직 신새벽이었지만 동이 트느라고 갓밝이가 드리우고 있었다. 더 이상 시간을 끌다가는 만사가 들통나버릴 것은 분명한 일이었기에 이방은 조금 더 큰소리로 말하였다.

"…송이야, 일어났느냐. 일어났으면 얼른 나오거라."

쥐 죽은 듯 정적을 지키던 방안에서 느닷없이 신관 사또의 목소리가 터져나왔다.

"…게 있느냐."

순간 이방은 화들짝 놀랐다. 그는 고개를 조아리며 말하였다.

"나으리, 기침하셨나이까. 신 이방 문안인사 드리나이다."

"…그래서."

"나으리, 벌써 날이 밝았나이다. 이미 어둑새벽이나이다."

"이놈아."

순간 방안에서 호통소리가 다시 터져나왔다.

"이놈아, 무슨 어둑새벽이란 말이냐. 아직도 캄캄한 오밤중이 아니더냐. 그러니 날이 밝거든 다시 찾아오너라."

"…나으리."

다급해진 이방이 더듬거리며 말을 하였다.

"…새벽닭이 울었나이다. 닭의 울음소리를 듣지 못하였나이까."

"…날이 밝거든 다시 찾아오라는 내 말을 아직 듣지 못하였느냐."

"알, 알겠나이다."

하는 수 없이 이방은 물러가면서 말하였다.

"…날이 밝으면 다시 오겠나이다, 나으리."

이방은 하는 수 없이 송이의 신발을 주워 다시 품속에 넣어 가지고는 임상옥의 침소를 벗어나면서 머리를 갸우뚱거렸다.

날이 밝으면 다시 찾아오라니. 신관 사또가 그새 망령이라도 든 것일까. 이미 날이 밝아 어둑새벽이 아닌가. 그런데도 아직 컴컴한 오밤중이라니.

이방의 입가에 저절로 미소가 떠올랐다. 두 사람의 운우지정이 밤을 꼬박 새우고도 모자라 찾아오는 새벽을 아쉬워할 만큼 만리장성을 쌓은 것이다.

얼씨구 좋구나.

이방은 춤을 추면서 흥얼거렸다.

얼씨구 좋구나. 지화자로구나.

간밤에 이방은 송이를 수청 들이고 나서 그 길로 산홍의 주막집으로 찾아갔었다. 찾아가서 산홍에게 양딸 송이가 신관 사또의 방에 수청 들었다고 이르자 생각하였던 대로 산홍은 밤이 새도록 이방에게 공술을 주었던 것이다. 이방은 밤새도록 술을 마시다가 밤이 깊어 깜박 술청에서 잠이 들었다 화들짝 놀라 신관 사또의 방에서 송이를 쥐도 새도 모르게 빼내기 위해서 찾아온 것이다.

그런데도 신관 사또는 아직 날이 밝지 않은 오밤중이니 날이 밝으면 다시 오라고 망령들린 소리를 해대지 않는가.

얼씨구 좋네. 신관 사또가 송이에게 빠져버렸구나. 빠져도 홀딱 빠져버렸구나.

이방은 덩실덩실 춤을 출 것 같았다.

이방은 건들거리며 관아의 후문 앞 들판에서 쭈그리고 앉았다. 새벽이라 어디 갈 데도 없고 얼마 안 있어 또다시 신관 사또를 깨우기 위해 갈 참이니 멀리 갈 수도 없었다. 그는 땅바닥에 쭈그리고 앉아 깜박 잠이 들었다.

은밀히 송이를 부르러 온 이방을 임상옥이 호통쳐 쫓아보내고 난 뒤 송이가 말을 하였다.

"나으리, 이제 그만 소녀는 가봐야 하겠나이다."

"그대로 있거라. 아직 오밤중이라 내 이르지 않았느냐."

임상옥이 송이를 다시 껴안고 그렇게 말하였다.

"나으리."

송이는 웃으며 말하였다.

"소녀는 백여우라 날이 새기 전에 돌아가지 못하면 그대로 이곳에서 백여우로 변해버리고 마나이다."

"네가 간밤에 내 간을 빼어먹어 사람이 되지 아니하였느냐."

"멀었사옵나이다."

송이가 대답하였다.

"아직 소녀가 사람이 되기에는 정성이 부족하나이다."

"가지 말아라."

임상옥이 말하였다.

"가지 않는다면요, 나으리."

"내가 아프다고 칭병을 하고 하룻날 하룻밤을 너와 함께 이곳에서 지내리라."

"나으리."

그러자 송이가 몸을 일으켜 앉으며 말하였다.

"나으리, 소녀는 '아침의 구름(朝雲)'이나이다. 이제는 구름이 되어 산 위로 올라갈 때이나이다."

"네가 어찌 무산(巫山)의 꿈을 알고 있느냐."

임상옥은 진정으로 놀라 물어 말하였다.

"나으리, 소녀는 아침의 구름이오니 물러가겠나이다. 저녁이면 비가 되어 다시 찾아오겠나이다."

송이의 말은 고사에서 비롯된 것이다.

전국시대 초나라의 양왕이 사랑하는 여인 송옥(宋玉)을 데리고 운몽(雲夢)이라는 곳에서 놀다가 고당관(高唐館)에 이르렀다. 그때 하늘을 우러러보니 이상한 구름이 피어오르고 있어서 송옥에게 그 것이 무엇이냐고 물었다. 송옥은 '아침의 구름'이라고 대답하고는 조운에 얽힌 이야기를 하여 주었다.

옛날 선왕(先王)이 고당에서 노닐다가 주연이 끝난 뒤 피곤하여 잠시 낮잠을 잤다. 그때 비몽사몽간에 아름다운 한 여인이 나타나 말하였다.

"저는 무산에 사는 여인이온데 전하께서 고당에 거동하셨다는 말을 듣고 왔습니다. 아무쪼록 침석(枕席)을 받들도록 하여 주십시오."

침석이라 함은 잠자리를 뜻하는 말.

이 말을 들은 왕은 기꺼이 그 여인과 잠자리의 정을 나누었다. 이윽고 헤어질 때가 되자 그 여인은 이렇게 말하였다.

"저는 무산 남쪽 높은 산봉우리에 살고 있는데 아침에는 구름이 되어 산에 걸리고 저녁이면 비가 되어 산을 내려가 양대(陽臺) 아래 머무를 것입니다."

여인은 사라지고 왕은 꿈에서 깨어났다. 이튿날 아침 왕이 무산을 바라보니 과연 여인의 말대로 높은 산봉우리에는 아침 햇살에 빛나는 아름다운 구름이 걸려 있었다. 왕은 그 여인을 그리워하여 그곳에 사당을 세우고 그 사당의 이름을 '조운묘(朝雲廟)'라고 이름지었다.

이 이야기에서 비롯되어 남녀의 은밀한 정교(情交)를 '무산지몽(巫山之夢)'이라고 부르는 성어가 태어난 것이다.

영특한 송이는 이런 고사를 알고 있어 자신을 아침 구름에 비유함으로써 간밤에 있었던 구름과 비의 운우지정을 무산지몽에 빗대어 표현하는 재치를 부린 것이다.

"옳거니."

임상옥이 무릎을 치며 대답하였다.

"네 말이 맞구나. 송이 네가 백여우가 아니라 아침 구름이로구나. 그래 가거라. 가서 무산 남쪽 높은 산봉우리에 아침 구름으로 머물러 있다가 저녁에 내가 부르면 다시 비가 되어 산을 내려오거라.”

다시 문밖에서 주위를 꺼리는 이방의 목소리가 들려왔다.

“사또 나으리.”

“누구냐.”

“신 이방이나이다. 기침하셨나이까.”

“물론이다.”

“그러하면 송이 퇴실이나이다.”

“알겠다.”

잠시 후 송이가 처음 들어올 때처럼 쓰개치마를 쓰고 방을 나왔다. 이방은 얼른 품속에서 가죽신을 꺼내들었다.

이미 날은 밝을 대로 밝아서 몸을 숨길 어둠은 없었다. 송이는 가죽신을 신고, 이방은 송이의 몸을 자신의 몸으로 가리고서 서둘러 관아를 빠져나갔다.

남의 눈을 피해 후원의 쪽문을 통해 도망치듯 황망히 빠져나오는 동안 관인들의 눈에 띄지 않은 것은 그나마 다행이었다.

일단 관아를 빠져나오자 안심이 된 듯 이방이 휘이— 하고 한숨을 쉬면서 말을 하였다.

“어떠하시더냐. 나으리께오서 새벽이 밝아오시는 것을 싫어하실 만큼 송이 너를 사랑하여 주시더냐.”

이방은 본능적으로 송이의 태도에서 이제는 자신이 함부로 범접할 수 없는 느낌을 받았다. 송이의 일거수일투족은 이제 이방이 알던 예전의 관기가 아니었다. 지체 높은 신관 사또와 몸을 섞어 이제는 여부인(如夫人)과 다름이 없었다.

여부인.

정식으로 혼인하여 취한 처가 아니면서 가족적으로 지위가 안정된 여자. 첩을 다른 말로 여부인이라 부르고 있었다. 원래 첩은 첩실, 소실, 부실, 별실, 별가, 측실이라고도 부르는데 이도 대부분 천칭(賤稱) 중의 하나이다. 그러나 첩을 사실혼처로 인정하여 존칭으로 부를 때가 있는데 이럴 때는 첩을 가직(家直) 혹은 여부인이라 부르고 있었다. 순우리말로는 별칭으로 아아서, 작은집, 작은마누라라고 부르기도 했다.

"송이야."

이방은 쓰개치마로 얼굴을 가린 송이에게 아부하여 말하였다.

"네가 이담에 대갓집의 마님이 된다 하더라도 이 이방 어른의 공덕을 잊어서는 절대로 아니된다. 내 말의 뜻을 알고 있느냐."

한낮이 기울 무렵, 송이의 방으로 쏜살같이 뛰어드는 사람이 있었다. 바로 송이의 양어미인 산홍이었다.

"게 있느냐."

산홍은 무엇이 급한지 쏜살같이 뛰어들어와 신발을 벗어던지고 방안으로 들어섰다. 방안에서는 송이가 완전히 낮잠에 빠져 있었다. 그도 그럴 것이 지난 밤 뜬눈으로 한밤을 새운 뒤끝이 아니었던가.

산홍은 송이를 흔들어 깨우며 말하였다.

"귀신이 업어가도 모를 만큼 낮잠에 빠져 있구나. 일어나거라, 아가야."

송이가 눈을 비비며 일어났다.

"웬일이세요."

"웬일이라니, 아가야."

산홍은 송이의 얼굴을 어루만지며 말을 하였다. 여성 특유의 직감으로 지난밤 신관 사또와 운우지정을 나눈 것 같은 느낌을 받았으므로 산홍은 한껏 신이 나 있었다.

"그걸 말이라고 하느냐. 그래 간밤에는 어떠하시더냐. 내 말대로 하였느냐."

"어떠하시다니요. 난 무슨 얘기를 하는지 모르겠어요."

송이는 짐짓 시치미를 떼었다.

"아가야."

송이가 낯을 붉히며 시치미를 떼자 오히려 더 기분이 흐뭇하여진 듯 산홍이가 송이의 어깨를 소리가 나도록 내리치며 말하였다.

"이 에미가 이미 다 알고 있으니 행여 이 에미를 속일 생각은 아예 말거라. 지난 밤에 신관 사또에게 삼세번으로 수청을 들었다는 것을 이 에미는 알고 있다."

입빠른 이방이 그것을 양어미에게 고해바치지 않을 리가 있겠는가.

"그래, 아가야."

은근히 산홍이가 송이의 얼굴을 살피며 물어 말하였다.

"어떠하시더냐. 이 에미가 시키는 대로 하였느냐. 지난 밤 삼세번이 네 생사가 걸린 중요한 밤이라 이 에미가 이미 말하였으니 무슨 방법을 다 써서라도 신관 사또와 몸을 섞는 데 성공하였느냐. 어떠하였느냐. 이 에미가 전해준 향낭을 속곳에 차고 합방하였느냐.

치마를 뒤집어쓰고 인당수 깊은 물에 풍덩하고 빠져 죽은 심청이처럼 신관 사또의 품속에 빠져들었느냐. 아이고 답답하니 말 좀 하여보거라."

실제로 답답하여진 듯 산홍이 송이의 다리를 벌리고 나서 그 사타구니에 얼굴을 들이밀며 말하였다.

"어디 우리 아가, 옥문 한번 들여다보자. 우리 딸년 옥문 속으로 신관 사또의 방앗공이가 밤새도록 들락날락하였는지 어디 한번 들여다보자꾸나."

황급히 두 다리를 오므리고 나서 송이가 낯을 붉히고, 양어미 산홍에게 간밤에 있었던 일들을 낱낱이 고하기 시작하였다. 송이로부터 간밤에 있었던 모든 일을 전해들은 산홍은 벌떡 일어나 방안에서 춤을 추었다. 산홍은 그것도 모자라 방문을 박차고 나가서 마당에서 버선발로 덩실덩실 춤을 추었다. 한바탕 춤을 추고 나서 다시 방안으로 들어와 송이에게 물어 말하였다.

"그래, 어떻게 노시더냐. 너를 품안에 안고 노시더냐, 아니면 너를 입고 노시너냐."

"…품안에 안고 노시더이다."

"그러하면 너를 배 아래 깔아놓고 노시더냐, 아니면 너를 배 위에 올려놓고 노시더냐."

"배 아래에 깔아두고 노시기도 하고 배 위에 올려놓고 노시기도 하셨나이다."

"그래, 아가야. 너는 사또께서 시키면 시키는 대로 모두 하였느냐."

"시키면 시키는 대로 모두 하였나이다."

"그래, 사또 나으리께서는 합환하실 때마다 좋아하시더냐."

송이는 낯을 붉히고 대답하지 않았다. 산홍은 부시를 당겨 담뱃대에 불을 붙이고는 뻐끔뻐끔 빨면서 말을 이었다.

"사또 나으리께서 너를 한 번이라도 품에서 떨어뜨린 적이 있었더냐."

"사또 나으리께오서는 새벽이 찾아와 갓밝이가 되었는데도 오밤중이라 하옵시고는 찾아온 이방 어른을 물리치기도 하셨나이다."

"그러고 나서 또 한 번 합환하였느냐."

송이는 대답 대신 머리를 끄덕였다. 그러자 산홍이가 기가 막힌 듯 콧소리를 내어 말을 이었다.

"그 늙은이가 힘 한번 좋구나. 그러다가 네 배 위에서 복상사하여 죽지나 않을까 염려되는구나. 어쨌거나."

산홍이가 송이를 어루만져 껴안고는 등을 토닥거리며 말하였다.

"잘하였다. 우리 아가 잘하였다. 우리 새끼. 그리고 또 무어라고 말씀하시더냐."

"더 이상의 말씀은 없으셨나이다."

"헤어질 때 아무런 말씀도 없으셨단 말이냐."

"나으리께오서는 저더러 산봉우리에 가서 아침 구름이 되어 머물고 있다가 저녁이 되어 부르면 다시 비가 되어 산을 내려오라고 말씀하셨나이다."

"그게 무슨 해괴망측한 소리냐. 아침 구름은 무엇이고, 비가 되어 산을 내려오라는 말은 또 무엇이냐. 또 다른 말씀은 없었더란 말이냐."

산홍은 채근하여 다시 물었다.

송이는 양어미 산홍의 질문을 이해할 수 없었다. 그래서 송이는
잘라서 대답하였다.

"다른 말씀은 없으셨나이다."

"아이구, 이년아."

갑자기 답답하여진 듯 자신의 가슴을 소리가 나도록 쥐어박고 나
서 산홍이 말을 이었다.

"도대체 언제 치가(置家)를 차려주실지 아무런 언약도 없으셨단
말이냐."

치가, 이를 다른 말로는 첩치가(妾置家)라고도 부른다. 이는 첩을
정식으로 인정하여 딴 살림을 차리는 것을 이름하여 말함이다.

"내 말을 잘 들어라. 원래 남자란 처음 계집을 만나면 화분에 취
한 나비처럼 정신이 없고 꿀에 취한 벌처럼 혼이 나가는 법이니라.
그러나 화분이 다 떨어지고 단꿀이 다 빠져나가면 다른 꽃이 더 아
름다워 보이고 다른 꽃의 꿀이 더 달아 보여, 나비처럼 다른 꽃으로
날아가버리고 벌처럼 다른 꽃으로 날아가버리는 게 보통이니라. 지
금 아무리 신관 사또가 송이 네년에게 반하여 밤새도록 방아타령을
하였다 할지라도 얼마 안 가면 곧 시들하여지고 벌과 나비처럼 다
른 꽃으로 날아가버리는 것이 보통이니라. 더구나 네년이나 나나
기생년이 아니더냐. 차라리 양민이면 양첩(良妾)이라도 될 수 있지,
네년이나 나는 기생년이어서 첩이 되더라도 기첩(妓妾)이 아니더
냐. 기첩이면 종년의 첩인 비첩(婢妾)과 더불어 천첩(賤妾)이 아니

더냐. 기생년들이야 하룻밤 데리고 노는 노리개가 아니더냐. 더구나 신관 사또의 본 마누라인 정실은 아직 의주에서 살림을 하고 있지 않다더냐. 소문이라도 나면 시앗을 본다 하고 맨발로 이곳까지 달려와 네년의 머리채를 부여잡고 한바탕 난동을 부릴지 또 누가 알겠느냐. 그러하니 아가야, 신관 사또가 너를 품안에 안고 논들 무슨 소용이 있으며 너를 등뒤에 업고 논들 무슨 소용이 있겠느냐. 잘 못하면 놀다 버리는 노리개가 되어버릴 것이 아니겠느냐. 그러니 이제부터가 생사가 걸린 것이 아니겠느냐. 아직 신관 사또가 네 향기에 취해 있고 네 꿀에 빠져 있을 때 별가(別家)를 차려달라고 떼를 쓰는 것이 옳은 방법이 아니겠느냐."

"…소녀는."

송이는 낮을 붉히며 단호하게 말을 하였다.

"사또 나으리께 아무것도 바라는 것이 없나이다. 사또 나으리와 더불어 무엇이 되어지고 싶은 마음조차 없나이다."

"그러하면."

갑자기 화가 난 표정으로 산홍이 되물었다.

"지금 이대로만 좋나이다. 소녀는 사또 나으리께 아무것도 바라지 않나이다."

"지금 이대로라니. 아이구 이년아. 네년이 지금 이팔청춘이라고는 하지만 눈 깜짝할 사이에 나처럼 늙고 병들어버릴 것이다."

"설혹 그렇게 되어지는 한이 있더라도 아무것도 바라지 않나이다. 사또 나으리와 더불어 무엇이 되어지고 싶은 마음조차 없나이다."

"열녀 났구나. 아이구 내 팔자야."

제 가슴을 소리가 나도록 쾅쾅 때리고 나서 산홍이 말하였다.

"좋다. 네년이 신관 사또의 첩실이 되든, 아니면 신관 사또가 데리고 놀다 버리는 노리개가 되든 모두 네년의 팔자이니 이 에미가 상관할 바는 아니지만 어쨌든…."

산홍은 트레머리를 풀어 머리에 꽂았던 비녀를 뽑아내었다. 그녀는 비녀를 들어 송이 앞에 내놓으며 말하였다.

"이 비녀값은 내놓으라고 신관 사또에게 말하여라."

송이는 느닷없이 내미는 비녀를 쳐다보았다. 송이는 그 비녀가 자기를 낳은 생모가 쓰던 유물임을 전혀 모르고 있었다.

산홍은 언젠가 때가 되면 이 비녀를 송이에게 물려주고 출산의 비밀을 모두 얘기해주리라고 결심하고 있었다. 어느덧 그때가 온 것이다.

"이 에미도 너를 키워준 값을 받아야겠다. 아다시피 네년은 내가 낳은 딸이 아니고 내가 데려다 키운 양딸이 아니더냐. 그러니 이 세상에 공짜가 어디 있겠느냐."

산홍은 차갑게 말을 뱉었다.

"네년이 내 뱃속에서 아픔 끝에 낳은 딸이라면 모르겠으나, 다섯 살이 되었을 때 내가 데려다 키운 남의 집 자식이니, 지금껏 너를 입히고 먹인 밥값이야 내게 꼭히 주어야 할 것이 아니겠느냐. 이 세상에 공짜는 없는 법이 아니겠느냐. 네가 나를 만나지 못하였으면 지금쯤 생명도 부지하지 못하고 이미 죽어 없어질 목숨이 아니었겠느냐. 그러니 네가 이 비녀를 사또 나으리께 보이고 양어미 산홍이 비녀를 사달라 그리 말하더라고 이르거라. 심청이도 공양미 삼백 석에 팔려갔는데 어찌 금이야 옥이야 키운 내 딸 송이의 생처녀를 덥석 먹고 나서 모른 체 입을 닫을 수 있겠느냐. 더욱이 상대방은 조선 제일의 거부가 아니더냐. 그러니 속량의 값은 충분히 쳐줘야 하지 않겠느냐.”

산홍의 말은 여러 가지 의미를 가진 생각이었다. 산홍은 이방을 통해서 자신을 찾아와 송이의 생모에 대해서 이것저것 캐물은 양반 나리가 바로 신관 사또임을 뒤늦게라도 알아내었던 것이다.

또한 산홍은 이방을 꼬드겨 들은 그간의 행적으로 보아 신관 사또가 송이를 다만 상사(相思) 이상으로 사랑하고 있음을 알아내었다.

두 번이나 송이를 수청 들게 한 후에도 손끝 하나 건드리지 아니하고 그냥 보낸 것은 송이를 친딸 이상으로 생각하고 있음이 분명하였기 때문이다. 그러므로 산홍은 마지막 승부수를 띄운 것이다. 그것은 비녀였다.

그녀는 주막으로 찾아온 임상옥에게 송이의 생모가 선물로 준 비녀를 보여주었던 사실을 기억해낸 것이다.

신관 사또가 이 비녀를 보면 의미를 금방 알아차릴 것이 아니겠는가.

쌀쌀하게 비녀를 송이에게 전해주고 비녀값을 내라는 모진 말로 끝을 맺고는 산홍은 그 길로 즉시 떠나버렸다.

그날 밤부터 송이는 기다렸다. 이제나저제나 신관 사또로부터의 부르심을 기다렸다. 그러나 아무런 소식도 없었다.

그도 그럴 것이 그해 여름 평안도 일대에 대홍수가 일어났던 것이다.

몇날 며칠을 쉬지 않고 비가 내려 하천이 범람하고 강물이 흘러넘쳐 논밭이 떠내려가는 대재앙이 밀어닥쳤다. 임상옥은 자신의 창고를 활짝 열어 곽산과 자신의 고향 의주의 성민들에게 곡식을 나눠 주는 한편, 자신이 보관하고 있던 오곡의 종자까지 내어주었다.

모든 서민들은 새로 부임해온 임상옥의 공덕에 대해서 칭송이 대단하였다.

진휼(賑恤). 지난날 흉년이나 홍수와 같은 대재앙이 들었을 때 관에서 창고를 열어 곤궁한 백성들을 구해주는 일을 진휼 또는 진구라 하였는데 임상옥은 관의 창고를 열지 아니하고 자신 창고를 열어 사재로 수많은 수재민들을 구해주었다. 이 일로 의주와 곽산에서는 대홍수가 났으나 굶어죽는 사람은 하나도 없었다.

그런 바쁜 일로 임상옥은 한여름, 송이를 부르지 못하였다. 하루에도 몇 번씩 송이를 보고 싶은 마음이 아침의 구름처럼 뭉게뭉게 솟아올랐으나 때가 때이니만치 그는 이를 억제하고 있었다.

상사의 고동으로 병이 든 것은 송이가 더하였다. 송이는 아침에는 구름이 되어 산에 걸리고 저녁이면 비가 되어 산 아래를 적신다는 무산지몽의 고사처럼 기다리고 기다렸다. 낮이면 구름이 되어 기다리고 밤이 오면 님을 보고 싶은 그리움에 눈물로써 비를 뿌리며 아홉 꼬리가 달린 구미호처럼 기다리고 기다리고 또 기다렸다.

그러나 신관 사또로부터는 아무런 소식이 없었다. 아니었다. 임상옥은 이미 송이에게 있어 신관 사또도, 원님 나으리도 아니었다. 임상옥은 송이에게 있어 그저 사랑하는 임에 지나지 않았다.

보는 것마다 임의 얼굴이었으며 듣는 것마다 임의 목소리였다. 실로 임상옥과 합방하여 첫날밤, 송이가 노래 부른 상사별곡의 노랫말 그대로였다.

인간 만사 중에 이별의 독수공방이 더욱 섧다. 상사불견(相思不見)이라 진정 뉘라서 알리, 이 내 시름. 이 정 저 정이라 흐트러진 근심 다 후루쳐 던져두고, 자나 깨나 깨어지나 임을 못 보니 가슴이 답답.

임을 보고 싶은 그리움이 치솟아오르면 송이는 홀로 노래를 부르곤 하였다.

보고지고 보고지고 임의 얼굴, 듣고지고 듣고지고 임의 노래. 비나이다, 비나이다. 하느님께 비나이다. 전생차생(前生此生)이라 무삼 죄로 우리 둘이 생겨나서 잊지 마자 하고 백년기약하였는가.

2

어느덧 여름이 물러가고 풀벌레가 우는 가을이 찾아왔다. 밤이면 더욱 달빛이 밝아지고, 길어만 갔다. 한밤이면 송이는 유령처럼 일어나 뜨락에 서서 하늘에 내걸린 달을 바라보며 한숨을 쉬곤 했다.

임을 향한 그 많은 상사의 정들이 병이 되어서 송이는 도저히 잠이 들 수가 없었다. 임을 보고 싶은 생각에 송이는 밤마다 눈물로써 밤을 지새우곤 했다.

마침내 추삼삭(秋三朔)의 그해 7월. 저녁 무렵 송이의 집으로 이방이 찾아와 말하였다.

"송이야, 그동안 잘 있었느냐."

이방은 송이의 얼굴을 보고 깜짝 놀라 말하였다.

"그간 어디 아팠었느냐. 얼굴이 많이 상하였구나."

그리고 나서 이방은 다시 "혹시 달거리 중이 아니겠지" 하고 물어 말하였다. 송이가 아무런 대답도 하지 않자, 이방은 귓속말로 넌지시 말하였다.

"나으리께오서 오늘 밤 너를 부르신다. 밤이 깊어지면 내가 데리러 올 터이니 분단장 잘하고 기다리고 있거라."

그 말에 송이는 오금이 저려 이방이 사라지자 방에 털버덕 주저앉았다. 목메어 기다리던 소식이 온 것이다. 송이는 쑥잎을 달인 물에 목욕을 하고 나서 오랜만에 거울 앞에 앉았다. 물끄러미 거울에 비친 자신의 얼굴을 들여다보았다.

옛말에 이르기를 '여인은 자기를 알아주는 사람을 위해 화장을 하고 남자는 자기를 알아주는 사람을 위해 목숨을 바친다' 하였던가. 그동안 송이는 전혀 거울을 들여다보지 아니하였었다. 사랑하는 임을 만날 언약이 없었으므로. 임을 위해 화상을 할 기회가 없었으므로.

거울 속에 비친 송이의 얼굴은 이방이 놀란 것처럼 초췌하고 병색이 완연하였다. 임 그리운 생각에 먹을 것도 못 먹고 제대로 잠을 자지 못한 탓이었다. 송이는 한숨을 쉬면서 머리를 빗었다.

늘 화장하듯 시분무주 분을 약간 바를 뿐 붉은 연지는 전혀 바르지 않은 채 송이는 무심코 거울 앞에 놓인 비녀를 집어들었다. 그 비녀는 양어미 산홍이가 두어 달 전쯤 느닷없이 찾아와 물려주고

간 바로 그 매죽잠이었다.

산홍이 띄운 마지막 승부수.

송이의 생모가 물려준 비녀, 매죽잠.

송이는 잠시 망설이다가 머리를 땋아 둥글게 서리고 쪽이 풀어지지 않게 그 비녀를 머리에 꽂았다. 쪽찐머리, 그것으로 모든 화장이 끝났다.

밤이 이슥해지자 추적추적 가을비가 흩뿌리기 시작하였다. 푸르렀던 나뭇잎을 단풍으로 물들이는 가을비였다.

문밖에서 이방의 목소리가 들려왔다.

"송이 게 있느냐. 있으면 나오거라."

송이는 비가 오고 있었으므로 기름종이로 만든 쓰개치마를 입고 밖으로 나아갔다. 이 쓰개치마는 머리에 쓰면 발목까지 올 만큼 전신을 가릴 수 있는 우장이었다. 치마 말기에는 흰색 무명 헝겊이 매달려 있었다.

이방도 비가 오고 있었으므로 띠로 엮어 만들어 어깨에 두르는 도롱이를 걸치고 있었고 머리 위에는 갈모를 쓰고 있었다. 갈모란 비가 올 때 갓 위에 덮어쓰는 입모(笠帽)로 접으면 쥘부채처럼 되고, 펴면 고깔처럼 되는 기름종이였다.

두 사람은 가을비가 내리는 거리를 빠르게 걸어갔다.

"나으리께오서."

개천을 따라 흐르는 물소리가 첨벙첨벙 들려오는 천변거리를 빠르게 걸어오면서 이방이 속삭여 말하였다.

"지난 여름 동안 큰물이 들어 몹시 바쁘셨네. 송이 너를 부르고 싶으셔도 못 부르셨다. 그래도 나를 만나기만 하시면 송이 네 안부부터 물어보셨네. 아마도 너를 만나고 싶어 오매불망하셨던 모양이야."

늘 그러하듯 두 사람은 남의 눈을 피해 관가로 은밀히 들어가는 쪽문을 통하여 안으로 들어갔다.

사또의 방에는 촛불만이 켜져 있을 뿐 어두웠다.

"나으리."

이방이 허리를 굽히며 조심스레 부르자 안에서 대답소리가 있었다.

"게 누군가."

"나으리, 송이 입실입니다요."

"들어오라 이르게."

이방은 송이를 슬쩍 쳐다보고 나서 능청맞게 웃으며 말하였다.

"들어가거라. 날이 밝은 새벽녘에 너를 데리러 다시 찾아오겠다."

송이는 신발을 벗고 마루 위로 올라섰다. 빗물에 젖은 기름종이로 만든 쓰개치마를 벗어 마루 밑에 잘 개어놓고 나서 문 앞에 무릎을 꿇고 앉아 송이가 말하였다.

"나으리, 송이 입실이나이다."

다소곳이 송이가 이르자 방안에서 임상옥의 목소리가 들려왔다.

"들어오라고 내 이르지 아니하였느냐."

송이는 문을 열고 방안으로 들어섰다.

방안에는 임상옥이 보료 위에 앉아 있었다.

"이리 가까이 오너라."

송이가 머뭇거리자 임상옥이 불 쪽으로 손짓하여 부르며 말하였다.

"오랫동안 너의 얼굴을 보지 못하였구나. 가까이 와서 네 얼굴을 불 쪽에 갖다 대어 보려무나."

다정한 소리로 임상옥이 말하였다.

"나으리."

여전히 문 가까이에 선 채 송이가 말하였다.

"나으리, 너무 오랫동안 뵙지 못하였사옵나이다. 소녀 문안 인사 드리겠나이다."

송이가 천천히 두 손을 머리 위에 올리고 큰절을 하였다. 임상옥은 말없이 송이가 올리는 큰절을 받았다.

"나으리, 그동안 별고 없으셨나이까."

"별고가 어찌 없었겠느냐."

너털 웃으며 임상옥이 말하였다.

"하루에도 몇 번씩 송이 너를 보고 싶어 오매불망하였는데 어찌 별고가 없었겠느냐. 이리 가까이 오너라. 네 얼굴을 밝은 불빛 아래에서 자세히도 보고 싶구나."

임상옥은 손을 내밀어 송이의 두 손을 잡아 이끌었다. 쓰개치마로 전신을 가리웠지만 치적치적 내리는 가을비의 빗방울이 송이의 머리카락에 맺혀서 빛나고 있었다.

"밖에 비라도 내리고 있느냐."

"가을비가 내리고 있나이다, 나으리."

"벌써 그리 되었느냐. 내 너를 마지막으로 본 것이 여름이었는데 어느새 가을이 되어버렸느냐."

"그새 여름이 지나고 어느새 가을이 되어버렸나이다."

"참으로 내가 너를 보고 싶어하였느니라."

한숨을 쉬듯 탄식하며 임상옥이 송이의 몸을 부둥켜안았다. 송이는 임상옥의 품을 파고들었다. 송이의 몸이 가늘게 흔들리고 있었다. 그리움의 정을 참지 못하다가 이윽고 사랑하는 임의 품에 안기니 눈물이 터져 흐른 모양이었다.

"아니 네가 지금 울고 있는 것이 아니냐."

놀란 목소리로 임상옥이 송이의 얼굴을 두 손으로 감싸쥐고, 물어 말하였다.

"나으리."

얼굴 가득히 눈물을 흘리면서 송이가 흐느껴 말하였다.

"나으리를 다시는 뵈옵지 못하고 그만 죽어버릴 줄만 알고 있었나이다."

"울지 말거라."

임상옥이 부드럽게 송이의 등을 다독거리며 말하였다.

"이제는 가을이 왔으니 매일 밤이라도 너를 만날 수 있을 것이다."

흐느껴 우는 송이의 등을 다독이던 임상옥의 손이 송이의 쪽찐머리 뒤에 멎어섰다. 임상옥은 송이의 머리 뒤에 꽂힌 비녀를 발견하고는 물어 말하였다.

"어찌하여 비녀를 꽂았느냐."

비녀는 대부분의 부녀자들이 머리를 고정시키기 위해서 머리에 꽂는 장식물이었다. 그러나 시집을 가지 않은 아녀자들은 비녀를 사용하지 않는 것이 보통이었다. 정히 머리가 흘러내리면 보조 비녀의 일종인 두 가닥의 차(釵)를 사용하였지 비녀를 사용하지 않았다. 비녀는 대부분 혼례를 치러 지아비를 가진 부녀자들이 사용하는 물건이었기 때문이다.

"나으리."

임상옥이 묻자 송이가 대답하였다.

"소녀가 비록 천하의 천한 기생의 몸이오나 나으리를 맞아들여 머리를 얹었사오니 어찌 지아비를 맞은 부녀자가 아니겠나이까. 해서 비녀를 꽂았나이다."

"그 비녀를 이리 가져와 보아라."

임상옥이 말하자 송이가 머리 뒤에서 비녀를 빼어 두 손으로 임상옥에게 받쳐올렸다. 비녀를 빼자 삼단 같은 송이의 땋은 머리가 치렁치렁 흘러내렸다.

"이 비녀는 어디에서 났느냐."

임상옥은 한눈에 그 비녀가 보통 비녀가 아님을 알아차렸다. 아니 알아차렸을 뿐 아니라 그 비녀가 언젠가 이방을 대동하고 산홍의 주막집에 찾아갔을 때 산홍이가 보여주었던 송이의 생모가 쓰던 바로 그 매죽잠이 틀림없음을 한눈에 알아보았다.

"이 비녀는."

정색을 하고 임상옥이 묻자 송이가 솔직하게 대답하였다.

"…소녀의 양어미가 물려주신 것이나이다."

"양어미라면, 산홍이가 말이냐."

"그, 그렇사옵나이다."

임상옥은 비녀를 쳐다보면서 말하였다.

"뭐라고 하면서 그 비녀를 너에게 물려주더냐."

거짓말을 할 줄 모르는 송이였으므로 그녀는 임상옥이 묻자 있는 그대로 낯을 붉히며 대답하였다.

"나으리, 양어미가 이 비녀를 주면서 나으리께 가서 필히 이 말씀을 전하라 하셨나이다."

"무슨 말을 전하라고 하였느냐."

"나으리."

송이가 난처한 듯 말을 흐렸다.

"있는 그대로 말하도록 하여라."

"나으리."

송이가 낯을 붉히며 대답하였다.

"물으시니 소녀 있는 그대로 말씀드리겠습니다. 소녀의 어미께 오서 나으리께 이 비녀를 보여드리고 나서 비싼 값으로 사달라고 말하였나이다. 지금까지 남의 자식을 데려다가 입히고 먹인 값을 대신 치러달라고 말하였나이다."

임상옥은 송이의 말이 무엇을 뜻하는지 그 내용을 알 수 있었다. 양어미 산홍은 송이의 생모가 쓰던 비녀를 슬쩍 송이에게 물려주고 그 비녀를 비싼 값에 사달라는 말을 전함으로써 자신의 양딸 송이를 정식으로 소실로 삼아서 치가를 차려 달라는 뜻을 전해온 것이다.

이를테면 비싼 돈을 치르고 대속을 시켜서 송이를 첩으로 삼아

관기의 기적에서 빼어내 양민으로 삼아 달라는 강력한 요구이기도
한 것이다.

그날 밤.

두 사람은 불을 끄고 이내 한 몸이 되었다. 남녀의 관계는 기묘해
서 그 나이와 신분을 초월하는 그 무엇이 따로 존재하는 것일까. 두
사람은 이제야 만난 것이 이상하였을 정도로 하나의 마음과 하나의
몸 그 자체였다.

송이는 어리고 처녀의 몸이었지만 임상옥의 품속에서 이미 열락
을 알았다. 임상옥도 마찬가지였다. 첫날밤의 합환에서는 송이가
친구 이희저의 친딸이라는 정 때문에 약간의 죄책감으로 망설이는
부분이 없지도 않았으나 이제는 거리낄 것이 없었다.

임상옥이 송이의 임이었다면 송이 역시 임상옥의 임이었다.

그 기나긴 한여름을 서로 그리워하는 무산지몽의 상사로 지낸 고
통을 누구보다 서로 잘 이해하고 있었다. 송이는 아침 구름이 되어
높은 산봉우리에 걸려 임을 기다렸으며 임상옥 역시 산 아래에서
그 구름이 내려와 비를 뿌려주기를 얼마나 기다려왔던 것일까.

"네가 누구냐."

임상옥은 신음하면서 간혹 송이의 얼굴을 감싸쥐며 물어 말하였
다. 그럴 때마다 송이는 대답하였다.

"소녀는 송이이나이다."

그러면 임상옥은 또다시 물어 말하였다.

"송이가 누구더냐."

"송이는 송이이나이다."

송이가 대답하면 임상옥은 이렇게 말하곤 하였다.

"아니다. 송이는 마름풀이다."

"소녀가 마름풀이라면 나으리는 무엇이나이까."

"나는 물새로다."

"나으리가 물새라면 물새는 어찌 우나이까."

"물새는 꽉꽉—하며 울지. 꽉꽉—하며 울면서 마름풀을 찾아다니고 있지."

임상옥은 실제로 꽉꽉 물새소리를 흉내내면서 송이의 몸을 마름풀처럼 입으로 이리저리 뒤척였다. 그러할 때마다 송이의 몸은 뜨거워져서 살이 데일 것 같았다.

임상옥의 말은 중국 최고의 시집이며 유가(儒家)의 경전 중의 하나인 《시경》에 나오는 '국풍(國風)'에서 비롯된 것이다. 공자가 이를 산정(刪定)했다는 말이 있으나 믿기는 어려운데 어쨌든 남자를 '꽉꽉하며 우는 물새'로 여자를 '들쭉날쭉한 마름풀'로 비유한 아름다운 연가를 빗대어 임상옥이 자신을 '물새'라고 표현하였으며 이를 알아낸 송이는 자신을 '마름풀'로 비유하였던 것이다.

공자는 훗날 이 노래의 아름다움을 극찬하여 《논어》에서 다음과 같이 말하였다. 즐거워하되 지나치지 않고 슬퍼하되 몸을 해치는 데에는 이르지 않은 것이다.

공자가 극찬한 사랑 노래는 다음과 같다.

꽉꽉하며 우는 물새는 모래톱에 있네.

요조숙녀는 군자의 좋은 짝이로다.

들쭉날쭉한 마름풀을 이리저리 찾는구나.
요조숙녀를 자나깨나 그리워하는구나.
찾아도 날지 못하는지라 자나깨나 생각해서
길고 긴 이 생각에 이리저리 뒤척이네.
들쭉날쭉한 마름풀을 이리저리 캐는도다.
요조숙녀를 금슬로 사귀는도다.
둘쭉날쭉한 마름풀을 이렇게 저렇게 삶는구나.
요조숙녀를 종(鍾)과 북〔鼓〕으로 함께 즐기는도다.

　두 사람은 그 사랑 노래를 빗대어 자신들의 연정을 나타내 보인
것이다.
　"그러하면 나으리."
　신음하며 송이가 다시 물었다.
　"마름풀을 이리저리 찾아다니셨나이까."
　"찾아다녔느니라."
　"그리하면 찾으셨나이까."
　"찾지 못하였느니라."
　"찾지 못하여 어찌하셨나이까."
　"찾지 못하여 자나깨나 그리워하였다."
　임상옥이 한숨을 쉬면서 말을 이었다.
　"자나깨나 생각해서 길고긴 생각에 밤새도록 뒤척였지."
　전전반측(輾轉反側).
　사랑하는 사람을 그리워하는 마음에 이리저리 뒤척이며 잠을 못

이룬다는 말은 그래서 나온 것.

"나으리."

송이는 임상옥의 손이 닿으면 닿는 대로, 임상옥의 손이 스치면 스치는 대로 임상옥의 입이 부딪치면 부딪치는 대로 그대로 마름풀이 되었다.

"그리하여 이제는 마름풀을 찾으셨나이까."

"찾았지. 암 찾고 말고."

"마름풀이 어디에 있나이까."

"이곳에 있지 않느냐."

임상옥이 바로 눈앞에 껴안은 송이를 손끝으로 가리키며 말하였다.

"송이 네가 바로 마름풀이 아니더냐."

"아니나이다."

송이는 머리를 흔들어 대답하였다.

"소녀는 마름풀이 아니나이다."

"그러면 무엇이냐."

"소녀는 비파이나이다."

"네가 비파라면 나는 거문고란 말이냐. 아니다, 나는 거문고가 아니다."

"그러면 무엇이나이까."

"나는 종이니라."

"그리하면 소녀는 북이나이까."

"아니니라. 송이는 아침 구름도 아니고, 마름풀도 아니고, 비파도 아니고, 북도 아니니라."

"그리하면 무엇이나이까."

"송이는 구미호이니라."

"아니나이다."

"어째서 아니냐."

"나으리의 간을 빼앗아 먹었으니 소녀는 이제 여우의 몸을 벗어나 사람이 되었나이다."

"그래서 이제 무엇이 되었느냐."

"소녀는 이제 송이가 되었나이다."

"그러면 그렇지. 송이는 송이라. 그러면 나는 너의 무엇이냐."

"나으리는 꽥꽥─하며 우는 물새도 아니옵고."

"또."

"나으리는 거문고도 아니옵고, 종도 아니옵고."

"그러면 또."

"나으리는 나으리이시나이다."

"어찌하여 내가 너의 나으리란 말이냐. 그리하면 네가 내 종이란 말이냐."

"그리하면 나으리는 무엇이나이까."

"서방이 아니고 무엇이냐."

임상옥의 말은 획기적인 것이었다. 서방이라는 말은 결혼한 지아비를 부르는 남편의 높임말이 아닐 것인가. 임상옥의 그 말은 송이를 지어미로 맞아들이겠다는 속뜻을 나타내 보인 말이 아니겠는가. 비록 정실은 아니지만 소실로라도 맞아들이겠다는 의미를 내포하고 있음이 아닐 것인가.

"그러니 이제부터는 나를 나으리라고 부르지 말고 서방님이라고 부르도록 하여라. 알겠느냐."

"하오나."

송이가 머뭇거리자 임상옥이 분명하게 입을 열어 말하였다.

"날이 새거든 양어미에게 가서 이렇게 말하거라. 신관 사또가 그 비녀를 값을 주고 사겠다고 가서 말을 전하거라. 원하는 대로 값을 치르겠다고 말을 전하거라."

다음날 저녁.

산홍의 주막집으로 이방이 찾아들었다. 저녁 무렵이라 손님들이 한창이었으므로 산홍은 너비아니나 빈대떡 같은 술안주를 장만하느라고 분주하였다. 찾아온 손님이 손님인지라 산홍은 만사를 제쳐두고 이방을 은밀한 구석방으로 맞아들였다.

"간밤에 사또 나으리께오서 송이를 수청 들게 한 사실을 알고 있었겠지."

이방은 한껏 거드름을 피우며 말하였다.

"그랬었나."

산홍은 깜짝 놀랐으면서도 시치미를 떼며 말을 받았다.

"그러면 간밤에 찾아와 알려주지 않으시고 하루 해가 다 간 지금에 와서 말하시다니."

산홍은 이방의 속셈을 잘 알 수 있었다. 이방은 송이가 수청 들 때마다 산홍의 주막집을 찾아와 그 새로운 사실을 가르쳐주고 공술을 실컷 얻어먹곤 했었기 때문이다.

"술 한잔 받아들일깝쇼, 나으리."

"아니, 아니 천만에."

그날 따라 이방이 거드름을 피우며 두 손을 저었다. 그러면서 능청스레 남의 눈을 피해 산홍에게 속삭여 말하였다.

"이보게, 산홍."

이방은 바짝 산홍의 귓가에 입을 대고 말하였다.

"한 가지 물어볼 게 있는데. 요즈음 혹시 달거리 중은 아니겠지."

순간 산홍이 고개를 홱 돌리면서 소리를 질렀다.

"이놈의 나으리가 대낮부터 미치셨나. 어째서 그걸 묻고 지랄하는 거여. 대낮부터 한번 붙어보고 싶어 그러시나."

"이보게 산홍 말씀 좀 낮추시게나."

당황한 이방이 두 손을 내저으며 말하였다.

"내가 아니라 사또 나으리께서 자넬 보자고 부르시네."

"무엇이라구."

산홍이가 한층 더 어이없다는 듯 피우던 담뱃대로 타악타악 놋재떨이를 때리면서 말하였다.

"그놈의 사또가 미쳐도 유분수지. 언제는 딸을 수청 들이더니 이제는 다 늙은 에미까지 수청 들라고 하는겨. 그렇다면 에미, 딸 할 것 없이 모녀간을 둘 다 한꺼번에 덜컥 잡수실려구 그러시나. 이것 완전히 사또가 아니라 미친 개로구나."

"쉬잇."

이방은 주위를 꺼리면서 당황하여 말하였다.

"내가 농담 한번 하여 보았네. 오늘 밤 사또 나으리께서 산홍이 자네를 불러오라고 내게 이르셨네. 아마도 긴히 하실 말씀이 있는 모양이야."

"긴히 하실 말씀이 있다면 훤한 대낮에 부르시지 어찌하여 캄캄한 오밤중에 부르신담."

"쉬잇."

이방은 연방 주위를 살피면서 목소리를 낮추었다.

"나으리께서는 자네가 관아에 들어오는 것이 남들의 눈에 띄지 않기를 바라신다네."

"좋소, 나으리. 술상 보아 드릴 터이니 이곳에서 편히 앉아 잡수시고 계시소. 밤이 이슥해지면 함께 관아로 들어가도록 합시다."

"그것 좋지."

이방도 물러갔다가 산홍을 데리러 다시 돌아올 필요 없이 주막집에서 시간을 보냈다가 함께 관아로 들어가는 것이 좋으므로 이를 쾌히 승낙하였다.

산홍은 걸판지게 술상을 차려 이방에게 내주었다. 특별히 방문주와 양골국을 주었다. 살코기를 발라낸 뼈다귀를 도끼로 토막쳐서 흐무러지게 끓인, 허연 국물이 된장 맛과 구수하게 어우러진 양골국에 특주인 방문주가 나왔으니 술꾼 이방은 절로 신이 나서 앉은 자리에서 벌컥벌컥 술을 사발째 들이켜기 시작하였다.

이윽고 밤이 늦어 술청이 파할 무렵, 이방과 산홍은 나란히 관아로 걷기 시작하였다. 이미 이방은 술에 취해 완전히 갈지자로 걷고 있었다. 이미 가을이 깊어 오동추야 달 밝은 밤이었다.

하늘에는 보름달이 빛나고 있어 두 사람이 걸을 때마다 우물쭈물 그림자가 춤을 추고 있었다.

산홍대로 뭔가 짚이는 데가 있었다. 신관 사또가 이처럼 한낮이 아니라 오밤중에 은밀하게 자신을 부르는 것은 양딸 송이에 대해 무엇인가 따로 할 말이 있기 때문에 그럴 것이다. 아무리 미천한 기생이라고는 하지만 어쨌든 기생에게도 법도는 있는 법이고 명색이 송이의 어머니였으므로 이처럼 남의 눈을 피해 자신을 부르는 것은 필경 송이에 관해 무엇인가 은밀하게 의논을 할 사연이 있음이 분명한 것이다.

오냐.

산홍은 산홍대로 벼르고 있었다.

오늘 밤이야말로 이판사판이다.

오늘 밤, 신관 사또가 송이를 소실로 삼아 치가를 하겠노라고 말하면 모르겠으나 만약 송이의 머리를 얹는 데 대해서 사례를 하는 것으로 생색을 내려 한다면 신관 사또고 나발이고 덤벼들어 불알을 잡고 늘어질 판이었다.

오냐.

오늘 밤이야말로 죽기 아니면 까무라칠 판이다.

신관 사또가 송이에 대해 생색만 내고 끝장을 보려 한다면 신관 사또의 불알을 빼어잡고 이렇게 소리칠 판이었다. 아이고, 이놈아. 내 딸 살려내라. 내 딸 물러내라.

두 사람은 남의 눈을 피해 쪽문을 통해 안으로 들어갔다. 임상옥의 침소에는 불이 켜져 있었다.

"나으리."

술에 취해 비틀거리며 걷고 있던 이방이 번쩍 정신이 드는지 소리쳐 아뢰었다.

"누구인가."

"나으리, 접니다요. 이방입니다요. 부탁하신 대로 산홍이 입실입니다요."

이방이 눈짓하자 산홍은 거침없이 마루 위로 올라섰다.

"나으리, 신 이방은 어찌하면 좋을깝쇼."

"이방은 그곳에서 기다리고 있게나."

산홍이 방으로 들어서자 임상옥은 관복을 그대로 입고 있었다. 이처럼 밤이 늦은 시간에 처소에서까지 관복을 입고 있는 것은 매우 드문 일이었다.

"나으리."

산홍이 임상옥을 보자 두 손을 머리 위에 올리며 말하였다.

"문안인사라도 올리겠나이다."

"앉으시지, 앉으시지."

당황한 음성으로 임상옥이 만류하였다. 못 이기는 체 산홍이 앉으며 말을 하였다.

"나으리, 일전에는 신관 사또 나으리인 줄 몰라뵈옵고 무례를 저질렀으니 용서하여 주오소서. 이년이 죽을 죄를 저질렀나이다."

산홍은 일전에 신관 사또가 신분을 위장하고 이방과 더불어 주막집으로 찾아왔을 때 '높으신 양반인 줄 알았더니 이제 보니 천하에 몹쓸 불쌍놈들이구나' 하면서 면박을 주었던 잘못을 사과하고 있는 것이다.

"뭐 그런 일로 죽을 죄까지라니. 이보게 산홍, 내가 산홍을 부른 것은 일전의 무례에 대해서 문죄하려는 것이 아니라 따로 할 말이 있어서네."

"무슨 말씀이니이까."

산홍이 고개를 들어 물어 말하였다. 임상옥이 탁상 위에 무엇인가를 꺼내 올려놓았다.

"이것이 무엇인 줄 아는가."

산홍은 임상옥이 꺼내어 책상 위에 올려놓은 물건을 자세히 바라보았다. 그것은 비녀였다. 자신이 송이에게 물려준 매죽잠의 고급 비녀였다.

"…알고 있나이다."

"자네가 이 비녀를 송이에게 물려주었다고 하던데 그 말이 사실인가."

"…사실이나이다."

"송이에게 물려주면서 신관 사또인 나에게 이 비녀를 비싼 값에 사달라고 말하였다던데 그 말 역시 사실인가. 그동안 먹여주고 입혀준 공양값을 받아야겠다고 말하였다던데 그 말이 사실인가."

"사실이나이다."

산홍이 똑바로 임상옥을 마주보며 천연덕스럽게 대답하였다.

"내가 이처럼 산홍을 부른 것은 다름 아니라 그 비녀를 사겠다는 말을 하기 위해서 부른 것이네."

"…나으리."

순간 산홍의 입에서 웃음이 피어올랐다.

"그 비녀를 사주시겠나이까."

"물론이지. 값은 얼마라도 좋네. 부르면 부르는 대로 값을 지불하겠네. 그 대신."

임상옥이 갑자기 소리를 낮추었다. 짧은 침묵이 왔다.

"산홍이 자네가 지켜줘야 할 약조가 있네. 이 약조를 지켜주겠나."

"무엇이나이까. 나으리께오서 그 비녀를 비싼 값에 사주신다 하시면 이 늙은 계집 목에 칼이 들어와도 그 약속을 지키겠나이다."

"약속은 단 한 가지뿐이네. 절대로 송이에게는 이 비녀가 누구의 것이며 이 비녀의 주인이었던 생모가 어떻게 죽었으며 송이의 애비역시 대역죄인이었다는 이 비녀에 얽힌 모든 비밀은 절대 발설하지 않는다는 약속 하나뿐이네. 이 약속을 지켜준다면 나는 기꺼이 이 비녀를 사겠네. 내 말을 알아들으시겠는가."

"여부가 있겠나이까, 나으리."

"그럼 되었네. 이 비녀를 얼마만큼 값을 처주었으면 좋겠는가."

그러자 산홍이 미리 준비하고 있었던 듯 말을 받았다.

"나으리 옛말에 이르기를 공양미는 삼백 석이라 하였나이다. 심청이도 공양미 삼백 석에 몸이 팔려가지 않았나이까. 내 딸 송이도 나으리께 몸이 팔렸사오니 공양미 삼백 석은 내서야 하지 않겠나이까."

공양미 삼백 석.

효녀 심청이가 봉사였던 아비 심학규를 위해 당나라 상인들에게 팔았던 몸값 삼백 석. 그 값을 돈으로 치면 대충 얼마가 될 것인가.

보통 열 되가 한 말이고 열 말이 한 섬이다. 이 한 섬을 한 석(石)이라고 부르고 있다. 기록에 의하면 18세기 한양에서의 쌀값 평균 시세는 한 섬에 다섯 냥이라고 알려져 있다. 그러므로 삼백 석이라 하면 천오백 냥의 거금이었다.

그러나 임상옥은 산홍이가 내건 거액의 조건을 눈 깜짝하지 않고 받아들였다.

"공양미 삼백 석이라고 하였나, 그 비녀의 값이."

"…그렇사옵나이다, 나으리."

"주겠네. 이왕이면 삼백 석의 값뿐 아니라 공양미 오백 석의 값으로 그 비녀를 사주겠네."

산홍은 임상옥의 말이 믿어지지 않았다. 아무리 임상옥이 조선 제일의 거부라고 하지만 천오백 냥이라면 보통의 돈이 아닌 것이다. 그럼에도 불구하고 선뜻 그 조건을 받아들였을 뿐 아니라, 그 거금에다 따로 이백 석의 천 냥을 덧붙여 덤으로 주겠다고 자신의 입으로 약속하지 않는가.

"…물론 다시 한번 말하여 두겠거니와 이 비녀에 얽힌 비밀을 일체 송이에게 말하지 않는다는 약속을 들어주는 조건으로 말일세."

임상옥이 재삼 다짐하자 산홍은 입이 찢어질 것 같은 웃음을 간신히 참으면서 말하였다.

"여부가 있겠습니까, 나으리."

"그래, 그 돈으로 무엇을 하실 작정인가."

임상옥이 묻자 산홍이 대답하였다.

"우선 시골로 들어가 가난한 집 농가로 찾아갈까 하나이다. 먹을 것이 없어 풀칠도 하기 어려운 농가로 찾아가 열 살 미만의 계집아이 하나를 돈을 주고 사서 데려올까 하나이다."

"데려다가 무엇에 쓰려 하는가."

"나으리."

산홍이가 똑바로 임상옥을 쳐다보며 말하였다.

"송이가 기적(妓籍)에서 빼어나가 양민이 되는데 마땅히 대비정속할 계집아이가 필요하지 않겠습니까."

산홍의 말은 송이와 신관 사또의 정혼(定婚)을 기정사실화시키고 있는 교묘한 언변이었다.

"게다가 나으리."

산홍은 신이 나서 말을 이었다.

"주신 돈으로 관아에서 가까운 곳에 반듯한 집 한 채를 사두겠나이다. 남의 눈도 있으니 나으리께오서 송이를 관아에서 만나심은 껄끄러운 일이니 이년이 집 하나를 마련하여 치가를 하여 놓겠나이다."

산홍이는 거침없이 말을 이었다.

"…이년이 이미 늙어 할망구가 되었는데 무슨 돈 욕심이 있겠나이까. 늙어 죽기 전에 욕심이라도 하나 남아 있다면 그것은 내가 기른 양딸 송이가 번듯한 양반의 소실이 되어 치가를 차린 후 기적에서 벗어나 양민이 되어 잘사는 것을 보는 것뿐이나이다. 송이만큼은 이 박복한 계집의 팔자를 되풀이하지 말기를 지금까지 천지신명께 빌어왔나이다. 나으리께오서 이 계집년의 비녀를 사주시겠다는 말씀이야말로 바로 그런 뜻이 아니겠습니까."

산홍은 애타는 눈빛으로 임상옥을 쳐다보았다. 잠시 어색한 침묵이 왔다. 그 침묵을 깨뜨린 사람은 임상옥이었다.

"바로 맞았네."

임상옥은 겸연쩍게 웃으며 말을 이었다.

"내가 자네를 이렇게 남의 눈을 피해 오시라고 부른 것은 바로 그 말을 묻기 위함이었네. 어떠하신가, 자네의 딸 송이를 내게 주시겠는가."

산홍은 자신이 행여 잘못 들은 것이 아닐까 의심하는 눈빛으로 임상옥을 쳐다보았다.

"…무슨 말씀이시오니까."

"자네 딸 송이를 내게 달라는 말일세. 자네 딸 송이를 내게 소실로 달라는 말일세. 그리고 산홍이 자네가 내 장모가 되어주고 나 또한 자네의 사위가 되는 것을 허락해달라는 말일세."

임상옥의 말에 산홍은 도저히 믿어지지 않는 표정으로 간신히 물어 말하였다.

"…도대체 무슨 말씀이시오니까."

임상옥이 넌지시 산홍의 손을 찾아 쥐면서 말하였다.

"장모, 송이를 내게 주시게. 자네의 딸 송이를 여부인으로 삼겠네."

그제야 비로소 임상옥의 말이 무엇을 의미하는가를 알아차린 듯 산홍의 얼굴에 화색이 돌았다.

"…여부가 있겠습니까, 나으리."

"나으리라니."

임상옥이 웃으며 말을 받았다.

"어찌하여 내가 나으리인가. 이제부터는 나를 사위라고 부르시게나."

"그래도 되겠나이까."

"여부가 있겠는가, 장모."

산홍은 마치 춤을 추듯 임상옥의 침소를 뛰어나왔다. 문밖에서 이제나저제나 산홍이 나오기를 기다리던 이방은 산홍이 춤추듯 뛰어나오자 어안이 벙벙하여 물어 말하였다.

"도대체 무슨 일이라도 있었는가. 어찌 그리 희희낙락이신가. 신관 사또가 손이라도 잡아주시던가. 아니면 입이라도 맞춰주시던가."

"말조심하게나."

갑자기 산홍이 표정을 바꾸고 표독스럽게 이방을 돌아보았다.

"이제는 함부로 주둥아리를 놀리지 말으시게나. 어느 안전이라고 그 따위 말을 함부로 하시는가."

너무나도 당당하게 돌변한 산홍의 태도에 당황하여 주눅이 든 이방을 향해 산홍이 덧붙여 말하였다.

"이제부터 신관 사또는 내 사위가 되었네. 내 딸 송이가 신관 사또의 작은부인이 되었단 말일세. 그러하니 앞으로 각별히 말조심하시게나. 나로 말할 것 같으면 신관 사또 나으리의 장모님이란 말일세."

송이의 양어미 산홍을 떠나보내고 나서도 임상옥은 한참 동안을 관복을 입은 채 방안에 그대로 앉아 있었다.

"이로써."

임상옥은 혼잣말로 중얼거려 말하였다.

"…모든 일이 계획대로 되었다. 오늘로서 모든 일들이 내 뜻대로 이루어진 것이다. 오직 이 길밖에 없었다. 송이를 살릴 수 있는 길은."

가을 밤의 휘영청 밝은 달빛이 방안으로 스며들어 왔다.

임상옥은 이때까지 때를 기다렸던 것이다.

사실 송이를 살릴 수 있는 단 하나의 방법이 송이를 첩으로 삼는 길뿐이라는 것을 잘 알고 있으면서도 이를 실행에 옮기는 일은 쉽지가 않았다. 모든 일에는 명분이 필요하였다.

부임한 지 얼마 안 되는 신관 사또로서 오자마자 관기를 소실로 삼는다는 것은 책잡히기 좋은 허물이 될 수 있었다. 더욱이 한여름 큰물이 들어 재앙이 있었는데 지방 수령인 사또가 계집에 빠져 주색잡기에 놀아난다는 비난을 받을 우려조차 있었기 때문이다.

"그런데 이제."

임상옥은 밝은 달을 쳐다보며 입을 열어 중얼거렸다.

"마침내 때가 되었다. 송이를 맞아들일 때가 무르익어 다가온 것이다."

밤하늘에는 보름달이 떠올라 있었다. 그 보름달 속에는 다정했던 친구 이희저의 모습이 깃들어 있었다.

"이보게나, 희저."

임상옥은 소리를 내어 말하였다.

"자네의 딸을 이제 내가 여부인으로 맞아들이려 한다네."

임상옥은 둥근 보름달을 우러르며 솔직하게 자신의 마음을 털어놓았다.

"이보게 희저. 나는 자네의 딸 송이를 상사하고 있네. 송이 또한 나를 상사하고 있네. 자네의 딸이야말로 내 딸이기도 하지만 송이는 이제 내게 있어 사랑하는 임일세. 내게 자네의 딸을 주시게나. 이제 자네는 내 고우가 아니라 내 장인어른일세."

임상옥은 너털웃음을 웃었다.

"오늘로서 지난 봄부터 획책하여 왔던 모든 계획이 다 끝나버렸네. 이보게 장인어른, 걱정하지 말고 마음 놓고 푹 쉬시게나."

3

그로부터 며칠 뒤.

관아에서 가까운 한 기와집에서 간략한 형태의 혼례식이 있었다.

원래 첩의 지위는 부종(夫宗)의 소유였으므로 처와 구별되어 원칙적으로는 혼례식을 치르지 못하게 되어 있었다. 귀천의 명분을 엄격히 따지는 조선조 이래로 첩은 그 출신 성분의 성격상 예속적인 관계에 있어 혼례를 치르는 것은 불법으로 정해져 있었기 때문이다.

임상옥과 송이가 정식으로 첩치가(妾置家)를 하였다고는 하지만 혼례식을 치르는 것은 불법이었다.

그러나 산홍의 마음은 달랐다.

비록 송이가 기생의 천민이긴 하지만 이제 정식으로 임상옥의 소실이 되어 양민이 되는 그 첫날밤이기도 하였으므로 정식으로 혼례를 올리지 않는다고 하더라도 약식으로는 혼례를 올리고 싶어 하였다.

산홍은 자신이 수양딸 송이를 위해 사놓은 집에서 삼일우귀(三日 于歸)라도 행하려 하였다.

삼일우귀라면 신랑이 신부 집에 머물며 3일을 지내면서 폐백인 구고지례(舅姑之禮)를 행하는 것인데 이를 친영(親迎)이라고 부르기도 하였다.

임상옥은 산홍이 원하는 대로 송이가 머물고 있는 집으로 초행 (醮行)을 떠났다.

신랑과 그 일행이 신부 집으로 떠나는 것을 초행이라 하였다. 임상옥은 남의 눈을 피해 이방 하나만을 데리고 송이의 집으로 떠났다.

산홍이의 집에 들어설 때 대문에는 짚불을 붙어 불이 활활 타오르고 있었다.

"나으리."

대문가에 서서 산홍이 활짝 웃으며 말하였다.

"짚불을 활짝 뛰어넘고 들어오시옵소서."

신랑이 신부 집을 들어설 때는 대문가에 짚불을 놓아 신랑은 그 짚불을 밟지 않고 뛰어넘는 관습이 있었다. 이는 온갖 부정한 것을 다 태워버리려는 일종의 풍습이었다.

임상옥은 시키는 대로 단숨에 짚불을 뛰어넘고 집안으로 들어섰다.

집안엔 아무도 없었다. 잔치에 참석한 하객도 없었으며 신랑의 일행인 상객(上客)조차 없었다.

임상옥은 산홍에게 기러기 한 쌍을 전하였다. 산홍은 미리 대문 안마당 위에 멍석을 깔고 병풍을 두른 다음 작은 상 위에 붉은 보자기를 씌워놓고 있었다.

임상옥이 갖고 온 나무로 만든 기러기 한 쌍을 그 상 위에 올려놓고 네 번을 절하였다.

임상옥이 절을 하고 있는 사이에 산홍은 나무 기러기를 치마로 받아들고 안방으로 내던졌다. 안방에는 송이가 앉아 있었다.

내던진 나무 기러기가 똑바로 서자 산홍은 신이 나서 소리쳐 말하였다.

"목안(木雁)이 바로 일어섰으니 반드시 첫 아들을 낳겠구나."

나무 기러기가 누우면 첫 딸을, 나무 기러기가 서면 첫 아들을 낳는다는 풍습이 있었던 것이다.

그리고 나서 임상옥은 내례상 앞으로 나아갔다. 송이는 원삼(圓衫)을 입고, 한삼(汗衫)으로 얼굴을 가린 채 산홍의 부축을 받고 마주섰다.

송이가 먼저 두 번 절하였고 임상옥은 일배하였다.

울긋불긋한 혼례복에 족두리까지 쓴 송이의 모습은 그림처럼 아름다웠다. 소매에는 황·청·적색의 색동과 흰색 한삼이 달려 있었다. 머리에는 화관을 쓰고 도투락댕기와 앞줄을 길게 늘이고 있었는데 머리 위에 꽂은 큰 비녀는 생모가 쓰던 매죽잠이었다.

서로 맞절을 하는 교배지례가 끝나자 곧바로 합근지례(合쫄之禮)가 시작되었다.

산홍이 청실과 홍실로 묶인 표주박에 술을 가득 따라 송이에게 내주었다. 송이는 약간 입에 대었다가 다시 이를 산홍에게 내밀었다. 산홍은 이 술잔을 임상옥에게 내주었는데 임상옥 역시 약간 입을 대었다가 산홍에게 주기를 두어 차례 반복한 후 셋째 잔에 이르러 서로 교환하여 이를 마셨다.

합근지례는 서로 술을 교환하여 마심으로써 남녀가 하나가 된다는 의식이었다. 즉, 지금까지 속해 있던 사회적 관계에서 새로운 관계를 맺어 하나가 되었음을 상징적으로 표현하는 절차였다.

이로써 간단하지만 임상옥과 송이의 혼례는 모두 끝났다. 송이는 마침내 임상옥의 소실이 되었으며 송이의 이름은 관노들의 기록이 적혀 있는 노비안에서 벗어나 양민이 될 수 있었다.

그날 밤.

새로 이사온 집에는 신방이 꾸며졌다. 임상옥이 먼저 들어가 있자 밤이 이슥하였을 때 혼례복을 입은 송이가 들어왔다. 미리 차려놓은 주안상에 술이 이미 거나하게 취한 임상옥이 송이의 족두리를 풀어내리기 시작하였다. 예부터 신부의 족두리는 반드시 신랑이 먼저 풀어주는 것이 보통이었으므로 임상옥은 족두리와 노랑 저고리의 끈을 풀어내렸다.

이때 산홍과 이방은 나란히 신방의 창호지를 뚫어 이를 엿보고 있었다. 이를 '신방 지키기'라고 하였는데 임상옥이 송이의 앞섶을 풀어헤치자 이를 지켜보던 산홍이 속삭여 말하였다.

"아따 성미도 급하구먼. 촛불부터 끄시구랴."

임상옥은 신방을 엿보는 사람들의 인기척을 느끼고 있었다. 그래서 촛불을 끄기로 하였다.

촛불을 끌 때는 입으로 불어 불을 끄면 복이 나간다 하여서 반드시 옷깃을 펄럭여 바람을 내어 끄도록 되어 있다. 임상옥이 옷깃으로 바람을 내어 촛불을 끄자 방안은 곧 칠흑처럼 어두워졌다. 신방 엿보기를 하던 산홍과 이방도 사라지고 두 사람만이 남게 되었다.

임상옥이 입을 열어 말하였다.

"이제 송이 네가 내 아내가 되겠느냐."

송이가 받아 말하였다.

"해로동혈(偕老同穴)하겠나이다. 믿을 수 없다 여기신다면 저 밝은 태양으로 맹세하겠나이다."

송이의 말은 《시경》 대거(大車)의 구절로, 살아서는 같이 늙고 죽어서는 같은 구덩이에 묻힌다는 뜻이다.

"같이 늙어갈 수는 없지 않겠느냐."

임상옥이 탄식하여 말하였다.

임상옥의 나이는 쉰넷이었으며, 송이의 나이는 겨우 스무 살이었다. 30년이 넘는 나이 차이가 있으니 함께 늙어갈 수는 없지 않겠느냐는 임상옥의 말에 송이는 이렇게 다시 말하였다.

"함께 늙어갈 수는 없다 할지라도 나으리와 함께 한 구덩이에 묻힐 수는 있을 것이나이다, 나으리."

그러나 송이의 맹세도 곧 사라지게 된다. 두 사람은 임상옥이 우려하였던 대로 함께 늙어가지 못하고 짧은 세월이 흐른 뒤에 헤어지게 되었으며, 송이가 말했던 대로 한 구덩이에 묻히지 못하고 각자 헤어져 서로 다른 운명의 길을 걷게 되는 것이다.

그뿐인가.

임상옥에게 있어 송이의 존재는 석숭 큰스님이 일찍이 예언하였던 대로 마지막 위기를 불러온 멸문지화의 원인이 된다.

그렇다.

송이는 황금기인 인생의 절정에서 임상옥을 추락시킨 원인이었으며 곽산군수에서 하루아침에 옥에 갇히는 죄수로 전락시킨 결정적인 마(魔)였던 것이다. 옛말에 이르기를 모든 재앙의 근원에는 반드시 여색이 있다고 했음은 틀린 말이 아닌 것이다.

제8장 누란지위(累卵之危)

1

을미년.

34년이나 재위하던 순조가 물러나고, 헌종이 즉위한 그 원년이 되는 1835년.

마침내 우려했던 일이 일어났다.

임상옥은 하루아침에 벼슬에서 물러났을 뿐 아니라 관직에서 삭탈당하고 감옥에 갇히는 비운을 맞게 된다.

이때의 상황을 한말의 사학자이자 언론인이었던 문일평은 기록하고 있다.

'임상옥은 일찍이 홍경래의 난 때 수성(守城)의 공과 또한 변무사 수원(隨員)으로 입연(入燕)의 공이 있음으로 인해서 조정에서 오위장을 시키고 완영중군(完營中軍)을 주었으나 사양하고 부임하지 아니하였으며, 54세 때 특지(特旨)로서 곽산군수가 되매 혜정(惠政)이 많았다 하고, 연거푸 귀성부사가 되었으나 정부의 논척으로 인해 파귀(罷歸)한 이후로 드디어 사진(仕進:벼슬아치가 정해진 시간에 출근함을 가리키는 말)에서 물러나 절의(絶意)하였다… (중략) …이 무렵 임상옥의 세로(世路)에는 풍파가 많아서 누란지위(累卵之危)와도 같았다. 그것은 비변사들에 의해서 임상옥의 가옥이 참람(僭濫)하다고 논척하여 임상옥은 일시적으로 착수(捉囚)하여 생명의 위험이 있을 뻔하였던 것이다.'

참람. 분수에 넘치어 함부로 하는 행동을 가리키는 말.

문일평은 임상옥이 '알을 쌓아놓은 듯이 불안정하고 위태로운 상태'의 누란지위에 빠진 것은 임상옥의 가옥이 분수에 넘치어 참람하였기 때문이라고 기록하고 있다.

임상옥은 《가포집》 서문에서 다음과 같이 자서(自序)하고 있다.

'정축년에는 선고의 묘소 아래에 몇 개의 서까래를 엮어서 조석으로 바라볼 수 있는 장소로 만들었다. 남들은 이것을 궁궐과 같다고 생각하는 모양이나 나는 그러한 이름을 감당할 수 없다. 집이 다지어지매 집 주위에 길게 담장을 두르니 굉장히 사치한 집이라고 하지만 동성이척의 여러 친척들이 모두 거처하려면 마땅히 이 정도는 되어야 할 것이다.'

임상옥은 이처럼 많은 부분을 자신이 아버지의 묘소를 삼봉산 아래에 이장하고 그 주위에 궁궐 같은 집을 지은 사정에 대해 여러 친척들이 모두 거처하려면 마땅히 이 정도는 되어야 할 것이다'라고 변명하고 있지만 실제로 임상옥이 지은 집은 99간의 대가였다.

옛말에 이르기를 '큰 집 짓고 망하지 않는 놈이 없다'고 하였다. 왕가가 아닌 사가(私家)에서는 아무리 권세가 높고 돈이 많아도 99간 이상은 지을 수 없었다.

대문 너비가 몇 자, 기둥 높이가 몇 자라는 엄격한 제한까지 있었다.

사가에서는 삼문(三門)도 세우지 못하였고 두 다리 이층 기둥을 못 세웠으며 부연(附椽:짧고 네모진 서까래)도 못 달았고 채색은 물론 단청도 못하였다.

또한 일상 생활의 용구에서도 제 마음대로 할 수 있는 것은 아니었다.

금수저를 쓸 수 있는 신분과 은수저를 쓰는 사람이 정해져 있었으며 머리에 쓴 것도 뿔갓[程子冠]을 쓰는 사람과 대패랭이[平凉子]를 쓰는 사람이 따로 정해져 있었다.

그러나 그것뿐인가.

임상옥이 궁궐과 같은 집을 지었다 해서 감옥에 갇히기도 하고 생명의 위험까지 맞게 되는, 일찍이 석숭 큰스님이 예언하였던 대로 세 번째의 큰 위기를 맞게 되었던 것일까.

임상옥이 암행어사인 비변사들의 눈총을 받고 감옥에 갇혔을 뿐 아니라 멸문지화의 마지막 위기를 맞이하게 된 데에는 다른 결정적인 이유가 있었다.

그 결정적인 이유는 바로 송이 때문이었다.

그렇다. 모든 마의 근원에는 반드시 여인이 존재하고 있다. 욕망을 상징하는 '큰 집'과 쾌락을 상징하는 여색이야말로 모든 화의 근원이며 임상옥 역시 이 범주에서 벗어나지 못하였던 것이다.

처음에 임상옥은 논척에 의해서 전옥(典獄)에 갇히게 되었을 때도 자신의 죄상을 전혀 짐작할 수 없었다.

임상옥은 한 달 이상 감옥에 갇혀 있었다. 감옥에 있는 모든 죄수들은 가쇄(枷鎖)라 하여 목에 씌우는 나무칼과 발목에 채우는 쇠사슬을 차고 있었다.

이들은 대부분 오형(五刑) 중의 하나인 곤장으로 볼기를 맞는 장형(杖刑) 이상의 죄를 지은 죄인들이었다. 이러한 죄인들에게 자유를 구속하고, 고통을 주기 위해 그러한 옥구(獄具)들을 사용하고 있었다.

감옥을 관장하는 형조에서는 매월 월령낭관(月令郎官)이란 관리를 보내어 전옥에 수감되어 있는 죄수를 정찰하였다.

임상옥도 예외는 아니었다.

비록 발목을 채우는 쇠사슬에는 묶이지 않았다고는 하지만, 목에는 항쇄라고 불리는 칼을 쓰고 있었다.

원래 사죄(死罪)를 범한 경우를 제외하고는 당상관 이상의 관리나 공신들에게는 칼을 씌우지 않는 특권이 있었다. 임상옥도 마땅히 지방 수령이었고 또한 홍경래의 난 때 수성의 공을 세운 공신이었다. 그럼에도 임상옥은 목에 나무칼을 쓰는 중죄인이었다.

감옥에 갇혀 있는 한 달 동안 임상옥은 자신이 분에 넘친 대가를 지은 죄 하나만으로 목에 칼까지 쓰는 중죄인 취급을 받아야 하는 것인지 못마땅하고 궁금했다.

그러나 무심코 감옥에서 심심풀이로 파자(破字)를 하다가 새로운 사실을 깨닫게 되었다. 임상옥은 큰 집인 '옥(屋)'자를 파자하면 '시지(尸至)', 즉 '죽음에 이른다'는 뜻임을 알게 된 것이다.

이에 비하면 작은 집을 가리키는 '사(舍)'자는 '인길(人吉)', 즉 '사람이 길하다'는 뜻임을 알게 되었으며, 또한 '사(舍)'자는 '인설(人舌)', 즉 '사람의 혀'를 가리킴이니 작은 집이라도 지니고 있으면 사람의 입에 오르내리는 구설이 있게 된다는 뜻을 깨닫게 된 것이다.

전옥에 갇힌 지 한 달 만에 임상옥은 감옥에서 풀려났다.

임상옥이 받은 형벌은 위리안치(圍籬安置)였다. 이 형벌은 고위 관원 등에 대한 가벼운 유형이었는데 탱자나무 울타리로 가린 유배소에서 일정한 거리 이상은 출입하지 못하는 유거형이었다.

이를 다른 말로 두문불출이라고 불렀다.

비교적 가벼운 형벌이라고 부를 수 있어 처첩과 미혼 자녀들과 한 집에서 동거할 수 있었으며 부모와 기혼 자녀들의 왕래 역시 허락되었다.

유배 기간 동안 형조에서는 보수인(保授人)을 보내어 죄인의 행동을 일일이 감시하고 있었다.

임상옥은 감옥에서 풀려나자마자 자신의 유배소에 국가에서 허락된 대로 아내 홍남순과 소실 송이를 데려다가 유형이 끝날 때까지 함께 살 것을 생각하였다. 그러나 이에 반대하고 나선 사람이 박종일이었다.

그는 임상옥이 전옥에 갇혀 있는 동안 사방팔방으로 구명을 위해 뛰어다녔다.

위낙 눈치 빠르고 아는 사람이 많았던 박종일인지라 임상옥이 죄상에 비해 가벼운 안치형을 받은 것은 전적으로 박종일의 구명운동 때문인지도 모른다.

그 무렵 송이는 곽산에 머무르고 있었는데 송이를 데려다 정식으로 함께 살게 하려 하자 박종일이 이를 제지하고 나서서 말하였다.

"나으리, 나으리께오서 목에 칼까지 받은 중죄인으로 전옥에 갇혀 계신 것이 다만 큰 집을 지었다는 국법을 어긴 죄뿐인 줄만 알고 계시나이까."

"그럼 무엇이냐."

그렇지 않아도 임상옥은 그것이 궁금하였던 터라 대뜸 물어 말하였다.

"온 성내에 소문이 파다한 것을 어찌 나으리께서만 모르시나이까."

"그 소문이 무엇이냐고 내가 묻지 않느냐."

"나으리."

박종일이 정색을 한 표정으로 임상옥을 쳐다보며 말을 이었다.

"조정에서는 나으리의 새 집을 허물고 그곳 집터에 연못을 만드는 파가저택(破家瀦宅)의 형벌을 내리려 했나이다. 다행히 그 형벌은 면하였습니다만 나으리께서 전옥에 갇히신 것은 새 집 때문이 아니라, 실은 다른 연유 때문이나이다."

파가저택.

이는 새 집을 허물고 그곳 집터에 연못을 만드는 중벌로, 예로부터 대역죄인에게나 행하는 형벌이었다. 그만큼 살고 있는 집을 허물다는 것은 그 사람의 종자를 끊어버리고 삼족을 멸하는 의미와 같은 중벌이었다.

"그 다른 연유가 무엇인지 내가 다시 묻지 않느냐."

"나으리, 그 다른 연유는 바로 송이 아씨 때문이나이다."

순간 임상옥은 소스라쳐 놀랐다. 자신이 감옥에 갇혀서 중죄인이나 쓰는 항쇄를 목에 두르고 있었던 이유가 다름 아닌 송이 때문이었다니. 그 소문이 온 성문 안에 파다하게 퍼져 있다니.

"송이라고 말하였느냐."

임상옥의 질문에 박종일은 묵묵부답이었다.

"내가 묻지 아니하였느냐. 어찌 대답을 못하느냐."

그제야 박종일이 대답하였다.

"그렇습니다, 나으리. 나으리가 옥에 갇히신 것은 바로 송이 아씨 때문이나이다."

박종일은 차분한 목소리로 말을 이었다.

"송이 아씨가 태어날 때부터 관기의 딸로 태어나지 않음은 삼척동자도 아는 것이나이다. 송이 아씨가 처음에는 관노였다가 관기가 되었음을 모르는 사람은 아무도 없을 것이나이다. 그뿐인가요. 나으리, 송이 아씨의 생부가 평서대란 때 주모자로 능지처참되었던 대역죄인이었나이다. 나으리께오서는 대역죄인의 따님을 작은아씨로 맞아들이셨나이다."

"그것이 도대체 무슨 죄란 말이더냐."

임상옥이 물어 말하였다.

"나으리, 송이 아씨의 생부가 누군지 정녕 모르셨단 말입니까."

"누구냐. 송이의 생부가 누구더란 말이냐."

"나으리."

박종일이 임상옥의 눈을 정면으로 쳐다보며 말을 이었다.

"송이 아씨의 생부는 이희저로서 바로 나으리의 고우였나이다."

임상옥은 내심 까무라칠 정도로 놀랐지만 곧 평상심을 되찾았다.

"이희저와 나으리가 절친한 친구 사이라는 것을 모르는 사람은 이 평안도에서 한 사람도 없을 것이나이다. 그뿐이니까. 바로 이희저의 천거에 의해서 나으리는 평서대란의 괴수였던 홍경래를 일년 가까이 서기로 두고 부리지 않으셨나이까."

"그것이 무슨 잘못이란 말이냐. 나는 오히려 평서대란 때 수성의 공을 세워 주상으로부터 특지까지 받은 사실을 알고 있지 않느냐."

"그렇습니다, 나으리. 만약에 나으리께오서 홍경래의 난 때 은공을 세우지 못하였다면 이번에 적몰가산 당하고 집을 허물고 그 집터에 연못을 만드는 형벌을 받으셨을 것이나이다."

잠시 박종일은 말을 끊었다.

그리고 다시 말을 이었다.

"그러하시면 나으리께오서는 어찌하여 대역죄인 이희저의 시신을 수습해서 아무도 모르게 그의 고향에 묻어주셨나이까. 대역죄인의 시신을 까마귀밥이 되지 않게 추스러서 장례를 치러주는 일도 중죄가 됨을 모르셨나이까."

순간 임상옥은 모골이 송연하였다.

박종일의 말은 사실이었다.

대역죄인으로 능지처참 당하여 죽은 시신을 추스려서 장례를 치러주는 일은 국법을 거스르는 중죄였던 것이다.

그러나 임상옥은 도저히 그 비밀이 어떻게 백일하에 드러나게 되었는지 그 연유를 도저히 알 수 없었다.

그 비밀을 아는 사람은 자신과 그리고 그 당시의 평안감사였던 정만석뿐이었다.

이희저의 시신은 두 명의 하인을 시켜서 그의 고향인 가산으로 운구하여 대령강의 신도에 옮겨 매장하였는데 그렇다면 그 하인들의 입을 통하여 이 비밀이 밝혀진 것일까.

아니다. 그럴 리가 없다. 하인들은 자신들이 무슨 일을 하는지 모르고 있던 문외한들이 아니었던가.

그러나 박종일은 그 비밀의 전모를 제 손바닥 들여다보듯 상세히 알고 있지 아니한가.

"나으리."

박종일이 임상옥의 얼굴을 정면으로 쳐다보고 말하였다.

"나으리께오서 대역죄인 이희저의 시신을 수습해서 매장을 하여준 것을 비변사들이 알고 있었나이다. 이 모든 사실들을 비국(備局)에서는 낱낱이 알고 있었나이다."

"허지만."

임상옥이 입을 열어 말하였다.

"그것이 송이와 무슨 상관이 있단 말이냐. 네 말은 내가 하옥되었던 것이 모두 송이 때문이라고 이르지 아니하였더냐."

"나으리."

기가 막히다는 듯 박종일이 혀를 차며 말하였다.

"송이 아씨가 바로 이희저의 친딸이 아니나이까. 조정에서는 송이 아씨를 대역죄인의 딸이라 하여서 관노로 비적(婢籍)에 떨어뜨렸나이다. 이를테면 조정에서는 송이 아씨를 역신의 가족이라 하여서 노비로 삼은 것이었나이다. 그런데 나으리께오서 송이 아씨를 소실로 삼으심으로 말미암아 송이 아씨를 면천시켜 천민에서 양민으로 속신시켜 주셨나이다, 나으리."

박종일이 간곡한 어조로 말을 이었다.

"옛 조정에서는 인목대비의 친정 어머니를 제주감영의 노비로 삼았사오나 아무도 이를 말리는 사람조차 없을 만큼 국법은 엄중하였나이다. 하물며 대비마마의 친어머니를 노비로 삼았사온데 대역죄인의 딸을 소실로 삼아 면천시켜 양민으로 만들어준 것은 도무지 이해가 되지 않는 부분이었나이다."

따지고 보면 박종일의 말은 구구절절 옳은 말이었다.

"이제야 나으리."

말을 마치고 나서 박종일이 임상옥에게 다짐하여 물었다.

"나으리께오서 감옥에 갇히셨던 진짜의 이유가 짐작이 되시나이까. 나으리께오서 갇히셨던 것은 큰 집을 지었기 때문보다는 이렇듯 송이 아씨 때문이라는 사실이 짐작이 가시나이까."

임상옥은 기가 막혀 묵묵부답이었다.

이러한 임상옥의 속마음을 알아차린 듯 박종일이 눈치를 살피며 말을 꺼냈다.

"그러하니 나으리, 당분간 배소에서 근신하소서. 나으리의 일거

수일투족을 보수인들이 낱낱이 감시하고 이를 낭관에게 일일이 보고하고 있는 이때 아무리 나으리께오서 처첩은 물론 미혼 자녀들까지 한 집에 살 수 있는 안치형을 받았다 하더라도 당장에 송이 아씨를 데려다가 함께 사시는 것은 섶을 지고 불 속에 뛰어드는 무모한 짓이 아닐 수 없나이다."

박종일의 충고는 지극히 옳은 말이었다.

"그러하오니 나으리."

박종일은 말을 맺었다.

"당분간 참고 기다리소서. 신이 보기에는 나으리의 유거형은 곧 끝이 나실 것이나이다. 이 유거형이 끝날 때까지만 기다리소서. 송이 아씨를 보고 싶다 하시더라도 유배 기간이 끝날 때까지 기다리소서."

2

어느덧 봄이 지나고 여름으로 접어들고 있었다. 꽃은 다투어 피고 만산은 우거졌건만 임상옥의 마음은 적적할 뿐이었다.

보는 것이 다 송이 모습뿐이요, 들리는 소리마다 송이의 목소리였다. 문밖으로는 출입할 수 없는 두문불출의 유형이었으므로 임상옥은 마당에 서서 울타리 곁에 핀 꽃을 쳐다보고 그 냄새를 맡아보곤 하였다. 그럴 때마다 송이가 사무치도록 그리웠다.

나으리.

꽃향기를 맡을 때면 임상옥은 첫날밤 임상옥의 품에 안기어 속삭이던 송이의 목소리가 떠오르곤 하였다.

살아서는 같이 늙고 죽어서는 한 구덩이에 함께 묻히겠나이다. 믿을 수 없다 여기신다면 저 밝은 태양으로 맹세하겠나이다.'

임상옥은 은근히 박종일을 불러 다음과 같이 말하였다.

"이보게. 감시인에게 뇌물을 주고 잠깐만이라도 나갔다 오면 안 되겠나. 하루만이라도 나갔다 오면 안 되겠나."

"어딜 가려고 하시나이까."

냉정한 표정으로 박종일이 말했다.

"송이 아씨를 만나시기 위해 그러하시나이까."

"이보게, 함께 살아도 좋다고 국법도 정하고 있지 아니한가. 그렇다면 단 하룻밤만이라도 만나서 회포를 푸는 것은 당연한 일이 아니겠는가."

"아니되옵니다, 나으리."

박종일은 한마디로 거절했다.

"그렇게 하신다면 다된 밥에 재를 뿌리는 형국과 마찬가지이나이다. 참으시오소서, 나으리. 이제 길어봤자 여름 지나고, 가을이 찾아오면 형기가 끝날 것이나이다."

할 수 없이 물러서며 임상옥이 말을 바꾸었다.

"한 가지 부탁이 있네."

"그것이 무엇이나이까."

"자네가 나 대신 곽산으로 가서 송이 아씨를 만나고 오시게나. 만나서 살아갈 수 있는 재물을 충분히 건네주고 그간의 사정과 경위를 충분히 설명하고 이곳의 안부를 전하여 주고 오시게나."

박종일은 차마 임상옥의 부탁을 거절할 수 없었다. 그 즉시 박종일은 송이가 살고 있는 곽산으로 출발했다.

임상옥은 어린아이처럼 박종일이 돌아오기를 기다렸다. 해거름이면 마당에 나아가서 울타리 너머를 기웃거리며 행여 박종일이 돌아올까를 살펴보곤 했었다.

이틀 뒤. 해질 무렵에 박종일은 곽산에서 돌아왔는데 그는 임상옥에게 아무런 말도 하지 않고 물건 하나를 주었다.

그것은 부채였다.

그 부채를 보자 임상옥은 4년 전에 있었던 단옷날을 떠올렸다. 그날 곽산의 북쪽 삼장천에서 단오놀이를 하다가 임상옥이 고려 때의 명신 김극기의 시를 읊고 그 시의 한 구절을 역하라고 문제를 내었던 적이 있었다.

아무도 그 시를 차마 번역지 못하고 있을 때 한갓 기생에 불과하던 송이가 나서서 이를 번역해 그 대가로 주었던 단오선이었다.

그러니까 이 단오부채는 임상옥과 송이 사이에 오고 간 최초의 정표였다.

"나으리."

박종일은 다만 이렇게 말했을 뿐이었다.

"아씨가 나으리에게 이 부채로 더운 여름을 시원하게 보내시라고 말씀하셨나이다."

임상옥은 말없이 그 부채를 펼쳐보았다. 그 부채 위에는 송이의 글씨임이 분명한 필체로 한시가 씌어 있었다.

노란 구름 성 언저리에 까마귀가 깃들어 날아와
까악까악 가지 위에서 우는구나
黃雲城邊烏欲棲(황운성변오욕서)
歸飛啞啞枝上啼(귀비아아지상제)

베틀 위의 비단 짜는 진천 고을 아낙네는
푸른 비단 연기 같은 창 너머서 종알거리네
機中織錦秦川女(기중직금진천녀)
碧紗如煙隔窓語(벽사여연격창어)

북 멈추고 멍하니 먼 곳의 임을 생각하고는
빈 방에 혼자 자려 하니 눈물이 비같이 흐른다
停梭悵然憶遠人(정사창연억원인)
獨宿空房淚如雨(독숙공방루여우)

이 노래는 당나라 시성인 이백이 지은 명시로 제목은 '까마귀가
우는 밤'이다. 원래 '오야제'란 송나라의 시인 유의경이 지은 연가
로서 이를 악부(樂府)에서 노래로 만들어 대유행을 시켰는데 이백
이 제목을 빌려와 남녀간의 사랑을 새로 노래한 연시였다.
송이는 이를 단오부채 위에 써 보냄으로써 먼 곳에 있는 임 임상
옥에게 자신의 사랑을 대신 고백하였던 것이다.
이 시는《진서》'열녀전'에 나오는 당대의 문장가요, 미인이었던
소혜의 마음을 노래하고 있다.

그녀의 남편은 진천에서 지방장관으로 있다가 죄를 범하고 유사로 유배당하였다. 이때 소혜는 비단에 840자의 빙빙 돌아가며 읽는 회문시(回文詩)를 무늬 놓아 짜서 남편에게 보낸다.

그 내용이 하도 애절해서 남편이 아내를 자신의 유형지로 불러 함께 살았던 사연을 이백이 사랑 노래로 이 연시를 새로 지었던 것이다.

임상옥은 송이가 쓴 연가를 읽어내리자 가슴이 에이는 것 같았다.

소혜가 비단에 회문시를 무늬 놓아 사랑하는 남편에게 보냄으로써 그 애절한 내용을 보고 남편이 소혜를 유배지로 불러 함께 살았듯이 먼 곳에 있는 임을 생각하면 눈물이 비처럼 흐르니 나도 소혜처럼 애절한 사연을 부채 위에 새겨 보내나니 나를 그곳에 불러 함께 살게 해달라는 간절한 염원을 안고 있음인 것이었다.

단오부채에 새겨진 송이가 써서 보낸 연시를 보자 임상옥은 더욱 견딜 수가 없었다. 그는 생각하였다.

모든 재산을 국가에서 압수하는 적몰가산을 당해 알거지가 된들 어떠하시겠는가. 모든 집을 허물고 그 집터에 연못을 만드는 파가저택의 형벌을 받은들 어떠하겠는가.

모든 재산과 모든 명예를 다 잃고 모든 형벌을 받는다 하더라도 송이 하나만을 내가 소유할 수 있다면 그것과 모두 맞바꾸어도 아깝지 않을 것이다. 송이와 함께 살 수 있다면 나는 이 세상을 버린다 해도 이를 마다하지 않을 것이다.

일찍이 부처는 다음과 같이 말하였다.

"사람들이 재물과 색을 버리지 못하는 것은 마치 칼날에 묻은 꿀을 탐하는 것과 같다. 한 번 입에 댈 것도 못 되는데 사람들은 그것을 핥다가 혀를 상한다. 정과 사랑은 어떠한 재앙도 꺼리지 않는다. 모든 욕망 가운데 성욕보다 더한 것은 없다. 성욕의 크기는 한계가 없는 것이다. 다행히 그것이 하나뿐이었기에 망정이지 둘만 되었어도 부처가 될 사람은 아무도 없을 것이다. 애욕을 지닌 사람은 마치 횃불을 들고 거슬러 올라가는 것과 같아서 반드시 손을 태울 화를 입게 될 것이다.”

일찍이 큰스님 석숭이 예언하였던 대로 임상옥에게 세 번째 위기, 즉 마지막 위기가 찾아온 것이다.

그것은 명예와 지위(권력), 재물의 욕망까지 벗어났던 임상옥이 받은 최후의 유혹이었다.

임상옥 최후의 유혹.

그것은 바로 송이였다.

산을 내려오던 날, 석숭 스님은 말없이 마시던 찻잔을 임상옥에게 건네주며 말하지 않았던가.

“이 잔을 잘 갖고 있도록 하여라. 이 잔이 너의 마지막 위기를 잘 벗어날 수 있도록 도와줄 것이다. 뿐만 아니라 이 잔이 너를 전에도 없고 앞으로도 없을 전무후무한 거부로 만들어줄 것이다.”

그것이 바로 계영배(戒盈杯)였다.

임상옥은 이 계영배를 항상 소중하게 간직하고 있었다. 언젠가 마지막 위기를 벗어날 수 있는 비기(秘器)로서보다 큰스님 석숭의 마지막 은물(恩物)이었으므로.

그러나 임상옥이 맞은 마지막 위기인 송이, 그 애욕의 덫을 이 평

범한 찻잔에 불과한 계영배가 벗어나게 해줄 것이라고 꿈에라도 생
각하고 있었을까.

3

그 무렵.

국경지방의 방위태세를 순시하는 비변사 겸 임상옥의 유배상태
를 점검하는 낭관으로 조상영이 임상옥을 찾아왔다.

조상영은 당대의 세도가였던 조만영(趙萬永)의 인척지간으로 나
는 새도 떨어뜨릴 만큼 힘이 막강하였다.

그동안 34년에 걸친 순조의 재위 기간에는 김조순을 비롯하여 임
상옥을 배후에서 도와주었던 박종경이 천하의 세력을 양분하고 있
었다.

그러나 순조가 승하하기 전 왕위를 왕세손인 환(奐)에게 물려준
후 천히의 권세는 새로운 사람에게 넘어가게 되었다.

원래 순조의 왕세자는 영(旲)이었다. 왕세자 영의 세자빈은 풍양
조씨였던 조만영의 딸이다.

조만영은 자신의 딸이 세자빈으로 정해지자 득세하기 시작해서
이조판서와 어용대장을 거쳐서 순조의 왕비였던 순원왕후의 아버
지로 천하의 세도가였던 김조순과 세력을 다투기 시작하였다.

그러나 왕세자 영이 왕위에 오르지 못하고 22세를 일기로 승하하
자 다시 순조가 친정하게 되었는데 이 무렵 권신 사이의 알력이 고

질화되어 서로 징토(懲討)하므로 순조는 이렇게 한탄하였다고 실록에 기록되어 있다.

'…근래에 와서 조선에 들끓는 물의는 탄인(彈人)과 살인에 관한 것뿐이요, 정신(貞臣)으로서 나를 보필하려는 신하는 하나도 없고 모두 나에게 주토(誅討)만을 아뢰고 있을 뿐이다….'

결국 안동김씨와 풍양조씨 간의 세력 다툼은 풍양조씨를 대표하는 조만영의 승리로 끝나게 된다.

왜냐하면 이 무렵 김조순은 죽고 없었으며, 8세에 왕위에 오른 환이 왕대비 순원왕후에게 수렴청정(垂簾聽政)을 청하였기 때문이다.

즉, 안동김씨였던 김조순의 딸 순원왕후는 자기 집안의 지나친 권력독점을 어느 정도 견제하려는 생각으로 오히려 풍양조씨 편에 섰던 것이다.

이렇게 되자 왕위에 오른 헌종의 외조부인 풍은부원군(豊恩府院君) 조만영이 더욱 득세하게 되었으며 마침내는 그의 동생이었던 조인영이 이조판서에 오르는 등 천하의 세도는 모두 풍양조씨 일족으로 넘어가게 되었다.

바로 이 무렵, 그 조만영의 인척이었던 조상영이 비변사로 파견되어 임상옥이 사는 배소를 찾아온 것이다.

거만하기가 이를 데 없는 조상영은 죄인들의 동정을 살피는 낭관의 역할까지 겸하고 있었으므로 임상옥으로서는 죽느냐, 사느냐의 생사가판(生死可判)이었다.

"나으리."

조상영이 임상옥을 방문한다는 말을 듣고 박종일이 나서서 말하였다.

"반드시 비변사의 마음을 사로잡아야 할 것이나이다. 이번에 비변사의 마음을 사로잡는 데 성공할 수 있다면 나으리께서는 당장에라도 죄인의 몸을 벗어날 수 있으실 것이오나, 만에 하나 이번에 비변사의 눈밖에 나게 되신다면 당분간은 유배상황에서 벗어나지 못할 것이나이다."

조상영이 임상옥의 유배소를 방문한 것은 병신년 9월 초이튿날이었다.

비변사인 조상영을 맞기 위해서 임상옥이 사는 배소는 분주하였다. 술을 좋아한다는 그를 위해 성대한 주안상이 마련되었으며 또한 여색을 좋아한다는 그를 위해 기생들마저 불러들였다.

해질 무렵.

조상영이 임상옥의 배소에 들렀는데 첫인상이 거만하기 이를 데가 없었다.

한마디로 돼지를 연상시킬 만큼 비대한 조상영은 앉자마자 게걸스럽게 음식을 먹기 시작하였으며, 닥치는 대로 술을 마시기 시작하였다.

술은 임상옥의 집에서 담근 가양주(家釀酒)가 나왔으나 조상영은 대작하여 술을 서로 주고받는 수작을 무시하고 자신이 따라서 자신이 마셨다. 자신의 술잔에 자신이 따라서 자신이 마시는 주법은 상대방을 완전히 무시하는 행위였다.

술상에서는 서로 잔에 술을 따라 돌리는 행배(行杯)를 하고 권주잔을 반드시 비우고 되돌려주는 반배(返杯)를 해야 하는데 조상영은 권주잔을 받고서도 이를 돌려주지 않았다. 이는 임상옥과 더불어 함께 술잔을 나눌 수 없다는 무언 중의 협박이었다.

그러나 임상옥은 절대로 이를 내색하지 않고 공손하게 예의를 지키고 있었다.

한참 술기운이 거나하게 올랐을 때였다.

갑자기 조상영이 방 한구석에 세워둔 찬탁을 가리키며 말하였다.

"저기 찬탁 위에 놓인 물건은 무엇인가."

삼층으로 되어 있는 찬탁의 맨 위칸에는 풍란(風蘭)이 흰 꽃을 피우고 놓여 있었다.

"난이나이다."

"그것 말고 그 아래에 있는 물건 말일세."

가운데 층에는 잔 하나가 놓여 있었는데 바로 석숭 큰스님이 선물로 준 계영배였다. 임상옥은 평소에 계영배를 항상 손에 닿을 수 있고 눈에 잘 띄는 찬탁 위에 올려놓고 소중하게 보관하고 있었다.

"그 물건은 잔이나이다."

임상옥이 대수롭지 않게 대답하였다. 그러나 조상영은 물러서질 않았다.

"무엇이라고, 잔이라고. 그렇다면 술잔이 어찌하여 술상 위에 놓여 있지 아니하고 찬탁 위에 놓여 있단 말인가."

"나으리."

임상옥이 웃으며 말하였다.

"좋은 물건이 아니고 그저 평범한 잔에 불과하나이다."

"마찬가지가 아닌가. 그저 평범한 잔에 불과하다면 어찌하여 찬장 속에 들어 있지 아니하고 사랑방에 놓여 있을 수 있단 말인가. 이리 한번 가져와 보시게나."

조상영은 게슴츠레한 눈으로 거만하게 말하였다. 하는 수 없이 임상옥은 자리에서 일어나 찬탁 위에 놓인 잔을 두 손으로 들어올렸다.

임상옥은 두 손으로 잔을 조상영에게 바쳤으나 조상영은 한 손으로 이를 받았다.

그는 물끄러미 술잔을 들여다보고 나서 이렇게 말하였다.

"자, 여기다 한 잔 따르리다, 임공."

조상영은 잔에 술을 따라 이를 임상옥에게 행배하였다. 권주잔은 가급적 빠르게 비우고 빨리 돌려주는 것이 주법이었으므로 임상옥은 단숨에 술잔을 비우고 잔에 가득 술을 따라 이를 조상영에게 내밀었다. 이미 조상영 앞에는 술잔이 놓여 있었다. 주불쌍배(酒不雙杯)라 하여 자기 앞에 술잔은 둘 이상 두지 않는 것이 예절이었으나 조상영은 제멋대로였다.

마침 기생들의 가무가 시작되었다.

조상영은 소문으로만 듣던 치마무검 춤이 시작되자 넋을 잃고 황홀하게 바라보고 있었다.

한바탕 놀이가 끝나자 조상영은 임상옥이 올린 술잔을 들어올렸다. 한 잔 마시려다 말고 조상영은 몹시 불쾌한 표정으로 말하였다.

"이보시오, 임공. 나에게 무슨 유감이라도 있소이까."

조상영은 붉으락푸르락하였다. 이를 본 임상옥이 당황하여 물었다.

"도대체 무슨 일이시나이까."

"내가 이미 죽은 사람인가. 내가 살아 있는 사람이 아니라 죽은 제삿상 위에 올려진 위패인가."

"무슨 말씀이시온지."

"내가 죽은 사람이 아니라면 어찌하여 빈 잔을 내게 반배(返杯)하였소."

"빈 잔이라니요."

"빈 잔이 아니면 무엇이오. 한번 보시오."

조상영은 계영배를 임상옥에게 내밀었다. 과연 조상영의 말대로 술잔은 텅 비어 있었다. 이럴 수가 있는가. 임상옥은 믿을 수가 없어서 주위를 살펴보았다. 혹시 조상영이 기생들의 가무를 바라보면서 앉은자리에서 덩실덩실 춤까지 추었으므로 그 틈에 술상이 흔들려 잔 속에 들어 있던 술이 모두 쏟아져버린 것이 아닐까 하는 노파심으로 술상을 바라보았다.

그러나 술상은 깨끗하고 말짱하였다.

그렇다면 옆자리에 앉은 기생들이 퇴주잔인 줄 알고 주인 몰래 마시지나 않았을까 하고 조상영 양옆에 앉은 기생들의 얼굴 표정을 살펴보았다.

술 손님이 워낙 거나하게 취해버리면 눈치 빠른 기생들은 슬그머니 술잔에 담긴 술을 쏟아버리거나 자신이 마시는 경우가 간혹 있었기 때문이다.

그러나 그것은 불가능한 일이었다. 어느 안전이라고 조상영의 비위를 건드릴 만한 기생은 없을 것이 분명하였다.

그렇다면.

조상영이 술잔에 담긴 술을 단숨에 들이켜고 나서 일부러 시비를 걸고 있는 것이 아닐까.

"어쨌든 좋소."

조상영은 계영배에 술을 가득 따르면서 말하였다.

"귀신이 마셨든, 아니면 저승사자가 마셨든 마신 것은 마신 것이니 내가 대신 벌주를 내리겠소."

술자리에서 주도에 어긋난 행동을 하거나 주령을 어긴 사람에게는 벌배라 하여서 연거푸 석 잔을 마시게 하는 주법이 있었다.

"신이 잘못하였으니 벌주를 받겠습니다."

조상영은 잔에 가득 술을 따라 연거푸 석 잔을 내렸다. 임상옥은 받는 즉시 잔을 비웠다. 석 잔을 모두 마시고 나서 임상옥은 잔에 술을 가득 따르며 말하였다.

"분명히 신이 술을 가득 따랐나이다. 이를 분명히 눈으로 직접 보셨나이다."

"여부가 있겠소, 임공."

술잔을 받으며 조상영이 너털웃음을 웃었다. 또다시 기생들의 가무가 시작되었는데 조상영은 기생들의 춤에 넋을 잃었다. 주색을 좋아하는 조상영은 기생들의 자태에 혼이 빠진 것이다.

한바탕 춤이 끝나자 다시 술잔이 돌아가기 시작하였는데 순간 조상영이 소리 높여 말하였다.

"도대체 이 무슨 해괴한 일이란 말인가."

조상영은 벌떡 술자리를 박차고 일어섰다.

"또다시 술잔이 깨끗하게 비어 있지 않은가."

조상영은 차마 임상옥에게 핑계를 댈 수 없었다. 분명히 잔에 가득 술을 따르는 것을 자신의 눈으로 확인까지 하였으므로 깨끗하게 비어 있는 술잔이 임상옥의 탓이 아님을 알고 있었기 때문이다.

"그렇다면."

조상영은 잔을 들어 술잔의 안 부분을 세심하게 살펴보았다. 혹시 어딘가 금이 가 그곳을 통해 술이 새어나간 것이 아닐까 하고 살펴보았다. 그러나 술잔은 어느 한곳도 파손되어 있지 않고 온전하였다.

"이제 보니 이 자리에 술에 걸신들린 마귀가 있음이 분명하렸다."

조상영은 옆자리에 앉은 기생을 가리키며 물어 말하였다.

"네년이냐. 네년이 나 모르게 이 잔에 담겨 있는 술을 마셔버렸단 말이냐."

"나으리."

기생은 천부당만부당하다는 표정으로 펄쩍 뛰며 말하였다.

"어느 안전이라고 감히 나으리의 술잔을 넘보겠나이까."

"네 말이 사실이라면 이거야말로 귀신이 곡할 노릇이 아니겠느냐."

순간 임상옥의 머리 속으로 무엇인가 번개처럼 스쳐가는 것이 있었다. 이 잔은 큰스님 석숭이 마지막 선물로 준 신묘한 물건인 것이다. 그러므로 어쩌면 이 잔에는 신통력이 깃들어 있는지도 모른다.

생각이 여기까지 미치자 임상옥은 뭔가 짚이는 것이 있었다. 그것은 술잔의 안쪽에 새겨진 여덟 개의 수수께끼 문자였다.

가득 채워 마시지 말기를 바라며 너와 함께 죽기를 원한다는 '戒盈祈願 與爾同死' 여덟 글자 중에서 뒤의 네 글자는 난해하지만 앞의 네 글자는 쉽게 그 뜻을 헤아릴 수 있지 아니한가.

'계영기원', 즉 '가득 채워 마시지 말기 바란다'는 것이 그 글자의 뜻이고 보면, 이 잔은 계영배(戒盈杯), 즉 가득 채우는 것을 경계하는 잔이 아니겠는가.

임상옥은 생각했다.

술잔에 넘치도록 술을 따르지 않고 7부 정도만 채운다면 술잔 속의 술은 사라지지 않을지도 모른다.

"신이 술잔을 다시 따라 올리겠나이다."

임상옥이 잔을 받아들고 이번에는 술잔이 넘치도록 가득 술을 따르지 않았다. 술잔의 7부 정도만을 채울 만큼 술을 따르고 나서 술잔을 조상영에게 행배하였다. 조상영은 거들먹거리며 술잔을 받아놓고 나서 다시 딴청을 부렸다.

옆에 앉은 기생들과 한바탕 걸판진 농지거리를 마친 조상영이 술잔을 들었는데 이번에는 임상옥이 예측하였던 대로 술은 없어지지 아니하고 그대로 있었다.

조상영은 술을 단숨에 비우고 나서 임상옥에게 말하였다.

"이보시게, 임공."

"말, 말씀하십시오."

"옛말에 이르기를 계집은 품어야 맛이고 잔은 채워야 맛이라 하였소이다."

"그 말이 맞습니다."

잠자코 있던 박종일이 무릎을 치면서 말을 받았다.

"나리, 계집은 품어야 맛이고 잔은 채워야 맛이나이다. 말씀만 하십시오, 나리. 어느 기생이 마음에 드시나이까. 원하시는 기생이 있으시면 말씀만 하십시오. 수청을 들이겠나이다."

"내 말은 그런 뜻이 아니네."

조상영은 빈 잔을 치켜세워 들고 나서 이렇게 말하였다.

"어찌하여 잔을 가득 채우지 않으시고 약간만 채워 내게 행배를 하셨는가. 말씀해보시게나, 임공."

그는 가득 채우지 않고 잔을 건네어준 임상옥을 힐책하고 있었다.

"아무래도 날이 밝으면 닭을 빌려 타고 차계기환(借鷄騎還)하여야 하겠네."

'차계기환'이란 말은 '닭을 빌려 타고 돌아간다'는 뜻으로 조선 성종 때의 문신 서거정이 엮은 《태평한화골계전(太平閑話滑稽傳)》에 나오는 설화다. 시중에 떠도는 우스갯소리를 엮은 이 책에는 친구의 박대를 우스갯말로 꼬집은 이야기가 나오는데 그 내용은 다음과 같다.

김 선생이란 사람이 어느 날 친구의 집을 방문하였다. 친구가 그를 반겨 맞으며 술을 대접하는데 안주는 오직 채소뿐이었다. 친구가 먼저 이렇게 사과하여 술을 권하였다.

"형편은 어렵고 시장은 또 멀어서 대접할 것이라곤 오직 담백한 채소뿐이네. 이거 대접이 형편없어 미안하네."

김 선생도 고개를 끄덕였다. 서로 넉넉지 못한 형편은 잘 알고 있는 처지였기 때문이다. 그런데 문득 뜰을 보니 여러 마리의 닭이 모여 여기저기 모이를 쪼아먹고 있었다. 그 모습을 보다 말고 김 선생이 헛기침을 하고 이렇게 말하였다.

"대장부가 어찌 천금을 아끼겠는가. 마당에 내가 타고 온 말을 잡아서 술안주로 삼읍시다."

느닷없는 이 말에 주인인 친구가 눈을 둥그렇게 뜨고 물어 말하였다.

"말을 잡으면 무엇을 타고 돌아간단 말인가."

김 선생은 짐짓 이렇게 말하였다.

"그야 닭을 빌려 타고 가면 되지."

그제야 김 선생의 말뜻을 알아챈 친구는 크게 웃고 곧 뜰에 있는 닭을 한 마리 잡아서 대접하였던 것이다.

'닭을 빌려 타고 돌아간다'는 '차계기환'은 이 설화집에 나오는 유명한 이야기로 손님을 박대하는 것을 빈정대는 우스갯소리였던 것이다.

"이보게."

조상영은 임상옥의 옆에 앉아 있는 박종일을 쳐다보면서 말하였다.

"마구간에 가면 내가 타고 온 말 한 마리가 매어 있을걸세. 사내대장부가 어찌 천금을 아끼겠는가. 마땅히 내가 타고 온 말의 모가지를 베어 술안주를 삼는 것이 어떠하시겠는가."

조상영은 '닭을 빌려 돌아간다'는 고사를 인용함으로써 천하의 거부 임상옥을 정면으로 조롱하고 있었던 것이다.

"나으리."

사태가 심상치 않게 돌아가자 박종일이 머리를 조아리며 말하였다.

"나으리의 말을 잡아 안주를 삼아서야 되겠습니까. 마땅히 닭을 잡아 안주를 대접해 드려야지요. 하오나 나으리, 어찌하면 마음이 풀리시겠나이까."

예의 시건방진 표정으로 조상영이 말을 받았다.

"계집은 품어야 맛이고 술잔은 채워야 맛이라고 하였는데 어찌하여 임공께서는 잔을 가득 채우지 아니하고 약간만 채워 내게 행배하셨는가. 이야말로 멀리서 찾아온 친구를 박대한 꼴이 아니고 무엇이겠는가."

"나으리."

박종일이 재빠르게 계영배를 들어올리면서 말하였다.

"신이 한 잔 따라 올리겠나이다."

박종일은 잔에 술이 넘치도록 가득 따랐다. 그리고 두 손으로 공손히 조상영에게 내밀었다. 조상영은 마지못한 표정으로 술잔을 받았다.

받은 술잔을 그는 술상 위에 내려놓은 후 말을 이었다.

"가득 채운 술잔을 받았으니 이제 닭을 빌려 타고 돌아갈 필요도 없고, 마구간에 세워둔 말의 모가지를 베어 안주를 삼을 필요도 없겠군."

"여부가 있겠습니까, 나으리."

박종일은 맞장구를 치면서 말을 받았다.

조상영과 박종일의 대화는 계속 이어지고 있었다. 그러나 임상옥의 귀에는 아무것도 들리지 않았다. 오직 하나, 잔에 담겨 있는 술만이 임상옥의 유일한 관심 대상이었다.

임상옥은 이미 두 차례의 술잔을 가득 채운 행주(行酒)를 통해 이 잔에 술을 가득 채우면 무슨 조화인지 술이 없어지고 술잔이 깨끗하게 비어버린다는 믿기지 않는 사실을 어렴풋이 터득하고 있었던 것이다.

자신이 주법을 무시하고 조상영에게 술잔을 올릴 때 가득 채우지 아니하고 7부 정도만 채워 행배한 것도 그 때문이 아니었던가.

이를 까마득히 모르고 있는 박종일은 또다시 계영배에 술을 가득 따라 조상영에게 바쳐올린 것이다.

임상옥은 마음이 조마조마했다. 임상옥의 시선은 또 한 번 온통 이 잔에 쏠려 있었다.

아니나다를까.

걱정했던 일이 눈앞에서 일어난 것이다.

임상옥이 예상한 대로 조상영은 흥분된 목소리로 소리쳐 말하였다.

"도대체 이 무슨 귀신이 곡할 일이란 말인가."

잔을 쥔 조상영의 손이 눈에 띨 정도로 부들부들 떨리고 있었다.

"아니, 술이 한 방울도 남아 있지 아니한가."

조상영은 술잔을 소리가 나도록 내려놓았다.

"그럴 리가 있겠습니까."

박종일이 당황한 목소리로 말을 받았다.

"신이 분명히 넘치도록 술을 따른 것을 나으리께오서도 보시지 않으셨습니까."

"도대체 어떻게 된 일이냐. 내가 지금 귀신에라도 홀리고 있단 말이냐."

조상영은 자리를 박차고 일어섰다.

올 것이 왔구나, 하고 임상옥은 생각을 하였다. 행여 하는 마음으로 우려했던 것이 현실로 나타난 것이다.

"나으리."

당황한 박종일이 일어서서 조상영을 만류하여 말하였다.

"나, 나으리. 고정하시옵소서. 신이 다시 술잔에 술을 따라 올리겠나이다."

박종일은 자리를 박차고 일어선 조상영을 간신히 자리에 앉히곤 소리쳐 말하였다.

"뭣들을 하고 있느냐. 어서 풍악을 울리지 않고."

파장이 되어버린 술좌석의 흥을 돋우기 위해 풍악을 울리도록 명령한 다음 박종일은 다시 잔에 술을 따르기 시작하였다. 순간 조상영은 뭔가 집히는 것이 있다는 듯 술잔을 채우는 박종일의 일거수 일투족을 면밀히 쳐다보며 말하였다.

"오냐."

조상영은 입맛을 다시면서 혼잣말로 중얼거렸다.

"내가 반드시 네놈의 정체를 밝히고 말리라."

조상영은 언제 취했었냐는 듯 말짱한 정신으로 술을 따르는 박종일의 태도를 낱낱이 지켜보며 말하였다.

"나으리."

가득 술을 채우고 나서 박종일이 말하였다.

"분명 술을 가득 채웠나이다."

"더 따르거라."

분명히 술잔을 가득 채웠음에도 조상영은 재촉하였다. 박종일은 이미 가득 채운 술잔 위에 더 술을 부어내렸다. 술좌석에 있던 모든 사람들은 조상영의 앞에 놓여 있는 잔에 시선을 집중시키고 있었다.

악사들은 더 이상 풍악을 울리지 않았으며 기생들도 더 이상 춤을 추지도, 노래를 부르지도 아니하였다.

실로 숨막히는 순간이었다.

그때였다.

바로 그들의 눈앞에서 상상할 수 없는 신기한 일이 벌어지기 시작했다. 가득 채운 술이 조금씩 술잔 속에서 사라지기 시작하였던 것이다.

아주 조금씩 사라지고 있어 얼핏 보면 분간이 가지 않지만 시간이 흐를수록 술의 양은 눈에 띌 정도로 줄어들고 있었다. 마치 누군가 술잔에 들어 있는 술을 조금씩 마시고 있는 형상이었다.

제삿상 위에 놓인 제물을 신명(神明)들이 받아 마시듯 술잔 속에 들어 있는 술을 신명들이 흠향(歆饗)하고 있는 것처럼 보였다.

사람들은 숨소리조차 낼 수 없었다.

완전히 술잔이 비자 이를 확인이라도 하듯 조상영이 술잔을 들어 거꾸로 뒤집어보았다. 한 방울의 술도 남아 있지 않은 깨끗한 빈 잔이었다.

언제 술이 가득 들어 있었냐는 듯 술잔은 젖어 있지도 않았다.

"좋소이다."

조상영이 주위를 돌아보며 말하였다.

"우리는 모두 술잔 속에 들어 있는 술이 없어지는 것을 두 눈으로 똑똑히 확인하였소. 내가 다시 신기한 마술을 보여드리겠소."

조상영은 임상옥을 쳐다보며 말을 이었다.

"임공이 술을 따르시오. 임공이 술을 따른다면 술잔 속의 술은 없어지지 않을 것이외다. 술을 따르시오."

임상옥은 감았던 눈을 떴다.

조상영도 이미 어느 정도 술잔의 신묘함에 대해서 눈치를 채고 있었던 것이다.

"어서 술을 따르시오, 임공."

조상영은 임상옥에게 재촉하여 말하였다.

임상옥은 물러설 수 없음을 알았다. 이미 이 잔의 신통력을 알고 있는 임상옥이었기에 그는 술잔의 7부 정도만 술을 채웠다.

임상옥이 가득 채우지 않자 이를 지켜보던 조상영이 말하였다.

"어찌하여 술잔을 가득 채우지 않소이까."

"나으리."

임상옥이 대답하였다.

"나으리께서 직접 보시지 않으셨습니까. 술잔을 가득 채우면 술이 없어지는 것을."

조상영이 다시 물었다.

"이 정도만 채우면 술이 없어지지 않을 것인가."

"그러할 것이나이다."

"좋소, 한번 지켜볼 수밖에."

조상영은 7부 정도만 채운 잔을 지켜보기 시작하였다. 이는 조상영뿐 아니었다. 연회에 참석하였던 모든 악사와 기생들도 감히 이 잔에서 눈을 떼지 못하고 있었다.

임상옥의 말은 정확하였다.

잔에 있던 술은 없어지지 않고 있었다. 충분한 시간이 흘렀음에도 술은 조금도 줄어들지 않고 그대로 남아 있었던 것이다.

이제는 모든 것이 명명백백하게 밝혀진 셈이었다. 석숭 큰스님이 준 이 잔은 이름 그대로 '가득 채우는 것을 경계하는 술잔'으로, 가득 채우면 제 스스로 그 술이 없어져버리고 적당히 채워야만 온전히 남아 있는 신기(神器)임이 분명하게 밝혀진 것이다.

"가득 채워라."

이를 지켜보던 조상영이 소리 높여 말하였다.

"술잔을 가득 채우시오."

"나으리."

박종일이 조심스레 말하였다.

"가득 채우면 술이 없어지는 것을 나으리께오서도 분명히 보시지 않으셨나이까."

"가득 채우지 않은 술잔이라면 나는 받지도 않을 것이며, 가득 채우지 않은 술이라면 나는 마시지도 않을 것이오."

일종의 오기였다.

"누가 이기나 해봅시다. 얘들아, 술잔에 술을 가득 따르거라."

조상영은 옆자리에 앉은 기생에게 말하였다. 기생은 다시 잔에 술을 따르기 시작하였다.

더욱 이상한 일이 생긴 것은 바로 그 직후였다.

술 한 병이 다 비도록 술을 따랐으나 술잔은 채워지지 않고 있었다.

상상할 수도 없는 일이었다.

술 한 병은 눈대중으로 어림잡아도 열 잔을 채울 수 있을 만큼의 많은 술이 들어 있기 마련이다. 그러나 술 한 병이 다 비도록 술을 따랐으나 술잔은 채워지기는커녕 바닥에만 간신히 고여 있을 뿐이었다.

"나으리."

술잔을 채우던 기생이 하얗게 질린 얼굴로 물러서며 말하였다.

"이상하게도 술잔이 채워지지 않나이다."

조금 전까지만 해도 없어져버리는 이상한 일이 일어나고 있긴 했었지만 어쨌든 술잔은 가득 채울 수 있었다.

그러나 이번의 경우는 전혀 달랐다.

도저히 술잔을 채울 수가 없었던 것이다. 마치 밑 빠진 독에 물을 붓는 형상이었다.

무서움에 질린 기생이 손을 떨며 물러섰다.

"무엇을 하고 있느냐."

이를 보던 조상영이 소리쳐 말하였다.

"술이 떨어진 것을 보지 못하였느냐. 술을 더 가져오지 못하겠느냐."

기생들이 다투어 술병을 더 가져왔다.

"따르거라."

새 술병이 오자 조상영이 술을 따르던 기생에게 명령하여 말하였다.

"나으리."

겁에 질린 기생은 두 손을 싹싹 빌면서 말하였다.

"저는 무서워 도저히 술을 따르지 못하겠나이다."

"좋다."

갑자기 조상영이 술상을 내리치면서 말하였다.

"누구든 이 술잔을 가득 채우는 사람이 있으면 내가 백 냥을 하사하겠다."

조상영이 호기롭게 말하자 돈이 탐난 기생들이 앞을 다투어 나서서 술을 따르기 시작하였다.

그러나 어림도 없는 일이었다. 각자 술병을 들고 나서서 술을 따르기 시작하였으나 그 어떤 술병도 술잔을 가득 채울 수 없었다.

"좋다."

지켜보던 조상영이 더 이상 참지 못하고 직접 나섰다.

"누가 이기나, 한번 내 손으로 직접 따라보겠다."

성미가 급하고 난폭한 조상영이었으므로 양손에 술병을 들고 동시에 따르기 시작하였다. 그러나 모두 소용이 없는 짓이었다. 아무리 술병을 기울여 술을 따라도 술잔은 채워지지 않고 있었던 것이다.

마침내 조상영의 두 손에 들린 술병에서도 술이 떨어졌다.

조상영은 묵묵히 술잔을 노려볼 뿐 더 이상 말을 하지 않고 있었다.

"나으리."

옆에 앉았던 기생이 조심스레 물었다.

"술을 더 가져오라고 이를깝쇼."

조상영은 머리를 흔들며 대답하였다.

"내버려두어라."

조상영은 자존심이 상해 있었다. 부어도 부어도 채워지지 않는 술잔의 신묘함보다는 수많은 사람들 앞에서 망신을 당했다는 적개심으로 분기가 탱천하고 있었다. 그러나 장소가 장소인 만치 간신히 이를 악물고 참아내고 있었다.

그때였다.

묵묵히 술잔을 노려보던 조상영은 술잔에서 무엇을 발견하였는지 술잔을 들어 가만히 눈앞에 대보았다.

조상영은 술잔 안쪽에 새겨진 글자를 발견했던 모양이었다. 글자가 워낙 미세하고 작았으므로 눈을 가느다랗게 뜨고 술잔에 새겨진 글자를 하나하나 읽어내리기 시작하였다.

"계영기원이라."

그는 혼잣말로 중얼거렸다.

"계영기원이라면 술잔을 가득 채우지 말기를 바란다는 뜻이 아닌가."

그는 다시 새겨진 글자를 천천히 계속해서 읽어보았다.

"여이동사라."

그는 다시 중얼거렸다.

"여이동사라 하면 너와 함께 죽기를 원한다는 뜻인데, 그렇다면 전체적으로는 이런 뜻이 되겠군."

조상영은 순간 고개를 들어 임상옥을 쏘아보았다.

"결국 가득 채워 술을 마신다면 너와 함께 죽겠다는 뜻이 아닌가. 여보시오 임공. 이제 보니 이 술잔은 저주가 내린 물건이오. 대답해보시오, 임공, 임공이 나를 오라고 초대해서 이 술잔으로 술을 행배하였던 것은 나를 죽이기 위해서 일부러 귀신의 힘을 빌려 저주가 내린 이 술잔을 사용했던 것이 아니신가."

말도 안 되는 억지였다.

조상영으로서는 여러 사람들 앞에서 당한 무안을 어떻게 해서라도 임상옥에게 책임을 전가시켜 화풀이를 해야만 직성이 풀릴 판이었다.

"대답해보시오, 임공. 이 귀신 붙은 잔은 도대체 어디서 난 것이오."

"그 잔은 귀신이 붙은 물건이 아니나이다."

하는 수 없이 임상옥이 입을 열어 변명하였다.

"무엇이라고. 이 잔이 귀신이 붙은 잔이 아니라고."

순간 조상영이 자리를 박차고 일어섰다. 그는 술상에 놓인 잔을 한 손으로 쥐어들었다.

"사람을 불러놓고 저주가 내린 잔으로 행배를 하다니. 이 잔이야말로 급살이 내릴 잔이 아니고 무엇이겠소."

"아, 아닙니다. 나으리."

박종일이 황급히 일어서서 조상영을 달래기 위해 바짝 다가섰다.

조상영은 소리쳐 외치며 잔을 힘껏 허공으로 치켜들었다.

"비키시오. 이런 요망한 잔을 내가 가만히 내버려둘 수는 없소이다."

조상영은 허공으로 추켜올린 잔을 순간 내던졌다. 마침 초가을이었지만 더운 날씨였으므로 문을 활짝 열어놓고 연회를 벌이고 있었다.

조상영이 내던진 잔은 다행히 사람들을 피해 그대로 열린 창문을 통과하여 마당으로 날아갔다.

너무나 갑작스레 일어난 일이었으므로 사람들은 말릴 겨를도 없었다. 그들은 마당으로 날아간 잔이 무엇인가에 부딪혀 쨍그랑 하는 소리와 함께 깨어지는 파열음을 들었다.

"난 가겠소. 더 이상 술자리에 앉아 있을 필요는 없을 터이니까."

조상영은 자신과 함께 온 관원들을 대동하고 바람처럼 순식간에 사라져버렸다. 그것은 연회가 아니라 한바탕의 소동이었다. 아무리 무례한 조상영이었지만 임상옥과 박종일은 문밖까지 그를 전송하고 돌아왔다.

파장이 난 술좌석은 처참한 전쟁터와 같았다.

임상옥은 썰물이 빠져나간 듯한 살풍경과는 상관없이 허리를 굽혀 마당을 헤매기 시작하였다.

"나으리."

보다 못해 박종일이 물어 말하였다.

"무엇을 하고 계십니까."

임상옥이 대답하였다.

"좀 전에 던진 잔을 찾고 있네."

박종일은 잔이 날아간 방향을 좇아서 더듬거리며 찾고 있는 임상옥의 모습을 쳐다보면서 순간 한심한 생각이 들었다.

이 사람은 과연 제정신이 있는 사람일까.

조상영이라면 나는 새도 떨어뜨릴 만큼 세도정치가인 조만영의 친척으로서, 그뿐인가, 죄인의 몸이 된 임상옥에게 있어서는 생사여탈권을 갖고 있는 저승사자가 아닐 것인가.

그런 막강한 힘을 가진 조상영의 비위를 거스르고 분기탱천하게 해서 보낸 뒤끝이라 마음이 불안하고 심란한 판인데 어두운 정원에서 조상영이 내던진 술잔의 행방을 더듬어 찾고 있다니.

"나으리."

하는 수 없이 박종일도 잔을 찾아 헤매면서 입을 열어 말하였다.

"그 잔은 도대체 어디서 난 것입니까."

박종일은 임상옥이 그 잔을 소중하게 보관하고 있음을 잘 알고 있었다. 평범한 잔을 왜 그렇게 소중하게 보관하고 있을까 늘 궁금하던 차에 오늘에야 비로소 그 궁금증이 풀린 셈이다.

그러나 임상옥은 아무런 대답도 하지 않았다. 그는 잔이 날아가 무엇인가에 부딪혀서 쨍그랑 하고 깨어지는 소리까지 들었으므로, 마당에 있는 정원석과 부딪쳤을 것이라고 막연히 생각하고 있었다.

임상옥으로서도 오늘에야 석숭 큰스님이 주신 이 잔의 신묘함을 비로소 알 수 있었던 것이다.

큰스님은 어째서 이 잔을 마지막 위기를 물리칠 수 있는 비기로 전해주셨을까.

임상옥은 어두운 정원을 더듬어 잔을 찾으며 생각하였다.

가득 채우면 술잔의 술은 한 방울도 남아 있지 않게 되며 7부 정도만 채우면 잔의 술은 온전히 남아 있다.

그뿐인가. 마침내 욕심을 부려 억지로라도 잔을 가득 채우려면 밑 빠진 독에 물을 붓는 것처럼 술독째 가져와도 채울 수 없는 잔. 그처럼 신묘한 잔을 석숭 큰스님은 어째서 내게 전해주셨을까.

임상옥과 더불어 술잔을 찾던 박종일이 소리쳐 말하였다.

"나으리, 잔을 찾았나이다."

잔이 날아간 방향과는 전혀 다른 곳이었다. 박종일은 두 손으로 잔을 받쳐들고 있었다.

박종일의 손에 들린 잔은 한눈에도 보기 흉할 정도로 파손되어 있었다. 힘껏 내던진 조상영의 손에서 날아간 술잔이 무엇인가에 부딪혀 쨍그랑 하는 소리를 낼 때 이미 한쪽이 부서져나간 모양이었다. 임상옥이 부서져나간 파편을 찾아보았으나 박살이 나 가루만 남았을 뿐 그나마 술잔의 형태만이라도 남아 있는 것이 다행이었다.

"나으리."

박종일은 무엇인가 이상한 것을 발견했다는 듯 눈짓으로 잔을 가리키며 말하였다.

"술잔에 무엇인가 이상한 것이 있습니다."

무엇인가 붉은 빛깔이 깨어진 잔에서부터 흘러나오고 있었다. 임상옥은 그 붉은 빛깔의 정체가 무엇인가 살펴보았다.

깨어진 부분에서 붉은 빛깔의 액체가 천천히 흘러 떨어지자 임상옥은 박종일의 손에 상처가 나서 피가 묻어 있는 것이 아닐까 하고 생각하였다.

그러나 아니었다. 붉은 피는 분명히 잔의 깨어진 부분에서부터 흘러나오고 있었다.

"나으리."

떨리는 목소리로 박종일이 말하였다.

"피가 아닌갑쇼, 나으리. 잔이 피를 흘리고 있나이다."

그것은 분명히 붉은 피였다.

이를 어떻게 받아들일 것인가.

잔이 깨어져나간 상처 부분에서 붉은 피를 흘리고 있는 것이다.

임상옥은 박종일에게 이 비밀을 절대로 발설하지 말라고 신신당부를 한 다음 잔에 묻은 피를 정결하게 닦아들고 방으로 돌아왔다.

피는 더 이상 흘러내리지 않고 있었다.

임상옥은 탁자 위에 깨어진 잔, 계영배를 올려놓고 마치 살아있는 석숭 큰스님에게 행하듯 세 번 큰절을 하였다. 그리고 나서 무릎을 꿇고 이렇게 말하였다.

"스님, 오늘에야 큰스님이 내려주신 계영배의 비의를 알게 되었나이다. 스님께서 내려주신 계영배의 화두를 반드시 깨우쳐 하늘의 도리(天道)를 제가 이루겠나이다. 스님, 부디 명철보신(明哲保身)하옵소서."

그러나 바로 그 순간, 석숭 스님이 열반에 들었음을 임상옥은 짐작이나 하였음일까.

계영배에 새겨진 '너와 함께 죽겠다(與爾同死)'란 문장이 계영배와 함께 운명을 같이하겠다는 석숭의 예언임을 짐작이나 하였음일까.

　깨어진 부분에서 흘러나온 피가 실은 석숭의 피였음을 짐작이나 하였음일까.

　그날이 바로 병신년 9월 초이튿날이었다.

〈3권에 계속〉